LA PÂLE FIGURE

Philip Kerr

LA PÂLE FIGURE

Traduit de l'anglais par Gilles Berton

Éditions du Masque

Ce roman a paru sous le titre original :
THE PALE CRIMINAL

À Jane

Bien des choses me répugnent chez vos gens de bien, et je ne parle pas du mal qui est en eux. Combien j'aimerais qu'ils possèdent une folie dont ils pourraient périr, comme ce criminel à la pâle figure. Vraiment, je voudrais que leur folie puisse être baptisée vérité, fidélité ou justice : mais leur vertu ne leur sert qu'à vivre longtemps et dans une aisance pitoyable.

Nietzsche

PREMIÈRE PARTIE

C'est lorsque vous êtes au régime que les tartes aux fraises du café Kranzler vous paraissent le plus appétissantes.

Eh bien, depuis quelque temps, je commence à éprouver la même chose avec les femmes. Non que je sois au régime, mais c'est la serveuse qui semble m'ignorer. Il y en a tant de jolies. Des femmes, je veux dire, bien que je me sente capable de baiser une serveuse au même titre que n'importe quelle autre représentante de la gent féminine. Je me souviens d'une femme, il y a deux ans de ça. J'étais amoureux, et puis elle a disparu. Il est vrai que ça arrive à des tas de gens dans cette ville. Mais depuis, je n'ai connu que des aventures sans lendemain. Et aujourd'hui, à me voir sur Unter den Linden, à pointer le museau d'un côté puis de l'autre, on pourrait croire que je suis des yeux le pendule d'un hypnotiseur. Bah, c'est peut-être la chaleur. Cet été, Berlin est aussi chaude que l'aisselle d'un boulanger. À moins que ça ne vienne de moi, qu'à l'approche de la quarantaine les bébés me fassent tourner la boule. Bref, quelle qu'en soit la raison, mon envie de procréer n'est rien moins que bestiale, et ça, les femmes le perçoivent tout de suite dans votre regard, et elles vous fuient.

Et pourtant, en ce long été étouffant de 1938, la bestialité la plus dépourvue de scrupules était en pleine renaissance aryenne.

1

Vendredi 26 août

– C'est vraiment un foutu coucou.

– Qui ça ?

Bruno Stahlecker leva les yeux de son journal.

– Hitler, qui d'autre ?

Mon estomac se souleva à la perspective d'une de ces comparaisons périlleuses à laquelle mon associé se livrait à tout bout de champ à propos des nazis.

– Oui, bien sûr, fis-je d'un ton ferme.

J'espérais que si je faisais semblant de comprendre il s'abstiendrait d'entrer dans les détails. Ce fut en vain.

– À peine a-t-il éjecté l'oisillon autrichien du nid européen que c'est le tchécoslovaque qui semble menacé. (Il frappa son journal du dos de la main.) Tu as vu ça, Bernie ? Mouvements de troupes allemandes à la frontière des territoires sudètes.

– Oui, j'avais compris que c'est à ça que tu faisais allusion.

Je triai le courrier du jour. Il comprenait plusieurs chèques, ce qui désamorça quelque peu mon irritation envers Bruno. C'était difficile à croire, mais il avait déjà un coup dans le nez. Habituellement enclin aux répliques monosyllabiques (ce que j'apprécie, étant moi-même quelque peu taciturne), l'alcool rendait Bruno plus bavard qu'un serveur italien.

– Le plus étrange, c'est que les parents ne remarquent rien. Le coucou a beau balancer les autres oisillons par-dessus bord, les parents adoptifs continuent à le nourrir.

– Ils espèrent peut-être qu'il fermera son clapet et s'en ira, dis-je d'un ton mordant.

Mais Bruno avait le cuir trop épais pour remarquer quoi que ce soit. Je parcourus une des lettres, puis la relus plus lentement.

– Ils refusent de voir les choses en face. Qu'est-ce qu'il y a au courrier ?

– Quoi ? Oh, quelques chèques.

– Béni soit le jour qui nous amène un chèque. Rien d'autre?

– Une lettre. Du genre anonyme. Quelqu'un demande à me rencontrer à minuit au Reichstag.

– Est-ce qu'il dit pourquoi?

– Il prétend savoir quelque chose concernant une vieille affaire sur laquelle j'ai travaillé. Une personne disparue qu'on n'a jamais retrouvée.

– Je vois. Aussi rare qu'un chien à queue. Très inhabituel. Tu vas y aller?

Je haussai les épaules.

– J'ai du mal à trouver le sommeil en ce moment, alors pourquoi pas?

– Tu veux dire à part que c'est en ruines et que c'est dangereux d'y entrer? Eh bien, par exemple, ça pourrait être un piège. Quelqu'un veut peut-être te tuer.

– Exact. C'est peut-être toi qui me l'as envoyée, après tout.

Il eut un rire sans joie.

– Peut-être vaudrait-il mieux que je t'accompagne. Je pourrais rester planqué, mais à portée d'oreille.

– Ou de fusil? (Je secouai la tête.) Quand tu veux descendre un type, tu ne lui donnes pas rendez-vous dans un endroit qui le rendra méfiant.

J'ouvris le tiroir de mon bureau.

Il n'y avait pas grande différence d'aspect entre le Mauser et le Walther, mais c'est le Mauser que je choisis. L'inclinaison de sa crosse et sa configuration générale en faisaient un pistolet plus conséquent que le Walther, légèrement plus petit, et dont la puissance d'arrêt n'avait rien à envier à d'autres armes. À l'instar d'un gros chèque, le Mauser me procurait un sentiment d'assurance tranquille chaque fois que je le glissais dans ma poche. Je le brandis en direction de Bruno.

– En tout cas, celui qui m'a envoyé l'invitation se doutera que je ne suis pas venu les mains vides.

– Et si jamais ils sont plusieurs?

– Merde, Bruno, c'est pas la peine de me faire un dessin. Je sais qu'il y a des risques, mais c'est notre boulot, non? Les journalistes reçoivent des dépêches, les soldats des balles et les détectives privés des lettres anonymes. Si j'avais voulu recevoir du courrier scellé, je serais devenu un foutu avocat.

Bruno hocha la tête, tripota son couvre-œil puis reporta son agacement sur sa pipe – symbole de l'échec de notre collaboration. Je déteste en bloc le matériel du fumeur de pipe : blague à tabac, cure-pipe, canif, briquet spécial. Les adeptes de la pipe sont les champions du tripotage et de l'agitation futile, et représentent pour notre monde une calamité aussi grave qu'un missionnaire débarquant à Tahiti avec une valise de soutiens-gorge. Pourtant, ça n'était pas la faute de Bruno car, en dépit de son penchant pour la boisson et de ses irritantes petites habitudes, il était toujours le détective de valeur que j'avais tiré d'un obscur commissariat de la Kripo à Spreewald. Non, tout ceci était de ma faute : je m'étais aperçu que j'étais aussi peu fait pour le partenariat que pour la présidence de la Deutsche Bank.

Je regardai Bruno et me sentis submergé de culpabilité.

– Tu te souviens de ce qu'on disait pendant la guerre ? fis-je. Si y'a ton nom et ton adresse dessus, tu peux être sûr qu'elle saura où te trouver.

– Je m'en souviens, rétorqua-t-il avant d'allumer sa bouffarde et de se replonger dans son *Völkischer Beobachter*.

Je le regardai lire en souriant.

– Un crieur municipal te donnerait plus de nouvelles que cette feuille de chou, fis-je.

– Sans doute. Mais j'aime lire un journal le matin, même si c'est un tas de merde. Question d'habitude. (Nous restâmes silencieux quelques instants.) Tiens, encore cette annonce : « Rolf Vogelmann, détective privé. Spécialisé dans la recherche de personnes disparues. »

– Jamais entendu parler.

– Mais si. Elle y était déjà vendredi dernier. Je te l'avais lue. Tu ne te rappelles pas ? (Il ôta la pipe de sa bouche et pointa l'embout vers moi.) Tu sais, Bernie, on devrait peut-être faire un peu de publicité.

– Pourquoi ? On a du travail à ne plus savoir qu'en faire. Les affaires n'ont jamais aussi bien marché, alors, pourquoi aller gaspiller de l'argent ? De toute façon, c'est la réputation qui compte dans notre métier, pas quelques lignes dans le journal du Parti. De toute évidence, ce Rolf Vogelmann n'a rien pigé. Pense un peu à tous nos clients juifs. Aucun ne lit ce torchon.

– Bah, si tu penses qu'on n'en a pas besoin, Bernie...

– On en a autant besoin qu'un troisième nichon.

– Autrefois, certains pensaient que c'était signe de chance.

– Et d'autres vous envoyaient au bûcher.

– La marque du diable, hein ? (Il ricana.) Hé, p't'être bien qu'Hitler en a un.

– Aussi sûr que Goebbels a les pieds fourchus. Merde, tous ces fumiers sortent tout droit de l'enfer.

Mes pas résonnèrent sur Königsplatz, déserte à cette heure-ci, lorsque j'approchai de ce qui restait du Reichstag. Seul Bismarck, debout sur son socle, la main à l'épée, face à l'entrée ouest, la tête tournée vers moi, semblait prêt à s'opposer à ma présence en ces lieux. Toutefois, connaissant son manque d'enthousiasme à l'égard du parlement allemand – où il ne mit d'ailleurs jamais les pieds –, je doutais qu'il soit très enclin à défendre l'institution à laquelle, peut-être symboliquement, sa statue tournait le dos. Il est vrai qu'à présent, ce bâtiment Renaissance à la façade surchargée ne semblait guère valoir la peine qu'on se batte pour lui. Noirci par la fumée, le Reichstag ressemblait à un volcan ayant craché son ultime et plus spectaculaire éruption. Pourtant, cet incendie ne représentait pas seulement l'holocauste de la République de 1918 ; il constituait l'exemple de pyromancie le plus éclatant dont disposait l'Allemagne à l'égard de ce qu'Adolf Hitler et son troisième téton nous préparaient.

Je me dirigeai vers la façade nord et l'ancien Portail V par où entrait auparavant le public et que j'avais franchi une seule fois, avec ma mère, plus de trente ans auparavant.

Je me gardai d'allumer ma torche. Un type qui se balade la nuit avec une lampe électrique ferait aussi bien de se peindre des cercles sur la poitrine pour faire une meilleure cible. Et puis il filtrait assez de clarté lunaire à travers ce qui restait du toit pour que je puisse voir où je marchais. Pourtant, traversant le vestibule nord, autrefois salle des pas perdus, j'enclenchai bruyamment le chargeur du Mauser pour faire savoir à celui qui m'attendait que j'étais armé. Dans le silence impressionnant, le cliquètement du métal résonna comme une escouade de cavaliers prussiens.

– Vous n'aurez pas besoin de ça, fit une voix en provenance de la galerie qui courait au-dessus de moi.

– Ça ne fait rien, je préfère le garder. Au cas où il y ait des rats.

L'homme rit avec dédain.

– Ça fait longtemps qu'ils sont partis, dit-il. (Le faisceau d'une torche m'éclaira le visage.) Montez, Gunther.

– Il me semble que je connais votre voix, dis-je en m'engageant dans l'escalier.

– Ça me fait la même chose. Parfois, je reconnais ma voix, mais pas celui qui parle. Il n'y a rien de bien étonnant à ça, n'est-ce pas ? Surtout en ce moment.

Je sortis ma torche et la dirigeai vers l'homme qui pénétra dans une salle adjacente.

– J'ai du mal à en croire mes oreilles. J'aimerais vous entendre dire des choses pareilles dans les locaux de la Prinz Albrecht Strasse, rétorquai-je.

– Vous m'avez donc reconnu, fit-il en riant.

Je le rejoignis près d'une grande statue de l'empereur Guillaume Ier dressée au centre d'une vaste salle octogonale où ma torche illumina enfin les traits de mon interlocuteur. Bien qu'il parlât avec un net accent berlinois, son visage avait quelque chose de cosmopolite. À voir son nez, d'aucuns auraient même pu dire qu'il avait quelque chose de juif. Il arborait en effet un appendice nasal protubérant comme une aiguille de cadran solaire, qui déformait sa lèvre supérieure en un éternel sourire moqueur. La coupe rase de ses cheveux grisonnants accentuait encore la hauteur de son front. Au total, ce visage rusé lui convenait à la perfection.

– Surpris? demanda-t-il.

– Que le chef de la Police criminelle de Berlin m'envoie une lettre anonyme? Pas du tout, ça m'arrive très souvent.

– Seriez-vous venu si je l'avais signée?

– Sans doute pas.

– Et si je vous avais suggéré de vous rendre Prinz Albrecht Strasse au lieu d'ici? Avouez que ça vous a intrigué.

– Depuis quand la Kripo recourt-elle à la suggestion pour convoquer quelqu'un?

– Un point pour vous. (Élargissant son sourire, Arthur Nebe produisit une flasque de la poche de son pardessus.) Ça vous dit?

– Volontiers, merci.

J'avalai une gorgée du clair alcool de blé que le Reichskriminaldirektor avait la prévenance de m'offrir, puis sortis mon paquet de cigarettes. Je donnai du feu à Nebe, allumai ma propre cigarette et tins un instant l'allumette enflammée à bout de bras.

– Difficile d'incendier un endroit pareil, remarquai-je. Surtout pour un homme seul. Il aurait fallu la nuit entière à Van der Lubbe pour préparer son petit feu de camp. (J'aspirai une bouffée avant d'ajouter :) On dit que le Gros Hermann y a mis la main. Et même les deux, avec mèche et briquet.

– Je suis choqué, choqué de vous entendre faire une aussi scandaleuse suggestion à propos de notre Premier ministre bien-aimé. (Mais Nebe riait en prononçant ces mots.) Pauvre Hermann, se faire accuser de la sorte. Oh, certes, il a mis la main à la pâte, mais ça n'est pas lui qui organisait la soirée.

– Qui, alors?

– Joe l'infirme. Cet imbécile de Hollandais a été un atout de plus dans sa manche. Van der Lubbe a eu la malchance de vouloir incendier le Reichstag la même nuit que Goebbels et ses sbires. Ça a été une excellente affaire pour Joe, surtout quand il s'est avéré que Lubbe était un bolcho. Sauf que Joe a oublié qu'on ne pouvait désigner un coupable sans lui faire un procès, et donc qu'il fallait en passer par la pénible formalité d'exposer des preuves. Or, il était évident dès le départ, même pour un type avec la tête dans un sac, que Lubbe n'avait pu agir seul.

– Dans ce cas, pourquoi n'a-t-il rien dit pendant le procès ?

– Il l'ont bourré de je ne sais quelle merde pour le faire tenir tranquille, ils ont menacé sa famille. Vous connaissez la musique. (Nebe contourna un énorme chandelier de bronze tout tordu gisant sur le sol de marbre jonché de gravats.) Venez, je veux vous montrer quelque chose.

Il me précéda dans la grande Salle de la Diète où l'Allemagne avait connu pour la dernière fois un semblant de démocratie. Au-dessus de nous s'élevait le squelette de la coupole. À présent tout le verre était brisé, et la structure de cuivre que découpait la clarté lunaire ressemblait à la toile de quelque gigantesque araignée. Nebe pointa le faisceau de sa torche vers les poutres noircies et fendues qui entouraient la salle.

– Elles ont été gravement endommagées dans l'incendie, mais ces sculptures supportant les poutres, est-ce que vous voyez qu'elles présentent aussi des lettres de l'alphabet ?

– En effet, on les distingue.

– Certaines sont illisibles, mais si vous regardez bien vous verrez qu'elles composent une devise.

– Difficile à dire à 1 heure du matin.

Nebe ignora ma remarque.

– La devise est : « La Nation prime le Parti ».

Il répéta la devise presque avec respect, puis me regarda d'un air pénétré.

Je soupirai en secouant la tête.

– Ça alors ! Vous, Arthur Nebe, le Reichskriminaldirektor ! Un nazi tendance beefsteak ? Ça alors, ça me la coupe !

– Brun à l'extérieur, c'est vrai, dit-il. Quant à l'intérieur, je ne sais pas de quelle couleur il est. En tout cas, pas rouge – je ne suis pas bolchévik. Mais pas brun non plus. Je ne suis plus nazi.

– Dans ce cas, vous êtes un sacré comédien.

– J'ai été contraint de le devenir. Pour rester en vie. Mais je ne l'ai pas toujours été. La police, c'est toute ma vie, Gunther. J'adore ce métier. Quand je l'ai vu sapé par le libéralisme pendant le régime de Weimar, j'ai cru que le national-socialisme allait restaurer le respect pour la loi et l'ordre dans ce pays. Et au lieu de ça, c'est devenu pire que jamais. J'ai contribué à arracher la Gestapo au contrôle de Diels, et ça a été pour la voir tomber sous la coupe de Himmler et Heydrich, et là...

– ... et là les choses ont commencé à aller vraiment mal. Je sais.

– Bientôt, tout le monde devra faire comme moi. Il n'y a pas de place pour les agnostiques dans l'Allemagne que Himmler et Heydrich nous préparent. Ou vous serez avec eux, ou vous aurez à en subir les conséquences. Mais il est encore temps d'agir de l'intérieur du système. Et quand viendra le moment, nous aurons besoin de gens comme vous. Des policiers en qui nous pouvons avoir toute confiance. C'est pour ça que je vous ai fait venir. Pour vous convaincre de revenir.

– Moi ? Réintégrer la Kripo ? Vous plaisantez ? Écoutez, Arthur, je me suis monté une bonne petite affaire, je gagne bien ma vie. Vous croyez que je vais abandonner tout ça pour le plaisir de redevenir policier ?

– Vous n'aurez peut-être pas le choix. Heydrich pense que vous pourriez lui être utile dans la Kripo.

– Je vois. A-t-il donné une raison particulière ?

– Il a une enquête à vous confier. Inutile de vous dire qu'Heydrich est un fasciste intransigeant. Il obtient en général ce qu'il désire.

– Cette enquête, de quoi s'agit-il ?

– Je l'ignore. Je ne suis pas dans les confidences d'Heydrich. Je voulais juste vous prévenir, pour que vous ne fassiez pas la bêtise, par exemple, de lui dire d'aller se faire voir, ce qui aurait pu être votre première réaction. Lui et moi avons un grand respect pour vos talents de détective. Il se trouve que moi aussi, j'ai besoin de quelqu'un dans la Kripo en qui je puisse avoir confiance.

– C'est la rançon de la popularité, je suppose.

– Vous y réfléchirez ?

– Difficile de faire autrement. Ça me changera des mots croisés. En tout cas, merci de m'avoir prévenu, Arthur. J'apprécie. (J'essuyai mes lèvres sèches.) Il vous reste de la limonade ? Je boirais bien un petit coup. Ça n'est pas tous les jours qu'on vous annonce une aussi bonne nouvelle.

Nebe me tendit sa flasque sur laquelle je me jetai comme un nourrisson sur le sein de sa mère. Ça avait peut-être moins de charme, mais c'était tout aussi réconfortant.

– Dans le mot doux que vous m'avez envoyé, vous parliez d'informations nouvelles concernant une vieille affaire. Ou bien c'était juste pour me faire mordre à l'hameçon ?

– Vous recherchiez une femme il y a quelque temps. Une journaliste.

– Ça fait un moment. Presque deux ans. Je ne l'ai jamais retrouvée. Un de mes nombreux échecs. Vous devriez le mentionner à Heydrich. Ça le convaincra peut-être de me laisser tranquille.

– Vous voulez que je vous dise ce que je sais, oui ou non ?

– Bien sûr, mais ne me demandez pas de faire le beau pour ça, Arthur.

– Ce n'est peut-être rien mais je vous le donne pour ce que ça vaut. Il y a quelques mois, le propriétaire de l'immeuble où vivait votre cliente a décidé de retaper certains appartements, dont celui de la journaliste.

– Gentil de sa part.

– Or, dans le cabinet de toilette de cette fille, derrière un panneau, il a trouvé tout un attirail de camé. Pas de drogue, mais tout ce qu'il faut à un toxico : aiguilles, seringues, tout le toutim. Le locataire qui a remplacé la journaliste après sa disparition était un prêtre, il est donc fort improbable que ce matériel lui appartienne, vous êtes d'accord ? Et si la fille se droguait, ça pourrait expliquer pas mal de choses, pas vrai ? On ne peut jamais prévoir ce qu'un drogué va faire.

Je secouai la tête.

– Ça n'était pas son genre. Si c'était le cas, j'aurais remarqué quelque chose.

– Pas obligatoirement. Pas si elle essayait de se passer du truc. Pas si elle avait du caractère. En tout cas, on m'a rapporté l'information et j'ai pensé que ça vous intéresserait. Ainsi, vous pourrez clore le dossier. Si elle ne vous a pas parlé de ça, qui sait si elle ne vous a pas dissimulé autre chose ?

– Non, je ne pense pas. J'ai eu tout le temps de voir ses nichons.

Ne sachant pas s'il s'agissait d'une plaisanterie salace, Nebe sourit avec nervosité.

– Ils étaient comment ?

– Elle n'en avait que deux, Arthur, mais ils étaient très jolis.

2

Lundi 29 août

Dans toute autre ville que Berlin, chacune des maisons bordant Herbertstrasse aurait été entourée de deux hectares de pelouse close d'une haie de buissons. Ici, elles occupaient presque toute la surface de leur lot respectif, laissant peu ou pas d'espace pour un carré d'herbe ou de pavés. Certaines n'étaient éloignées de la rue que par la largeur nécessaire à l'ouverture du portail. Leur architecture représentait un mélange de styles allant du palladien au néo-gothique en passant par le wilhelminien et l'indéfinissable. Bref, les maisons d'Herbertstrasse ressemblaient à une brochette de vénérables amiraux en grand uniforme tassés sur des tabourets trop petits.

La bâtisse en forme de gâteau de mariage où l'on m'avait convoqué semblait sortir d'une plantation du Mississippi, impression renforcée par la noirceur de chaudron de la servante qui vint m'ouvrir. Je l'informai que j'étais attendu et lui montrai ma plaque, qu'elle considéra avec une méfiance digne d'Himmler lui-même.

– Frau Lange ne m'a rien dit.

– Elle a dû oublier, fis-je. Elle a appelé mon bureau il y a une demi-heure.

– Bon, fit-elle avec réticence. Entrez.

Elle me conduisit dans un salon qui aurait pu être élégant s'il n'avait été déparé par le gros os à chien à moitié rongé traînant sur le tapis. Je cherchai des yeux l'animal, mais ne le vit pas.

– Ne touchez à rien, dit le chaudron noir. Je vais dire à Madame que vous êtes là.

Puis, marmonnant et maugréant comme si je l'avais tirée de son bain, elle partit chercher sa maîtresse. Je m'assis sur un sofa en acajou aux accoudoirs ornés de dauphins sculptés. Tout près était une table assortie, au plateau reposant lui aussi sur des queues de dauphins. Le dauphin était un motif que les ébénistes allemands avaient l'air de trouver comique, alors que je trouvais plus d'humour à certains timbres à trois pfennigs. Au bout de cinq minutes, le chaudron noir vint m'informer que Frau Lange était prête à me recevoir.

Nous longeâmes un long couloir obscur décoré de poissons empaillés, dont un magnifique saumon qui retint mon attention. Je m'arrêtai pour l'admirer.

– Belle pièce, dis-je. Qui l'a pêchée?

– Personne, rétorqua-t-elle. Y'a que des poissons ici. C'est la maison des poissons, des chats et des chiens. Les pires, c'est les chats. Les poissons, au moins, ils sont morts. Mais les chats et les chiens, comment voulez-vous les épousseter?

D'instinct, je passai mon doigt sur le dessus de la petite vitrine dans laquelle était enfermé le saumon. Il ne semblait pas qu'on la nettoyât souvent; j'avais déjà pu constater, en dépit de mon très court séjour chez les Lange, que les tapis étaient rarement, voire jamais aspirés. Après la boue des tranchées, ce ne sont pas quelques miettes et traces de poussière qui me dérangent beaucoup, mais j'avais vu dans les taudis de Neukölln et de Wedding nombre d'appartements mieux tenus que cette maison.

Le chaudron ouvrit quelques portes vitrées avant de s'effacer. J'entrai dans un salon en désordre qui semblait faire également office de bureau, et les portes se refermèrent derrière moi.

Frau Lange était une grande et grasse orchidée. Des bourrelets de graisse tressautaient sous ses bras et sur son visage couleur de pêche, comme chez ces stupides clébards qu'on engraisse jusqu'à ce que leur robe devienne beaucoup trop grande pour eux. Son propre stupide clébard était encore moins racé que le flasque shar-pei auquel elle ressemblait.

– C'est très aimable à vous d'être venu si vite, déclara-t-elle.

J'émis quelques grognements déférents, mais elle avait le genre de classe que l'on n'acquiert qu'en habitant un endroit aussi fantaisiste qu'Herbertstrasse.

Frau Lange s'installa dans une chaise longue verte et étala son chien sur ses larges cuisses comme si c'était un tricot qu'elle entendait poursuivre tout en m'expliquant son problème. Elle devait avoir dans les 55 ans. Peu importe, à vrai dire. Lorsqu'une femme dépasse la cinquantaine, son âge n'a plus d'intérêt pour personne, sauf pour elle. Alors que pour les hommes, c'est exactement le contraire.

Elle me tendit un étui à cigarettes.

– Ce sont des mentholées, précisa-t-elle comme s'il s'agissait d'une clause conditionnelle.

Je suppose que ce fut la simple curiosité qui me poussa à en prendre une, mais je grimaçai dès la première bouffée. J'avais oublié à quel point les mentholées sont écœurantes. Elle s'amusa de mon embarras.

– Éteignez-la donc, si vous n'aimez pas. Elles ont un goût horrible. Je ne sais vraiment pas pourquoi je les fume, je vous assure. Prenez plutôt une des vôtres, sinon, vous ne m'écouterez pas.

– Merci, fis-je en écrasant la cigarette dans un cendrier de la taille d'un enjoliveur. Je crois que c'est ce que je vais faire.

– Et pendant que vous y êtes, servez-nous donc à boire. Je ne sais pas vous, mais moi, je suis assoiffée.

Elle me montra un secrétaire Biedermeier dont la partie supérieure, avec ses colonnes ioniques en bronze, représentait un temple grec miniature.

– Vous trouverez une bouteille de gin là-dedans, fit-elle. Je ne peux vous proposer que du jus de citron vert pour aller avec. Je ne bois rien d'autre.

Il était un peu tôt à mon goût, mais je nous préparai tout de même deux verres. J'appréciais ses efforts pour me mettre à l'aise, même si le sang-froid en toutes circonstances était censé être une des qualités attachées à ma profession. Quant à Frau Lange, elle ne montrait pas la moindre nervosité. C'était le genre de femme qui semblait douée de ses propres qualités professionnelles. Je lui tendis son verre et m'installai sur un crissant fauteuil de cuir installé près de la chaise longue.

– Êtes-vous quelqu'un d'observateur, Herr Gunther ?

– Je remarque ce qui se passe en Allemagne, si c'est ce que vous voulez dire.

– Ça n'était pas ça, mais je suis heureuse de vous l'entendre dire, de toute façon. Ce que je voulais savoir, c'est si vous saviez regarder.

– Allons, Frau Lange, inutile de jouer au chat tournant autour du pot de lait. Plongez-y carrément le museau. (J'attendis quelques instants tandis que l'hésitation se peignait sur son visage.) Non ? Alors, je vais le dire à votre place. Vous voulez savoir si je suis un bon détective, n'est-ce pas ?

– Je suis très ignorante de ces choses, vous savez.

– Il n'y a aucune raison pour qu'il en soit autrement.

– Si je dois me confier à vous, il me semble que je devrais connaître certaines de vos références.

Je souris.

– Vous comprendrez que je ne fais pas un métier où il est possible de vous fournir des témoignages de clients satisfaits. Mes clients attendent de moi la même confidentialité qu'avec leur confesseur. Peut-être même plus.

– Mais alors, comment savoir qu'on engage quelqu'un de capable ?

– Je suis très bon dans mon travail, Frau Lange. Ma réputation est établie. Il y a quelques mois, on m'a même proposé de me racheter mon affaire. Et c'était une très bonne proposition.

– Pourquoi avez-vous refusé ?

– D'abord, parce que mon affaire n'est pas à vendre. Ensuite parce que je ne me sens pas plus capable de faire un bon employé qu'un bon patron. Ceci dit, ce genre de proposition est toujours flatteur. Mais là n'est pas la question. La majorité des gens qui veulent engager un détective n'éprouvent pas le besoin de lui acheter son fonds de commerce. Ils se contentent de demander à leur avocat de leur trouver quelqu'un. Sachez que je suis recommandé par plusieurs cabinets juridiques, y compris ceux qui n'aiment pas mon accent ni mes manières.

– Pardonnez-moi, Herr Gunther, mais l'exercice du droit est à mes yeux une profession surfaite.

– Je ne vous contredirai pas sur ce point. Je n'ai encore jamais rencontré d'avocat qui ne soit prêt à dérober les économies de sa vieille maman et le matelas sous lequel elle les dissimule.

– J'ai souvent constaté dans mon domaine professionnel que mon jugement était le meilleur.

– Quel est exactement votre domaine professionnel, Frau Lange ?

– Je possède et gère une maison d'édition.

– Les éditions Lange ?

– Comme je disais à l'instant, Herr Gunther, je me suis rarement trompée dans mes jugements. L'édition est une question de goût, et pour savoir ce qui se vendra on doit connaître les goûts des gens à qui l'on s'adresse. Je suis berlinoise jusqu'au bout des ongles, et je pense connaître cette ville et ses habitants aussi bien que n'importe qui. C'est pourquoi, pour en revenir à ma question de tout à l'heure concernant vos dons d'observation, imaginez que je sois étrangère à la ville et décrivez-moi les Berlinois.

Je souris.

– Qu'est-ce qu'un Berlinois, hein ? Ma foi, c'est une bonne question. Jusqu'ici, aucun de mes clients ne m'avait demandé de faire le chien de cirque pour juger de mes capacités. En règle générale, je ne jouerais pas à ce petit jeu, mais pour vous, je ferai une exception. Les Berlinois aiment qu'on fasse des exceptions en leur faveur. J'espère que vous m'écoutez à présent, parce que j'ai commencé mon numéro. C'est vrai, les Berlinois aiment qu'on leur fasse croire qu'ils sont exceptionnels, tout en restant très sourcilleux sur les apparences. Ils ont d'ailleurs presque tous la même allure : écharpe, chapeau et une paire de chaussures dans lesquelles vous pourriez marcher jusqu'à Shanghai sans une ampoule. D'ailleurs, les Berlinois aiment marcher, raison pour laquelle beaucoup d'entre eux possèdent un chien : un animal agressif si vous êtes plutôt masculin, mignon si vous êtes autre chose. Les hommes soignent plus leurs cheveux que les femmes, et ils arborent des moustaches dans lesquelles on pourrait chasser le sanglier. Les touristes croient que de nombreux Berlinois s'habillent en femme, alors qu'en réalité, ce sont toutes ces femmes laides qui donnent mauvaise réputation aux hommes. Mais il est vrai qu'il n'y a plus beaucoup de touristes ces temps-ci. Le national-socialisme en a fait un spectacle aussi rare que Fred Astaire en godillots.

« Les Berlinois, poursuivis-je, mangent de la crème avec à peu près n'importe quoi, y compris la bière, et croyez-moi, la bière est pour eux une affaire très sérieuse. Tous la préfèrent avec une mousse épaisse, et les femmes, même non accompagnées, n'hésitent pas à en commander dans un café. Presque tous les automobilistes roulent beaucoup trop vite, mais aucun n'oserait brûler un feu rouge. Les Berlinois ont les poumons malades parce que l'air est vicié, et parce qu'ils fument trop, leur sens de l'humour paraît cruel à qui ne le comprend pas, et encore plus cruel à qui le comprend. Ils dépensent des fortunes dans des meubles Biedermeier aussi solides que des blockhaus, puis voilent de petits rideaux l'intérieur des vitres pour cacher ce qu'ils contiennent. Une habitude qui résume le mélange typiquement berlinois de l'ostentatoire et de l'intime. Comment me trouvez-vous ?

Frau Lange hocha la tête.

– À part votre remarque sur les femmes laides, vous ferez très bien l'affaire.

– Ça n'était pas très pertinent.

– Attention, vous allez commettre une erreur. Ne revenez pas sur ce que vous avez dit ou je cesserai de vous apprécier. C'était au contraire tout à fait pertinent. Vous comprendrez pourquoi dans un instant. Quel est votre tarif?

– Soixante-dix marks par jour plus les frais.

– En quoi consistent ces frais?

– Difficile à dire. Déplacements. Pots-de-vin. Tout ce qui peut permettre d'obtenir une information. Vous aurez des justificatifs pour tout, sauf pour les pots-de-vin. Pour ça, il vous faudra me croire sur parole.

– Espérons que vous savez ce qui vaut la peine d'être acheté.

– Je n'ai jamais eu de plaintes.

– Je suppose que vous voudrez une avance. (Elle me tendit une enveloppe.) Voici mille marks en liquide. Cela vous convient-il? (J'acquiesçai.) Je vous demanderai naturellement un reçu.

– Bien sûr, dis-je en signant le papier qu'elle avait préparé. (Très professionnel, pensai-je. C'était décidément une femme de caractère.) À propos, pourquoi m'avez-vous choisi? Vous n'êtes pas passée par votre avocat et, ajoutai-je d'un air songeur, je ne fais pas de publicité.

Elle se leva et, sans lâcher son chien, se dirigea vers le bureau.

– J'avais une de vos cartes, dit-elle en me la tendant. Ou du moins mon fils en avait une. Je l'ai trouvée il y a plus d'un an dans la poche d'un de ses vieux costumes que je voulais envoyer au Secours d'hiver. (Elle faisait allusion au programme d'aide sociale mis sur pied par le Front du travail, le DAF.) Je l'avais mise de côté pour la lui rendre. Mais quand je lui en ai parlé, il m'a dit, pardonnez-moi, que je pouvais la mettre à la poubelle. Je ne l'ai pas fait. Je me suis dit qu'elle pourrait m'être utile un jour. Vous voyez, je ne m'étais pas trompée.

Il s'agissait d'une de mes anciennes cartes, antérieure à mon association avec Bruno Stahlecker. Mon numéro de téléphone personnel était même inscrit au dos.

– Je me demande où votre fils l'a obtenue, dis-je.

– C'est le Dr Kindermann qui la lui a donnée.

– Kindermann?

– Je vous en parlerai dans un instant, si vous permettez.

Je sortis une carte plus récente de mon portefeuille.

– Ça n'a pas d'importance. Ceci dit, comme j'ai un associé à présent, mieux vaut que vous ayez mes nouvelles coordonnées.

Je lui tendis la carte, qu'elle posa près du téléphone. Alors qu'elle s'asseyait, son visage adopta une expression grave, comme si elle avait coupé un circuit dans son cerveau.

– Et maintenant, je vais vous dire pourquoi je vous ai demandé de venir, fit-elle d'un air sombre. Je veux savoir qui me fait chanter. (Elle s'interrompit et remua d'un air embarrassé sur sa chaise longue.) Excusez-moi, ça n'est pas très facile pour moi.

– Prenez votre temps. Le chantage est une chose pénible pour tout le monde.

Elle hocha la tête et avala une gorgée de gin.

– Voilà. Il y a environ deux mois, peut-être un peu plus, j'ai reçu un courrier contenant deux lettres que mon fils avait envoyées à un autre homme. Le Dr Kindermann. J'ai reconnu tout de suite l'écriture de mon fils et, bien que je ne les aie pas lues, j'ai compris que ces lettres étaient de nature intime. Mon fils est homosexuel, Herr Gunther. Je le sais depuis pas mal de temps, de sorte que ça n'a pas été pour moi le choc que le maître-chanteur escomptait, comme il le laissait entendre dans le mot qu'il avait joint. Il m'annonçait qu'il détenait plusieurs lettres semblables, qu'il me renverrait contre la somme de mille marks. En cas de refus, il menaçait de les faire parvenir à la Gestapo. Je suis sûre qu'il est inutile de vous dire, Herr Gunther, que le gouvernement actuel a envers ces malheureux jeunes gens une attitude beaucoup moins compréhensive que celle qu'avait la République. Tout contact entre deux hommes, si anodin soit-il, est considéré comme un délit. Si Reinhard était dénoncé comme homosexuel, il risquerait d'être expédié en camp de concentration pour au moins dix ans.

«J'ai donc payé la somme exigée, Herr Gunther. Mon chauffeur a déposé l'argent à l'endroit indiqué. Or, une semaine plus tard, j'ai reçu non pas le paquet de lettres que j'attendais, mais une seule lettre. Elle était accompagnée d'un mot m'informant que l'expéditeur avait changé d'avis, qu'il était pauvre, qu'il me faudrait racheter les lettres de mon fils une par une et qu'il en restait une dizaine. Depuis, j'en ai récupéré quatre, pour une somme de près de cinq mille marks, puisqu'il augmente à chaque fois son prix.

– Votre fils est-il au courant?

– Non. Pour le moment, il est inutile que nous soyons deux à souffrir.

Je soupirai et allais lui exprimer mon désaccord, mais elle me fit taire.

– Je sais, vous allez me dire que cela complique l'identification de ce voyou, que Reinhard dispose peut-être d'éléments susceptibles de nous aider. Vous avez absolument raison. Mais écoutez *mes* raisons, Herr Gunther.

«Tout d'abord, mon fils est un garçon impulsif. Sa réaction la plus probable serait d'envoyer ce maître-chanteur au diable et de refuser de payer. Ce qui entraînerait à coup sûr son arrestation. Reinhard est mon fils, et je l'aime profondément, mais c'est aussi un original dépourvu de tout sens pratique. Or, je pense que celui qui opère ce chantage a de bonnes connaissances en psychologie. Il sait ce qu'une mère, veuve de surcroît, peut éprouver envers son fils unique – surtout une femme riche et seule comme moi.

«D'autre part j'ai moi-même quelque connaissance du monde homosexuel. Feu le Dr Magnus Hirschfeld a écrit plusieurs livres sur ce sujet, dont un que j'ai la fierté d'avoir publié. C'est un monde secret et plein de traîtrise, Herr Gunther. Un paradis pour maître-chanteur. De sorte qu'il se pourrait que cet individu soit très proche de mon fils. Même entre homme et femme, l'amour peut constituer un motif de chantage – surtout s'il y a adultère, ou transgression raciale, laquelle semble beaucoup préoccuper ces nazis.

« C'est pourquoi, lorsque vous aurez découvert l'identité du maître-chanteur, j'en parlerai à Reinhard et ce sera à lui de décider ce qu'il convient de faire. Mais en attendant, il ne doit rien savoir de tout ceci. (Elle me jeta un regard interrogateur.) Est-ce bien entendu ?

– Je ne peux réfuter votre argumentation, Frau Lange. Il semble que vous ayez retourné le problème dans tous les sens. Puis-je voir les lettres de votre fils ?

Elle tendit la main vers une chemise posée au pied de la chaise longue, puis parut hésiter.

– Est-ce bien nécessaire ? De lire ces lettres, je veux dire.

– Absolument, fis-je d'un ton ferme. Et les lettres du maître-chanteur ? Les avez-vous gardées ?

Elle me tendit la chemise.

– Tout est là, dit-elle. Les lettres et les menaces.

– Il ne vous a pas demandé de lui retourner ses courriers ?

– Non.

– C'est un bon point. Ça signifie que nous avons affaire à un amateur. S'il s'était déjà livré au chantage, il vous aurait demandé de lui renvoyer ses lettres après chaque demande de paiement. Pour vous empêcher de rassembler des preuves contre lui.

– Oui, je comprends.

Je jetai un coup d'œil à ce que je baptisais « preuves » avec un brin d'optimisme. Lettres et adresses étaient tapées à la machine sur du papier de bonne qualité dépourvu de tout signe distinctif, postées dans différents quartiers de la partie ouest de Berlin – W.35, W.40, W.50 – et portant des timbres commémorant le cinquième anniversaire de l'accession des nazis au pouvoir. Ceci me fournit un renseignement. Cet anniversaire avait été célébré le 30 janvier, ce qui semblait indiquer que l'expéditeur n'achetait pas souvent de timbres.

Les lettres de Reinhard Lange étaient rédigées sur du papier plus lourd, de ce papier que seuls les amoureux achètent car il coûte si cher que le destinataire est obligé de prendre au sérieux ce qu'on y inscrit. L'écriture en était soignée et délicate, presque circonspecte. On ne pouvait en dire autant du contenu. Un gérant de bain turc n'y aurait sans doute pas vu de quoi fouetter un chat, mais dans l'Allemagne nazie, les lettres d'amour de Reinhard Lange auraient amplement suffi à l'expédier en KZ[1] la poitrine couverte de triangles roses.

– Ce Dr Lanz Kindermann, m'enquis-je en lisant son nom sur l'enveloppe parfumée au citron. Que savez-vous de lui ?

– À une époque, Reinhard s'est laissé persuader de faire soigner son homosexualité. Il a commencé par divers traitements à base d'extraits thyroïdiens, qui se sont révélés inefficaces. La psychothérapie semblait plus prometteuse. Je sais que plusieurs hauts responsables du Parti, ainsi que des garçons des Jeunesses hitlériennes, ont suivi ce traitement. Or, Kindermann est psychothérapeuthe, et Reinhard est allé dans sa clinique de Wannsee, au départ pour se faire soigner. Au lieu de quoi il a entamé des relations intimes avec Kindermann, qui est lui aussi homosexuel.

– Pardonnez mon ignorance, mais qu'appelle-t-on exactement psychothérapie ? Je croyais que ce genre de pratiques avaient été interdites.

Frau Lange secoua la tête.

– Je ne pourrais vous donner une définition exacte, mais je crois que le principe consiste à traiter les désordres mentaux dans le cadre de la santé physique générale. Ne me demandez pas en quoi cela diffère de la méthode de ce M. Freud, sauf que celui-ci est juif, alors que Kindermann est allemand. Sa clinique est d'ailleurs strictement réservée aux Allemands. Aux riches Allemands, dirais-je, qui ont des problèmes d'alcoolisme ou de drogue, et qui sont séduits par les méthodes les plus excentriques de la médecine, chiropractie ou autre. Ou à ceux qui peuvent s'offrir une cure de repos de luxe. Kindermann compte parmi ses patients le bras droit du Führer, Rudolf Hess.

– Avez-vous rencontré le Dr Kindermann ?

1. Konzentrationslager, camp de concentration. (NdT)

– Une seule fois. Il ne m'a pas plu. C'est un Autrichien plein d'arrogance.

– Comme tous les Autrichiens, non? murmurai-je. Pensez-vous qu'il soit du genre à se livrer au chantage? Après tout c'est à lui qu'étaient destinées les lettres de votre fils. Et si ce n'est pas Kindermann, c'est obligatoirement quelqu'un qui le connaît. Ou du moins quelqu'un qui a eu l'occasion de lui dérober les lettres.

– J'avoue que je n'avais pas pensé au Dr Kindermann, pour la simple raison que les lettres l'incriminent. (Elle réfléchit quelques instants.) Ça peut paraître stupide, mais je n'ai jamais réfléchi à la façon dont ces lettres étaient tombées entre les mains d'un tiers. Mais maintenant que vous en parlez, je suppose en effet qu'elles ont dû être volées. Sans doute chez Kindermann.

J'acquiesçai.

– Bon, fis-je. À présent, je voudrais vous poser une question délicate.

– Je crois la deviner, Herr Gunther, dit-elle en exhalant un profond soupir. Ai-je envisagé la possibilité que le maître-chanteur et mon fils ne fassent qu'un? (Elle me dévisagea d'un œil sévère avant d'ajouter :) Je vois que je ne me suis pas trompée à votre sujet. C'est le genre de question cynique que j'espérais vous voir poser. À présent, je sais que je peux avoir confiance en vous.

– Être cynique c'est, pour un détective, l'équivalent de la main verte pour un jardinier, Frau Lange. Cela me crée parfois des ennuis, mais cela m'empêche surtout de sous-estimer les gens. C'est pourquoi j'espère que vous me pardonnerez si je vous dis que c'est là la meilleure raison de ne pas le mettre au courant, et que vous y avez d'ailleurs déjà réfléchi. (Elle esquissa un sourire et j'ajoutai :) Vous voyez que je ne vous sous-estime pas, Frau Lange. (Elle hocha la tête.) Pensez-vous qu'il ait besoin d'argent?

– Non. En tant que directeur du conseil d'administration des éditions Lange, il perçoit un salaire substantiel. De plus, il touche les revenus du gros legs que lui a laissé son père.

Il est vrai qu'il aime jouer. Mais ce qui, pour moi, lui coûte le plus, c'est qu'il est directeur d'un titre parfaitement inutile dénommé *Urania*.

– Un titre ?

– Un magazine. Sur l'astrologie et autres inepties du même acabit. Le journal n'a cessé de coûter de l'argent depuis le jour où il l'a acheté. (Elle alluma une cigarette et aspira la fumée en plissant les lèvres comme si elle allait siffler.) Et puis il sait bien que s'il venait à manquer d'argent, il n'aurait qu'à m'en demander.

Je souris avec tristesse.

– Je sais que je ne suis pas ce qu'on appelle un beau garçon, mais n'avez-vous jamais pensé à adopter quelqu'un comme moi ? (Elle éclata de rire, puis j'ajoutai :) J'ai l'impression que ce jeune homme a bien de la chance.

– C'est un enfant gâté, surtout. Et il n'est plus tout jeune. (Son regard se perdit dans la contemplation de la fumée de sa cigarette.) Pour une riche veuve comme moi, Reinhard est ce que les hommes d'affaires appellent un « article sacrifié ». Aucune déception dans la vie ne peut se comparer avec la déception causée par un fils unique.

– Vraiment ? On dit pourtant que les enfants sont une bénédiction quand on vieillit.

– Pour un cynique, vous me paraissez bien sentimental, vous savez. Je crois comprendre que vous n'avez pas d'enfants. Aussi, laissez-moi vous expliquer une chose, Herr Gunther. Les enfants sont le miroir de votre vieillesse. Ils constituent le plus rapide moyen de vieillir que je connaisse. Le miroir de votre déclin. Du mien, en particulier.

Comme s'il avait souvent entendu la même phrase, le chien bâilla, sauta de ses genoux, puis s'étira et trottina vers la porte, où il se retourna comme pour attendre sa maîtresse. Insensible à cette démonstration d'outrecuidance canine, elle se leva et ouvrit la porte pour le laisser sortir.

– Alors, comment procède-t-on ? demanda-t-elle en regagnant sa chaise longue.

– Nous attendons la prochaine lettre. Je me chargerai du paiement de la somme demandée. Mais en attendant, ça me paraît une bonne idée d'aller effectuer un petit séjour à la clinique du Dr Kindermann. J'aimerais en savoir un peu plus sur l'ami de votre fils.

– Je suppose que c'est le genre de dépenses qui entre dans le cadre des frais que vous avez mentionnés tout à l'heure ?

– J'essayerai d'y rester le moins longtemps possible.

– Je compte sur vous, dit-elle en adoptant un ton d'institutrice. La clinique Kindermann coûte cent marks par jour.

J'émis un sifflement.

– Un tarif respectable, en effet.

– À présent, Herr Gunther, vous voudrez bien me pardonner, dit-elle. Je dois préparer une réunion.

J'empochai mon argent, puis nous nous serrâmes la main, après quoi je ramassai la chemise contenant les lettres et me dirigeai vers la porte.

Je longeai en sens contraire le couloir poussiéreux, puis traversai le vestibule d'entrée.

– Attendez une minute ! aboya une voix. C'est moi qui dois vous faire sortir. Frau Lange n'aime pas que ses visiteurs s'en aillent tout seuls.

Je posai ma main sur la poignée, qui me parut gluante.

– C'est pour qu'ils jouissent de votre chaleureuse personnalité, sans aucun doute, fis-je. (J'ouvris la porte d'un geste irrité tandis que le chaudron noir accourait à travers le hall.) Ne vous dérangez pas, dis-je en examinant ma paume. Retournez à votre poussière. C'est pas ce qui manque.

– Ça fait un bon moment que je suis au service de Frau Lange, maugréa-t-elle. Elle a jamais eu à se plaindre de moi.

Je me demandai s'il y avait du chantage là-dessous. Après tout, il faut une bonne raison pour garder un chien de garde qui n'aboie pas. Je ne voyais pas non plus où pouvait intervenir l'affection. Pas avec cette femme. Il semblait plus facile de s'attacher à un crocodile. Nous nous dévisageâmes un long moment, puis je me décidai à lui poser une question.

– Votre maîtresse fume-t-elle toujours autant ?

Le chaudron réfléchit quelques instants, peut-être pour déterminer si la question cachait un piège. Elle décida que non.

– Elle a toujours la clope au bec, c'est un fait.

– Alors, ça doit être ça, l'explication, dis-je. Avec le nuage de fumée qui l'environne, je parie qu'elle ne se rend même pas compte que vous êtes là.

Elle jura entre ses dents douteuses et me claqua la porte au nez.

J'eus tout le temps de réfléchir en revenant vers le centre-ville par le Kurfürstendamm. Je pensai à l'enquête que venait de me confier Frau Lange et aux mille marks que j'avais empochés. Je songeai au séjour que j'allais effectuer dans un sanatorium de luxe à ses frais, et à l'occasion que m'offrirait ce séjour d'échapper, au moins temporairement, à Bruno et à sa pipe. Ainsi qu'à Arthur Nebe et Heydrich. Peut-être même me débarrasserait-il de mon insomnie et de ma dépression.

Mais surtout, je me demandai comment j'avais pu donner ma carte professionnelle et mon numéro personnel à un pédé autrichien que je ne connaissais ni d'Eve ni d'Adam.

3

Mercredi 31 août

Le quartier s'étendant au sud de Königstrasse, à Wannsee, abrite toutes sortes d'hôpitaux et de cliniques – des établissements plus rupins les uns que les autres, où l'on utilise autant d'éther pour nettoyer sols et fenêtres que sur les patients eux-mêmes. Quant au traitement, il est à peu près le même pour tous. Même doté de la constitution d'un éléphant africain, et à condition bien sûr qu'il ait les moyens de s'offrir le séjour, tout patient y est pris en main par une escouade d'infirmières aux lèvres passées au rouge, qui le traitent comme s'il avait été choqué par une explosion d'obus et l'aident à soulever brosse à dents et papier hygiénique. À Wannsee, votre compte en banque importe plus que votre tension.

La clinique de Kindermann était située à l'écart d'une rue tranquille, au milieu d'un jardin vaste mais bien entretenu, planté d'ormes et de marronniers, qui descendait en pente douce vers un bras du lac près duquel s'élevaient un ponton à colonnade, un hangar à bateaux et une folie gothique si joliment bâtie qu'elle en prenait un air raisonnable : elle faisait penser à une cabine de téléphone médiévale.

La clinique elle-même, tout en pignons, colombages, meneaux, créneaux et tourelles, tenait plus du château sur le Rhin que du sanatorium. En l'observant, je m'attendis presque à apercevoir des potences sur le toit, ou à entendre des hurlements monter d'une cave. Mais tout était silencieux, et je ne vis personne aux alentours. Seuls les cris lointains de quatre rameurs sur le lac au-delà des arbres suscitaient les commentaires éraillés d'une troupe de freux.

En franchissant la porte d'entrée, je me dis que j'aurais plus de chance de voir des patients se promener dans le parc à l'heure où les chauve-souris s'apprêteraient à se lancer dans le crépuscule.

Ma chambre était au deuxième étage, avec une vue imprenable sur les cuisines. À quatre-vingt marks par jour, c'était la plus économique de l'établissement, et en gambadant d'un mur à l'autre, je me demandai si pour cinquante marks de plus je n'aurais pas pu avoir quelque chose de plus grand, disons de la taille d'une corbeille à linge. Mais tout était complet. L'infirmière qui me conduisit jusqu'à ma chambre m'assura que c'était la dernière qui leur restait.

Ladite infirmière était gratinée, genre femme de pêcheur scandinave, mais sans le pittoresque de la conversation. Lorsqu'elle m'eut préparé le lit et ordonné de me déshabiller, je n'en pouvais plus d'excitation. D'abord la bonne de Frau Lange, à présent celle-ci, aussi étrangère au rouge à lèvres qu'un ptérodactyle. Il n'y avait pourtant pas pénurie : j'en avais vu des tas de plus jolies en bas. On avait dû s'imaginer que pour compenser l'exiguïté de ma chambre, on se devait de me gratifier d'une énorme infirmière.

– À quelle heure ouvre le bar? fis-je.

Son sens de l'humour était aussi délicat que sa beauté.

– L'alcool est interdit dans la clinique, rétorqua-t-elle en m'arrachant des lèvres la cigarette que je n'avais pas encore allumée. Ainsi que le tabac. Le Dr Meyer va venir vous voir.

– Qui est-ce? Le larbin des deuxièmes classes? Où est le Dr Kindermann?

– Le docteur assiste à une conférence à Bad Neuheim.

– Qu'est-ce qu'il est allé faire là-bas? Suivre une cure? Quand doit-il revenir?

– À la fin de la semaine. Êtes-vous un patient du Dr Kindermann, Herr Strauss?

– Non, pas encore. Mais pour quatre-vingts marks par jour, j'espérais bien le devenir.

– Le Dr Meyer est très compétent, je vous assure.

Elle fronça les sourcils d'un air impatient en constatant que je n'avais pas encore commencé à me déshabiller, puis émit une série de «ta! ta! ta!» comme si elle essayait de faire entendre raison à un cacatoès récalcitrant. Elle claqua des mains et m'ordonna de me mettre au lit sans tarder car le Dr Meyer désirait m'examiner. Jugeant qu'elle était bien capable d'arracher mes vêtements, je décidai de ne pas lui résister. Non seulement mon infirmière était laide comme un pou, mais la délicatesse de ses manières semblait indiquer qu'elle avait appris son métier dans un potager.

Après son départ, je m'installai pour lire au lit. Une lecture que je définirais moins comme prenante qu'incroyable. Oui, c'est le mot : incroyable. Il y avait toujours eu à Berlin des magazines bizarres versés dans l'occultisme, tels que *Zenit* ou *Hagal*, mais des rives de la Meuse aux quais de Memel, rien ne pouvait se comparer aux énergumènes qui écrivaient dans le magazine de Reinhard Lange, *Urania*. Après l'avoir parcouru pendant une quinzaine de minutes, j'en arrivai à la conclusion que Lange était probablement un jobard complet.

Les articles avaient pour titre « Le culte de Wotan et les vraies origines du christianisme », « Les pouvoirs surhumains des anciens habitants de l'Atlantide », « Explication des glaciations planétaires », les « Exercices de respiration ésotérique pour débutants », « Spiritualisme et mémoire de la race », « La doctrine de la Terre creuse », « L'antisémitisme en tant que legs théocratique », etc. Pour un individu capable de publier de telles inepties, exercer un chantage sur un de ses parents ne constituait sans doute qu'un banal divertissement entre deux révélations ariosophiques.

Le Dr Meyer, lui-même d'aspect pourtant peu banal, se crut autorisé à faire une remarque sur mes lectures.

– Lisez-vous souvent ce genre de choses ? demanda-t-il en retournant le magazine entre ses mains comme s'il s'agissait de quelque étrange objet mis à jour par Heinrich Schliemann dans les ruines d'un temple troyen.

– Non. Je l'ai acheté par curiosité.

– J'aime mieux ça. Un intérêt exagéré pour le paranormal dénote souvent une personnalité instable.

– C'est également mon avis.

– Beaucoup de gens ne seraient probablement pas d'accord avec moi sur ce point, mais je pense que les visions de nombreux penseurs religieux modernes comme saint Augustin ou Luther ont une origine névrotique.

– Vraiment ?

– Oui, absolument.

– Qu'en pense le Dr Kindermann ?

– Le Dr Kindermann a des théories très personnelles. Je ne suis pas sûr de comprendre sa démarche, mais c'est un homme très brillant. (Il saisit mon poignet.) Oui, un homme très brillant.

Le docteur, qui était suisse, portait un costume trois-pièces en tweed vert, un énorme nœud papillon, une paire de lunettes et la longue barbiche blanche d'un gourou indien. Il remonta ma manche et plaça un pendule au-dessus de mon poignet. Il le regarda osciller et tournoyer quelques instants avant de déclarer que la quantité d'électricité que je dégageais indiquait un état de dépression et d'inquiétude profondes. Sa petite démonstration était impressionnante, mais guère fiable, car la plupart des patients devaient être déprimés ou inquiets, ne serait-ce qu'en songeant à ce que le séjour allait leur coûter.

– Est-ce que vous dormez bien ? demanda-t-il.

– Non. Pas plus de quelques heures par nuit.

– Avez-vous des cauchemars ?

– Oui. Et pourtant, je ne mange pas de fromage.

– Y a-t-il des rêves qui vous reviennent souvent ?

– Non, rien de particulier.

– Votre appétit ?

– Normal.

– Votre vie sexuelle ?

– Pareil que mon appétit. Rien à signaler.

– Pensez-vous souvent aux femmes ?

– Tout le temps.

Il griffonna quelques mots puis se caressa la barbe.

– Je dois vous prescrire des vitamines et des sels minéraux, en particulier du magnésium. Je vais aussi vous mettre au régime sans sucre, avec beaucoup de légumes crus et d'algues. Nous allons vous débarrasser de vos toxines grâce à des comprimés qui purifient le sang. Je recommande également de l'exercice. Nous avons une excellente piscine, et je vous conseille les bains d'eau de pluie, qui sont particulièrement revigorants. Est-ce que vous fumez ? (J'acquiesçai.) Essayez d'y renoncer pendant quelque temps. (Il referma son calepin.) Bon, tout cela devrait vous aider à retrouver une bonne forme physique. Pendant ce temps, nous essayerons d'améliorer votre état mental à l'aide d'un traitement psychothérapique.

– En quoi consiste exactement la psychothérapie, docteur ? Pardonnez-moi, mais je croyais que les nazis jugeaient ce genre de pratiques décadentes.

– Non, non, pas du tout. La psychothérapie n'a rien à voir avec la psychanalyse. Elle ne fait pas appel à l'inconscient. Ces histoires sont bonnes pour les juifs, pas pour les Allemands. Comme vous pourrez le constater, le traitement psychothérapique ne se déroule pas indépendamment du physique. Ici, nous essayons d'éliminer les désordres mentaux en rectifiant les attitudes qui ont conduit à leur apparition. Le comportement est conditionné par la personnalité et par la relation de la personnalité avec son environnement. Vos rêves ne m'intéressent que dans la mesure où vous les faites. Essayer de vous guérir en interprétant vos rêves et en essayant de découvrir leur signification sexuelle relève très franchement de l'absurdité. C'est ça qui est décadent. (Il gloussa d'un air ravi.) Mais c'est là un problème pour les juifs, pas pour vous, Herr Strauss. Pour l'instant, le plus important est que vous passiez une bonne nuit.

Sur ce, il ouvrit sa mallette et en sortit une seringue et un petit flacon qu'il posa sur la tablette jouxtant le lit.

– Qu'est-ce que c'est ? m'enquis-je avec une certaine appréhension.

– De la scopolamine, dit-il en frottant mon bras avec un tampon imbibé d'alcool chirurgical.

Tel un fluide d'embaumeur, le produit me refroidit le bras à mesure qu'il se diluait. Quelques secondes après m'être dit qu'il faudrait attendre une nuit prochaine pour explorer la clinique du Dr Kindermann, les cordes qui me retenaient à la conscience se relâchèrent, puis je me sentis dériver et m'éloigner lentement du rivage tandis que la voix de Meyer s'estompait peu à peu.

Après quatre jours à la clinique, je me sentis en meilleure forme que je ne l'avais été depuis quatre mois. En plus de ma cure de vitamines et de mon régime à base de légumes et d'algues, j'avais essayé l'hydrothérapie, la naturothérapie et les bains de soleil. Mon état de santé avait été établi avec une grande précision grâce à l'examen de mes iris, paumes et ongles, lesquels indiquèrent une carence en calcium ; de plus, on m'avait enseigné une technique de relaxation autogène. Le Dr Meyer avançait à grands pas dans son « approche globale » d'inspiration, disait-il, jungienne, et il se proposait de traiter ma dépression grâce à l'électrothérapie. Et si je n'avais pas encore réussi à fouiller le bureau du Dr Kindermann, je bénéficiais en revanche d'une nouvelle infirmière, une vraie beauté du nom de Marianne, qui se souvenait du séjour de plusieurs mois effectué par Reinhard Lange dans l'établissement, et qui m'apparaissait encline à discuter de son patron et des affaires de la clinique.

Elle me réveilla à 7 heures avec un jus de pamplemousse et un assortiment proprement vétérinaire de pilules.

Admirant la courbe de ses fesses et le balancement de ses seins, je la regardai tirer le rideau sur une belle journée ensoleillée en souhaitant qu'elle ait pu dévoiler aussi facilement son propre corps.

– Comment allez-vous aujourd'hui ? demandai-je.

– Mal, rétorqua-t-elle avec une grimace.

– Marianne, vous savez que normalement, c'est le contraire : c'est moi qui devrais me sentir mal, et vous qui devriez me demander des nouvelles de ma santé.

– Je suis désolée, Herr Strauss, mais j'en ai par-dessus la tête de cet endroit.

– Eh bien, pourquoi ne venez-vous pas me rejoindre sous les draps pour me raconter vos malheurs ? Je suis très doué pour écouter les gens.

– Je parie que vous êtes doué pour autre chose, fit-elle en riant. Il va falloir que je mettre du bromure dans vos jus de fruits.

– À quoi bon ? On me fait avaler une pharmacie entière tous les jours. Je ne vois pas quel effet pourrait avoir un produit de plus ou de moins.

– Vous le verriez vite.

C'était une grande blonde musclée originaire de Francfort, avec un sens de l'humour acéré et un sourire embarrassé trahissant un manque de confiance en elle, un trait inattendu vu sa beauté.

– Une pleine pharmacie ! persifla-t-elle. Quelques petites vitamines et un comprimé pour vous faire dormir. C'est rien par rapport à ce qu'on fait avaler à certains autres patients.

– C'est-à-dire ?

Elle haussa les épaules.

– Des trucs pour les réveiller, des stimulants contre la dépression.

– Qu'est-ce qu'ils donnent aux tapettes ?

– Oh, eux... Avant, on leur donnait des hormones, mais ça ne marchait pas, alors, ils essaient la thérapie par aversion. Mais contrairement à l'Institut Goering qui prétend que c'est un désordre guérissable, tous les médecins disent en privé que c'est une tendance difficile à supprimer. Kindermann est bien placé pour le savoir. Je le soupçonne d'être lui-même un peu versé sur la chose. Je l'ai entendu dire à un patient que la psychothérapie n'était utile que pour faire disparaître les réactions névrotiques provoquées par l'homosexualité. Qu'elle aidait le patient à cesser de se tromper lui-même.

– Comme ça, il n'a plus qu'à s'inquiéter de l'article 175.

– Qu'est-ce que c'est ?

– Le paragraphe du code pénal allemand qui en fait un délit criminel. Est-ce que c'est ce qui s'est passé avec Reinhard Lange ? Il a juste été soigné pour réactions névrotiques ? (Elle acquiesça et s'assit au bord du lit.) Parlez-moi de cet Institut Goering. A-t-il un rapport avec le gros Hermann ?

– Matthias Goering est son cousin. L'établissement permet de protéger la psychothérapie grâce au nom de Goering. Sinon, il ne resterait pratiquement plus de médecine mentale en Allemagne. Les nazis auraient détruit toute médecine psychiatrique sous prétexte que la plus grande autorité dans ce domaine est un juif. Mais on nage en pleine hypocrisie. Beaucoup de médecins continuent à se réclamer de Freud en privé, tout en le dénonçant publiquement. Même le prétendu hôpital orthopédique pour SS, près de Ravensbrück, n'est rien d'autre qu'un établissement psychiatrique réservé aux SS. Kindermann en est un des consultants, tout comme il fut l'un des fondateurs de l'Institut Goering.

– Qui finance l'Institut ?

– Le Front du travail et la Luftwaffe.

– Bien sûr. La caisse noire du Premier ministre.

Les yeux de Marianne s'étrécirent.

– Je trouve que vous posez beaucoup de questions. Qu'est-ce que vous êtes, un flic ou quelque chose comme ça ?

Je sortis du lit et enfilai ma robe de chambre.

– Quelque chose comme ça, répondis-je.

– Vous faites une enquête ? fit-elle en agrandissant les yeux d'excitation. Kindermann a fait des entourloupes ?

J'ouvris la fenêtre et me penchai à l'extérieur. L'air matinal était agréable à respirer, même mêlé d'effluves montant des cuisines. Mais une cigarette était encore mieux. J'attrapai le dernier des paquets que j'avais placés sur la saillie de la fenêtre et en allumai une. Marianne prit un air désapprobateur.

– Vous savez que c'est interdit de fumer, remarqua-t-elle.

– Je ne sais pas si Kindermann est impliqué dans quoi que ce soit, dis-je. Mais c'est ce que j'avais l'intention de découvrir en venant ici.

– Eh bien, vous pouvez compter sur moi, fit-elle avec violence. Je me fiche de ce qui peut lui arriver. (Elle se leva, croisa les bras et serra les lèvres.) C'est un salaud. Tenez, il y a quelques semaines, j'ai dû travailler tout un week-end parce qu'il n'y avait personne de libre. Il m'avait promis de me payer double journée, et en liquide. Eh bien, je n'ai toujours rien vu. Voilà le genre de porc qu'il est. Moi, comptant dessus, j'ai acheté une robe. D'accord, c'était stupide, j'aurais dû attendre. Parce que maintenant, je suis en retard pour mon loyer.

Je me demandais si elle tentait de me vendre ses confidences lorsque je vis qu'elle avait les larmes aux yeux. Si elle jouait la comédie, c'était une sacrée bonne actrice. Dans les deux cas, cela méritait attention.

Elle se moucha.

– Pouvez-vous m'offrir une cigarette ? fit-elle.

– Bien sûr.

Je lui tendis le paquet puis craquai une allumette.

– Vous savez, Kindermann a connu Freud, dit-elle en toussotant à la première bouffée. À l'École médicale de Vienne, quand il était étudiant. Après avoir obtenu son diplôme, il a travaillé à l'asile d'aliénés de Salzbourg, la ville où il est né.

Lorsque son oncle est mort en 1930, il lui a laissé la maison où nous sommes, qu'il a décidé de transformer en clinique.

– Vous semblez bien le connaître.

– L'été dernier, sa secrétaire a été malade pendant deux semaines. Kindermann savait que j'avais une expérience de dactylo et il m'a demandé de remplacer Tarja pendant son absence. C'est comme ça que j'ai appris à le connaître. Assez pour qu'il me déplaise. Je ne vais pas m'éterniser ici. J'en ai assez. Et croyez-moi, je ne suis pas la seule.

– Tiens ? Pensez-vous que quelqu'un veuille lui causer des ennuis ? Quelqu'un qui aurait un compte à régler avec lui ?

– Vous parlez d'un compte sérieux, n'est-ce pas ? Pas d'une journée de travail supplémentaire non payée ?

– Bien sûr, fis-je en expédiant mon mégot dehors d'une pichenette.

Marianne secoua la tête puis se ravisa.

– Eh, attendez une minute, fit-elle. Je pense à quelqu'un. Il y a trois mois, Kindermann a viré un des infirmiers pour ivresse pendant le service. C'était un type détestable et je crois que personne n'a regretté de le voir partir. Je n'ai pas assisté à la scène, mais on m'a raconté qu'il avait tenu des propos assez violents à l'adresse de Kindermann.

– Comment s'appelait cet infirmier ?

– Hering, Klaus Hering, je crois bien. (Elle consulta sa montre.) Hé, il faut que je travaille. Je ne peux pas bavarder avec vous toute la matinée.

– Encore une chose, dis-je. Il faudrait que je m'introduise dans le bureau de Kindermann. Pouvez-vous m'aider ? (Elle secoua la tête.) Je n'y arriverai pas sans votre aide, Marianne. Ce soir ?

– Je ne sais pas. Et si nous sommes surpris ?

– Ça n'est pas « nous » qui le serons. Vous vous contenterez de faire le guet. Si quelqu'un arrive à l'improviste, vous direz que vous avez entendu du bruit et que vous veniez voir ce qui se passait. Quant à moi, je me débrouillerai. Je dirai que j'ai des crises de somnambulisme.

– Sûr qu'on vous croira.

– Alors, Marianne, qu'est-ce que vous en dites ?

– D'accord, je marche avec vous. Mais il faudra attendre minuit. C'est l'heure où nous fermons. Retrouvons-nous au solarium vers minuit et demie.

Son expression se transforma en me voyant sortir un billet de cinquante marks de mon portefeuille. Je le fourrai dans la poche de poitrine de son uniforme blanc. Elle le repêcha aussitôt.

– Je ne peux pas accepter, dit-elle. Vous n'auriez pas dû.

Mais j'emprisonnai son poing pour l'empêcher de me rendre l'argent.

– Écoutez, c'est juste pour vous dépanner en attendant qu'on vous paie votre week-end.

Elle ne parut pas convaincue.

– Je ne sais pas, fit-elle. Ça n'a pas de sens. C'est ce que je gagne en une semaine. Ça fera bien plus que me dépanner.

– Marianne, lui dis-je. C'est bien de pouvoir joindre les deux bouts, mais c'est encore mieux de pouvoir faire un joli nœud.

4

Lundi 5 septembre

– D'après le toubib, l'électrothérapie a comme effet secondaire de perturber temporairement la mémoire. À part ça, je me sens en pleine forme.

Bruno me regarda avec anxiété.

– Tu es sûr ?

– Je ne me suis jamais senti mieux.

– En tout cas, j'aimerais pas me faire brancher des fils électriques partout comme ça, dit-il avant de renifler d'un air dédaigneux. Donc, si je comprends bien, tout ce que tu as découvert pendant que t'étais chez Kindermann est temporairement perdu dans les méandres de ton cerveau, c'est ça ?

– Ça n'est pas aussi grave. J'ai pu fouiller son bureau. Et j'ai rencontré une belle infirmière qui m'a raconté des tas de choses sur lui. Kindermann est maître de conférences à l'École médicale de la Luftwaffe, et consultant à la clinique privée du Parti, dans Bleibtreustrasse. De plus, il fait partie de l'Association des médecins nazis et il est membre du Herrenclub.

Bruno haussa les épaules.

– Bref, il roule sur l'or. Et à part ça?

– Il roule sur l'or, mais il n'a pas la cote. Il n'est pas très apprécié de son personnel. Il a viré un type récemment et le type en question pourrait bien avoir gardé une dent contre lui.

– Se faire virer ne serait pas une raison suffisante, si?

– D'après Marianne, l'infirmière, il s'est fait renvoyer pour avoir volé des médicaments dans la pharmacie de la clinique. Il les revendait probablement dans la rue. Bref, c'est pas un enfant de chœur.

– Comment s'appelle ce type?

Après m'être creusé la mémoire, je sortis le calepin de ma poche.

– Attends une minute, dis-je, je l'ai noté.

– Un détective affligé de trous de mémoire. On aura tout vu.

– Du calme, le voilà. Il s'appelle Klaus Hering.

– Je vais voir si l'Alex a quelque chose sur lui.

Il décrocha le combiné et composa un numéro. Nous eûmes notre renseignement au bout de quelques minutes. Nous refilions cinquante marks par mois à un flic pour ce service. Il nous assura qu'ils n'avaient aucun dossier sur Hering.

– Où doit-on livrer l'argent? demandai-je.

Bruno me tendit la lettre anonyme que Frau Lange avait reçue la veille, raison pour laquelle Bruno m'avait téléphoné à la clinique.

– Le chauffeur de Madame nous l'a apportée lui-même, expliqua-t-il pendant que je parcourais les dernières menaces et instructions du maître-chanteur. Mille marks, enfermées dans un sac des magasins Gerson, à déposer cet après-midi dans la corbeille à papiers installée devant la cage aux gallinacés du zoo.

Je jetai un coup d'œil dehors. Il faisait toujours aussi beau et il y aurait foule au zoo.

– Bien vu, fis-je. Ça sera difficile de le repérer, et encore plus de le suivre. Si mes souvenirs sont bons, il y a quatre entrées au zoo.

Je sortis de mon tiroir un plan de Berlin et l'étalai sur le bureau. Bruno se pencha par-dessus mon épaule.

– Comment va-t-on la jouer ? fit-il.

– Tu fais la livraison, je jouerai au visiteur anonyme.

– Après, tu veux que je t'attende à une sortie ?

– On a une chance sur quatre. Laquelle choisirais-tu à sa place ?

Il étudia le plan pendant quelques instants, puis posa son doigt sur l'embouchure du canal.

– Le pont Lichtenstein. J'aurais prévu une voiture de l'autre côté de Rauch Strasse.

– D'accord, tu te gareras dans le coin.

– Combien de temps devrai-je attendre ? Je te rappelle que le zoo est ouvert jusqu'à 9 heures du soir.

– L'entrée de l'Aquarium ferme à 6 heures, donc à mon avis, il arrivera avant, ne serait-ce que pour conserver toutes ses options. Si tu ne nous as pas vus sortir à 6 heures, tu rentres chez toi et tu attends mon coup de fil.

Je quittai la verrière, de la taille d'un dirigeable, qui abritait la station de métro et traversai Hardenbergplatz jusqu'à l'entrée principale du zoo, proche du planétarium. J'achetai un ticket comprenant la visite de l'aquarium, ainsi qu'un guide pour fignoler mon personnage de touriste, puis me dirigeai vers l'enclos des éléphants. À mon approche, un étrange individu en train de dessiner devant la cage dissimula son bloc et s'éloigna de moi en me jetant des regards suspicieux. Accoudé à la barrière, je le vis répéter son petit manège à chaque nouveau visiteur, jusqu'au moment où ses allées et venues le firent revenir près de moi. Irrité à la pensée qu'il puisse croire que je m'intéressais à ses dérisoires gribouillages, je poussai mon cou par-dessus son épaule et lui brandis mon appareil sous le nez.

– Vous devriez vous mettre à la photo, fis-je.

Il grommela quelque chose et s'éclipsa. Un client pour le Dr Kindermann, me dis-je. Un vrai dingue. Dans n'importe quelle soirée ou exposition, c'est toujours le public qui constitue le spectacle le plus intéressant.

Ce n'est qu'au bout d'un quart d'heure que j'aperçus Bruno. Il dut à peine remarquer ma présence ou celle des éléphants lorsqu'il passa devant l'enclos, serrant sous son bras le sac de chez Gerson contenant l'argent. J'attendis qu'il ait pris une avance convenable, puis lui emboîtai le pas.

Devant la petite bâtisse de brique à colombages couverte de lierre qui ressemblait plus à une brasserie de village qu'à une cage pour gallinacés sauvages, Bruno s'arrêta, jeta un regard circulaire et déposa son sac dans la corbeille installée près d'un banc. Puis, comme convenu, il s'éloigna à grands pas en direction du canal Landwehr.

Un haut rocher de grès, sur lequel évoluait un troupeau de moutons sauvages, se dressait en face de la cage aux gallinacés. Mon guide précisait que c'était une des attractions du zoo, mais je trouvai que le rocher ressemblait trop à un décor de théâtre pour imiter de façon convaincante l'habitat naturel de ces chiffons sur pattes. Le rocher aurait pu figurer dans une mise en scène mégalomane de *Parsifal*, si une telle chose était humainement possible. Je restai un moment devant le rocher à lire les renseignements de mon guide à propos des moutons, puis pris quelques photos de ces créatures parfaitement inintéressantes.

Derrière le rocher aux moutons s'élevait une tour d'où l'on découvrait les abords de la cage aux gallinacés, et même l'ensemble du zoo, et je me fis la réflexion que les dix pfennigs exigés pour y monter n'étaient pas une folle dépense pour qui voulait s'assurer qu'il n'allait pas tomber dans un piège. Cette pensée en tête, je m'éloignais en direction du lac lorsqu'un garçon brun d'environ dix-huit ans vêtu d'un blouson gris émergea de derrière la cage aux gallinacés. Sans même un regard alentour, il récupéra le sac de chez Gerson dans la corbeille à papiers et le glissa dans un sac plus grand du magasin Ka-De-We. Il me dépassa et, après quelques secondes, je lui emboîtai le pas.

Arrivé devant la bâtisse mauresque de l'enclos des antilopes, le jeune homme s'arrêta près du groupe de centaures en bronze. Le nez plongé dans mon guide, je le dépassai et gagnai le Temple chinois où, à l'abri d'un groupe de visiteurs, je l'observai à la dérobée. Il repassa devant moi et je compris qu'il allait passer par l'aquarium pour gagner la sortie sud.

La dernière chose à laquelle on s'attendait, c'était de découvrir des poissons dans le grand bâtiment vert qui relie le zoo à Budapester Strasse. Un iguanodon grandeur nature en pierre montait la garde devant l'entrée, elle-même surmontée du crâne d'un autre dinosaure. Les murs de l'aquarium étaient couverts de fresques et de bas-reliefs représentant des monstres préhistoriques qui n'auraient fait qu'une bouchée d'un requin. Mais ces animaux antédiluviens étaient somme toute préférables aux reptiles vivants que présentait également l'aquarium.

Voyant le jeune homme passer la porte, je hâtai le pas en réalisant que l'obscurité qui baignait l'aquarium rendrait ma filature difficile. Une fois à l'intérieur, je me rendis compte que mon appréhension était largement justifiée, car l'affluence de visiteurs m'empêcha de voir où il était allé.

Craignant le pire, je me précipitai vers une autre porte donnant sur la rue et faillis entrer en collision avec le jeune homme au moment où il s'éloignait d'un bassin où évoluait une créature qui tenait plus de la mine flottante que du poisson. Après avoir hésité quelques secondes au pied du grand escalier de marbre qui conduisait aux salles des reptiles, il fit demi-tour, gagna la sortie de l'aquarium, puis celle du zoo.

Je le suivis dans Budapester Strasse, dissimulé derrière un groupe d'écoliers, jusqu'à Ansbacher Strasse, où je me débarrassai de mon guide, enfilai l'imperméable dont je m'étais muni et relevai le bord de mon chapeau. De telles modifications d'allure sont essentielles à la réussite d'une filature. Elles vous permettent entre autres de rester à découvert. Ce n'est en effet que quand vous commencez à raser les murs et à vous dissimuler sous les porches que votre client devient méfiant. Toutefois, celui-ci ne jeta pas un seul regard en arrière lorsque, après avoir traversé Wittenberg Platz, il entra au Kaufhaus des Westens, ou Ka-De-We, le plus vaste des grands magasins berlinois.

J'avais pensé qu'il s'était muni de l'autre sac afin de brouiller les pistes au cas où l'on aurait guetté aux sorties du zoo un individu portant un sac de chez Gerson. Or, je compris que j'allais assister à un passage de relais.

Il était l'heure de déjeuner, et la brasserie installée au deuxième étage du Ka-De-We était emplie de clients aux prises avec des platées de saucisses et des chopes hautes comme des lampes de bureau. Le jeune homme transportant l'argent se faufila entre les tables comme s'il cherchait quelqu'un et s'assit en face d'un homme en costume bleu qui mangeait seul. Le jeune homme posa le sac contenant l'argent par terre, à côté d'un sac identique.

Je m'installai à une table libre d'où je pouvais observer les deux hommes et fis mine d'étudier le menu. Un garçon se présenta. Je lui dis que je n'avais pas encore choisi, et il s'éloigna.

À ce moment, l'homme en costume bleu se leva, laissa quelques pièces sur la table et se pencha pour ramasser le sac avec l'argent. Aucun des deux hommes n'avait prononcé un mot.

Lorsque le costume bleu quitta le restaurant, je me hâtai à sa suite, suivant en cela la règle intangible en cas de demande de rançon : toujours suivre l'argent.

Les arcades de son portique massif et ses deux petites tours jumelles semblables à des minarets conféraient au théâtre Metropol de Nollendorfplatz un petit air byzantin. La vingtaine de nus en bas-relief s'entrelaçant au pied des imposants contreforts en auraient fait le lieu idéal pour se faire la main avant un sacrifice de jeunes vierges. À droite du théâtre s'ouvrait un grand portail de bois donnant sur un parc de stationnement de la taille d'un terrain de football bordé de hauts immeubles.

C'est dans l'un de ces bâtiments que je suivis l'homme au costume bleu et le sac d'argent. En parcourant les noms figurant sur les boîtes aux lettres, je découvris avec une certaine satisfaction qu'un certain K. Hering logeait au numéro 9. Je traversai la rue, trouvai une cabine dans la station voisine du U-Bahn et appelai Bruno.

Lorsque la vieille DKW de mon associé s'arrêta devant le portail en bois, je montai à bord et lui indiquai le fond du parc de stationnement où se trouvaient quelques places libres, celles jouxtant le théâtre ayant été occupées par les spectateurs venus pour la représentation de 20 heures.

– C'est là que niche notre oiseau, dis-je. Premier étage, numéro 9.

– Tu as son nom?

– C'est le type de la clinique, Klaus Hering.

– Bien joué. À quoi ressemble-t-il?

– À peu près ma taille, mince, châtain clair, lunettes sans monture, la trentaine. Tout à l'heure, il portait un costume bleu. S'il ressort, essaie d'entrer chez lui et de dénicher les lettres du pédé. S'il ne ressort pas, tu restes en planque. Je vais contacter ma cliente pour voir ce qu'on fait. Si elle me donne de nouvelles instructions, je repasserai dans la soirée. Dans le cas contraire, je te relèverai demain matin à 6 heures. Des questions? (Bruno secoua la tête.) Tu veux que je prévienne ta femme?

– Non, je te remercie, Bernie. Katia a l'habitude que je rentre tard. Et puis ça nous fera du bien de prendre un peu d'air. Je me suis encore engueulé avec mon fils Heinrich en revenant du zoo.

– À cause de quoi, cette fois-ci?

– Tout simplement parce qu'il a adhéré à la Jeunesse hitlérienne motorisée, figure-toi.

Je haussai les épaules.

– Bah, de toute façon, motorisées ou pas, il aurait été obligé d'entrer aux Jeunesses hitlériennes.

– Ce petit salaud n'avait pas besoin de se précipiter, c'est tout. Il aurait pu attendre d'être appelé, comme les autres gamins de sa classe.

– Allons, considère un peu l'aspect positif. On va lui apprendre à conduire et à entretenir un moteur. C'est sûr qu'ils en feront un nazi, mais au moins ça sera un nazi avec une formation.

Assis dans le taxi qui me ramenait à Alexanderplatz où j'avais laissé ma voiture, je compris que voir son fils acquérir des connaissances en mécanique n'était sans doute pas d'une grande consolation pour un homme qui, à l'âge d'Heinrich, avait été champion cycliste junior. En tout cas, il avait raison sur un point : Heinrich était un vrai petit salaud.

Je ne prévins pas Frau Lange de mon arrivée, et bien qu'il ne fût que 20 heures lorsque je me présentai dans Herbertsstrasse, je trouvai la maison silencieuse et plongée dans l'obscurité comme si ses occupants étaient sortis ou déjà couchés. Mais c'est l'un des aspects les plus agréables de mon travail : si vous apportez des nouvelles, on vous accueillera toujours bien, même si vous déboulez à l'improviste.

Je garai ma voiture, gravis les marches du perron et tirai sur la sonnette. Presque aussitôt, une lumière apparut à la fenêtre au-dessus de l'entrée, et au bout d'une minute ou deux, la porte s'ouvrit sur le visage renfrogné de Chaudron noir.

– Vous savez quelle heure il est?

– Huit heures viennent juste de sonner, répondis-je. Le rideau se lève dans les théâtres de Berlin, les clients des restaurants en sont encore à étudier le menu et les mères commencent à coucher les enfants. Frau Lange est-elle là?

– Elle n'est pas en tenue pour recevoir des messieurs.

– Ça n'a aucune importance. Je n'ai apporté ni fleurs ni chocolats. Et je ne suis pas un Monsieur.

– Ça, vous l'avez dit.

– C'était juste pour vous mettre de bonne humeur. Maintenant, faites ce qu'on vous dit. Je suis là pour une affaire urgente. Frau Lange acceptera de me recevoir. Croyez-moi, elle n'appréciera pas que vous me fermiez la porte au nez. Courez vite lui dire que je suis là.

J'attendis dans la même pièce que la première fois, assis sur le sofa aux accoudoirs en forme de dauphins. Je ne l'appréciai pas plus cette fois-ci, d'autant qu'il était à présent jonché de poils roux d'un énorme chat endormi sur un coussin sous un long buffet en chêne. J'étais encore à débarrasser mon pantalon des poils de l'animal lorsque Frau Lange apparut. Elle portait un peignoir en soie verte dévoilant le haut de ses gros seins comme les deux bosses d'un monstre marin rose, des pantoufles assorties et une cigarette non allumée à la main. À ses pieds, déformés par les durillons, se tenait le toutou, l'œil éteint et fronçant le museau sous les suffocantes effluves d'eau de lavande britannique qui enveloppaient Frau Lange comme un vieux boa de plumes. Elle avait la voix encore plus masculine que dans mon souvenir.

– Dites-moi d'abord que Reinhard n'est pour rien là-dedans, commença-t-elle d'un ton impérieux.

– Il n'y est pour rien du tout, dis-je.

Les deux bosses du monstre marin s'affaissèrent lorsqu'elle poussa un soupir de soulagement.

– Dieu merci, dit-elle. Et savez-vous qui me fait chanter de la sorte, Herr Gunther?

– Oui. Un homme qui travaillait à la clinique de Kindermann. Un infirmier du nom de Klaus Hering. Ce nom ne vous dit sans doute pas grand-chose. Sachez simplement que Kindermann l'a licencié il y a quelques mois. C'est sans doute à l'époque où il était employé à la clinique qu'il a volé les lettres adressées par votre fils au Dr Kindermann.

Elle s'assit et alluma sa cigarette.

– S'il en voulait à Kindermann, pourquoi s'en prendre à moi ?

– C'est juste une hypothèse, bien sûr, mais je pense que c'est parce que vous êtes très riche. Kindermann aussi est riche, mais je doute qu'il possède le dixième de votre fortune, Frau Lange, et il a investi tout son argent dans sa clinique. Et puis il a des amis dans la SS. Hering a sans doute jugé plus prudent de s'attaquer à vous. À moins qu'il n'ait d'abord voulu faire chanter Kindermann, avant d'y renoncer. Il est vrai qu'en tant que psychothérapeute, Kindermann pouvait facilement prétendre que les lettres de votre fils ne reflétaient que les délires d'un ancien patient. Après tout, il est courant qu'un patient s'attache à son médecin, même s'il est aussi antipathique que Kindermann.

– Vous l'avez rencontré ?

– Non, mais le personnel de la clinique est unanime sur ce point.

– Je vois. Bien, que faisons-nous à présent ?

– D'après mes souvenirs, vous aviez dit que cela dépendait de votre fils.

– Très bien. Supposons qu'il soit d'accord pour que vous continuiez à traiter cette affaire. Le fait est que vous avez été rapide. Qu'envisagez-vous de faire ?

– En ce moment même, mon associé Herr Stahlecker surveille l'appartement d'Hering sur Nollendorfplatz. Dès qu'Hering sortira, Herr Stahlecker essayera d'entrer chez lui et de récupérer les lettres de votre fils. Vous aurez alors trois possibilités. La première sera d'oublier toute cette histoire. Une autre sera de vous confier à la police, auquel cas Hering pourrait incriminer votre fils. La dernière, enfin, sera de flanquer une correction à Hering. Rien de trop sévère, entendons-nous bien. Mais une bonne raclée, pour lui faire peur et lui donner une leçon. Personnellement, je conseille toujours la troisième solution. Qui sait ? Vous pourrez peut-être même récupérer une partie de votre argent.

– J'aimerais surtout tordre le cou de ce misérable.

– Laissez-moi m'en occuper, d'accord ? Je vous rappelle demain. Vous me direz ce qu'a décidé votre fils. Avec un peu de chance, nous aurons les lettres.

Je ne prétendrai pas qu'elle eut à me tordre le bras pour me faire accepter le verre de cognac qu'elle m'offrit pour fêter la nouvelle. L'excellent breuvage aurait mérité d'être dégusté plus calmement. Mais j'étais fatigué, et lorsque Frau Lange et son monstre marin vinrent me rejoindre sur le sofa, je compris qu'il était temps de m'esquiver.

À cette époque, j'habitais un appartement spacieux dans Fasanenstrasse, juste au sud du Kurfürstendamm, à deux pas des théâtres et des grands restaurants où je n'allais jamais.

Fasanenstrasse était une rue tranquille, avec des portiques en crépi blanc et des façades ouvragées soutenues par des Atlantes aux puissantes épaules. Les loyers n'y étaient pas donnés. Mais cet appartement et mon associé étaient les deux seuls luxes que je m'étais offerts en deux ans.

Le premier m'avait plus réussi que le second. Dans l'immense entrée, comportant plus de marbre que l'autel de Zeus à Pergame, un escalier conduisait au premier étage où je louais un appartement aux plafonds hauts comme des tramways. Les architectes et entrepreneurs viennois n'ont jamais été réputés pour leur pingrerie.

Mes pieds me faisant aussi mal qu'un chagrin d'amour, je me fis couler un bain chaud.

J'y restai un long moment à contempler la fenêtre en verre dépoli qui, installée à angle droit du plafond, divisait en toute inutilité la partie supérieure de la salle de bain. Je ne cessais de me demander pour quelle étrange raison elle avait été placée là.

Dehors, un rossignol chantait dans l'unique mais touffu arbre de la cour. J'avais beaucoup plus confiance en cette chanson-là qu'en celle que chantait Hitler.

Voilà, me dis-je, le genre de comparaison simpliste dont mon bien-aimé fumeur de pipe d'associé se serait délecté.

5
Mardi 6 septembre

La sonnette de l'entrée retentit dans l'obscurité. Abruti de sommeil je tendis le bras vers le réveil posé sur la table de nuit. Il marquait 4 h 30 du matin. Je n'avais prévu de me lever qu'une heure plus tard. La sonnette retentit une nouvelle fois, insistante. J'allumai et passai dans le couloir.

– Qui est là ? demandai-je tout en sachant que seule la Gestapo s'amusait à déranger ainsi les gens dans leur sommeil.

– Hailé Sélassié, répondit-on. Bon Dieu, vous ne savez pas qui c'est ? Allons, Gunther, ouvrez, on n'a pas toute la nuit devant nous.

C'était bien la Gestapo. Il n'y avait qu'eux pour manifester un tel savoir-vivre.

J'ouvris la porte et deux tonneaux sur pattes portant chapeau et pardessus firent irruption dans le couloir.

– Habille-toi, dit l'un. T'as rendez-vous.

– Merde, fis-je en bâillant. Il faudra que je houspille ma secrétaire. Elle a oublié de me le rappeler.

– On est tombé sur un rigolo, dit l'autre.

– Ben quoi ? C'est comme ça qu'Heydrich invite ses amis ?

– Épargne ta salive pour fumer tes clopes, compris ? Et enfile un costard ou on t'embarque dans ton foutu pyjama.

Je m'habillai avec soin, choisissant mon costume le plus élimé et une vieille paire de chaussures. Je bourrai mes poches de cigarettes et pris même un vieil exemplaire des *Nouvelles berlinoises illustrées*. Quand Heydrich vous invite au petit déjeuner, mieux vaut prévoir une visite peut-être prolongée et de toute façon inconfortable.

Tout de suite au sud d'Alexanderplatz, dans Dircksenstrasse, le Praesidium de la police impériale, dit «l'Alex», et la cour d'assises de Berlin semblaient se livrer à une délicate confrontation : l'administration face à la justice. On aurait dit deux poids lourds se faisant face avant le combat, chacun essayant d'intimider son adversaire.

Des deux, l'Alex, dite aussi « Misère grise », avait l'aspect le plus brutal, avec son allure de forteresse gothique dotée d'un dôme à chaque angle et de deux tours plus petites surmontant les façades avant et arrière. Couvrant une surface de plus d'un hectare et demi, l'Alex était un exemple de puissance, sinon d'architecture.

Le second bâtiment, plus petit, avait un aspect plus plaisant. Sa façade de grès néo-baroque offrait une allure plus subtile et intelligente que son vis-à-vis.

Impossible de dire lequel des deux géants allait sortir vainqueur. Et puis quand les deux adversaires avaient été soudoyés pour mettre genou à terre, le combat ne présentait plus guère d'intérêt.

L'aube se levait à peine lorsque la voiture s'arrêta dans la cour principale de l'Alex. Il était beaucoup trop tôt pour que j'aie la présence d'esprit de me demander pourquoi Heydrich m'avait fait amener ici plutôt qu'à la Sipo, le quartier-général des services de sécurité de la Wilhelmstrasse, où il avait son bureau.

Mes deux accompagnateurs me conduisirent jusqu'à une salle d'interrogatoire, où l'on me laissa seul. Mon attention fut bientôt absorbée par les cris provenant de la pièce voisine. Ce salopard d'Heydrich. Il ne faisait jamais les choses de la façon que vous attendiez. J'allumai une cigarette et, la tenant coincée au coin de ma bouche pâteuse, je me levai et me dirigeai vers la fenêtre aux vitres sales. Je ne vis que d'autres fenêtres semblables à la mienne, et sur le toit l'antenne radio de la police. J'écrasai mon mégot dans une boîte vide de café Mélange mexicain qui faisait office de cendrier et revins m'asseoir à la table.

J'étais censé me laisser gagner par la nervosité. Ressentir leur pouvoir. Ainsi, lorsqu'Heydrich se déciderait à se montrer, je m'empresserais de tomber d'accord avec lui. Pour l'instant, il n'était sans doute même pas réveillé.

Mais puisque telle était l'attitude qu'on attendait de moi, je décidai d'agir autrement. Au lieu de me ronger les ongles en guise de petit déjeuner et d'user mes semelles à arpenter la pièce, je me livrai à de petits exercices d'auto-relaxation, si c'est bien comme ça que le Dr Meyer appelait ce qu'il m'avait enseigné. Les yeux clos, respirant à fond par le nez, l'esprit concentré sur une forme simple, je réussis à rester calme. Si calme que je n'entendis même pas la porte s'ouvrir. Au bout de quelques instants, j'ouvris les yeux et découvris en face de moi le visage du flic qui venait d'entrer. Il hocha lentement la tête.

– Je vois que vous êtes pas du genre émotif, remarqua-t-il en ramassant mon magazine.

– Pourquoi le serais-je ? (Je consultai ma montre. Une demi-heure s'était écoulée.) Eh bien, vous avez pris votre temps.

– Vraiment ? J'en suis désolé, croyez-le. J'espère que nous ne vous êtes pas ennuyé. Je vois que vous vous attendiez à rester un petit moment ici.

– Comme tout le monde, non ? fis-je en haussant les épaules et en observant un furoncle gros comme un boulon d'enjoliveur frotter contre son col graisseux.

– Ouais, fit-il. Alors, il paraît que vous êtes détective privé ? Un fouineur professionnel. Et ça rapporte, votre boulot, sans indiscrétion ?

Il avait la voix profonde et quand il parlait son menton s'abaissait sur sa large poitrine comme celui d'un ténor de cabaret.

– Pourquoi, vous arrivez plus à encaisser vos pots-de-vin ? (Il se força à sourire.) Pour moi, ça va pas mal.

– Et vous vous sentez pas un peu seul ? Je veux dire, quand on est flic chez nous, on se fait des amis.

– Me faites pas rire. J'ai un associé, alors, quand j'ai besoin d'une épaule pour m'épancher, j'en ai toujours une dans le coin.

– Ah oui, c'est vrai, votre associé. Un certain Bruno Stahlecker, c'est ça ?

– Exact. Je vous donnerais bien son adresse, mais je crois qu'il est marié.

– Bon, ça va, Gunther. Vous avez prouvé que vous aviez pas peur. Inutile de pousser le bouchon. Vous avez été embarqué à 4 h 30. Il est maintenant 7 heures...

– Si vous voulez l'heure exacte, demandez à un policier.

– ... et vous m'avez pas encore demandé pourquoi vous étiez là.

– Je croyais qu'on était en train d'en parler.

– Ah bon ? Alors, admettons que je sois stupide, ça devrait pas être trop difficile pour un petit futé comme vous. Qu'est-ce qu'on était en train de dire ?

– Oh, merde, écoutez, c'est votre petit numéro, pas le mien, alors, comptez pas sur moi pour lever le rideau et allumer les foutus projecteurs. Récitez votre texte et j'essayerai d'applaudir aux endroits où il faut.

– Très bien, fit-il d'une voix plus coupante. Où étiez-vous hier soir ?

– Chez moi.

– Vous avez un alibi ?

– Ouais. Mon ours en peluche. J'étais au lit, je dormais.

– Et avant ça ?

– Je suis allé voir un client.

– Vous pouvez me dire qui c'est ?

– Écoutez, je n'aime pas ce genre de conversation. Dites-moi de quoi il retourne, sinon je ne dis plus un mot.

– Votre associé est en bas.

– Qu'est-ce qu'il a fait ?

– Il s'est fait tuer.

Je secouai la tête en fermant les yeux.

– Il est mort ?

– Assassiné, pour être précis. C'est comme ça qu'on dit en général.

– Merde, fis-je en fermant à nouveau les yeux.

– C'est ma grande scène, Gunther. Je compte sur vous pour

le rideau et les projos. (Il m'enfonça son index dans la poitrine.) J'attends des réponses, compris ?

– Espèce de connard, vous croyez quand même pas que j'ai quelque chose à y voir, si ? Bon Dieu, j'étais son seul ami. Quand vous et vos copains de l'Alex l'avez expédié dans un commissariat merdique de Spreewald, c'est moi qui suis allé le chercher. Parce que j'ai toujours pensé que malgré son manque d'enthousiasme à l'égard des nazis, c'était un bon flic.

Je secouai la tête avec amertume et jurai entre mes dents.

– Quand l'avez-vous vu pour la dernière fois ?

– Hier soir, vers 8 heures. Je l'ai quitté dans le parc de stationnement du Metropol, à Nollendorfplatz.

– Il était sur quelque chose ?

– Oui.

– Sur quoi ?

– Une filature. Enfin, il surveillait quelqu'un.

– Au théâtre ou dans les immeubles ?

Je hochai la tête.

– Alors ? insista-t-il.

– Je ne peux pas vous le dire. Pas avant d'en avoir discuté avec mon client.

– Dont vous ne voulez pas parler non plus... Vous vous prenez pour un curé ou quoi ? Il s'agit d'un meurtre, Gunther. Vous n'avez pas envie de retrouver l'homme qui a descendu votre associé ?

– À votre avis ?

– À mon avis, vous devriez vous demander si votre client n'est pas dans le coup. Imaginez qu'il refuse que vous parliez de ce regrettable incident à la police. Qu'est-ce qu'on fera ? (Il secoua la tête.) Ça ne marche pas, Gunther. Soit vous me racontez tout, soit vous en parlerez au juge. (Il se leva et gagna la porte.) À vous de voir. Prenez votre temps. Je ne suis pas pressé.

Il referma la porte derrière lui, me laissant à mes remords

d'avoir jamais souhaité le moindre mal à Bruno et à sa satanée pipe.

Environ une heure plus tard, la porte s'ouvrit et un officier supérieur SS pénétra dans la pièce.

– Je commençais à me dire que vous n'arriveriez jamais, fis-je.

Arthur Nebe soupira et secoua la tête.

– Je suis désolé pour Stahlecker, dit-il. C'était un type bien. Je suppose que vous désirez le voir. (Il me fit signe de le suivre.) Ensuite, je le crains, il vous faudra rencontrer Heydrich.

Nous traversâmes un bureau, puis un amphithéâtre d'autopsie où un pathologiste examinait le corps nu d'une adolescente, avant d'arriver dans une longue pièce froide où s'alignaient des rangées de tables. Sur certaines étaient étendus des cadavres, les uns nus, d'autres recouverts d'un drap, d'autres, comme Bruno, encore vêtus de leurs habits et ressemblant plus à des bagages égarés qu'à des êtres humains.

Je m'approchai et jetai un long regard à feu mon associé. On aurait dit qu'il avait renversé une bouteille de rouge sur sa chemise, et sa bouche grande ouverte le faisait ressembler à un client surpris dans un fauteuil de dentiste. Il y a des tas de façons de mettre un terme à une collaboration, mais aucune n'est aussi définitive que celle-ci.

– Je n'avais jamais remarqué qu'il portait un dentier, dis-je en voyant briller un morceau de métal. Poignardé ?

– Une fois, en plein cœur. D'après le toubib, la lame a pénétré sous les côtes, puis traversé le haut de l'estomac avant de percer le cœur.

Je saisis les mains de Bruno l'une après l'autre et les examinai.

– Pas de blessures de défense, dis-je. Où l'a-t-on retrouvé ?

– Dans le parc de stationnement du théâtre Metropol, dit Nebe.

J'ouvris la chemise du mort, constatai au passage que son holster était vide, puis déboutonnai sa chemise encore gluante de sang pour examiner la blessure. Il était difficile de se prononcer avant qu'elle ait été nettoyée, mais la plaie semblait déchiquetée, comme si on avait fait tourner la lame à l'intérieur.

– Celui qui a fait ça sait se servir d'un couteau, dis-je. On dirait une blessure par baïonnette. (Je soupirai et secouai la tête.) Bon, j'en ai assez vu. Inutile de convoquer sa femme. Je procéderai à l'identification officielle. Est-elle au courant ?

Nebe haussa les épaules.

– Je ne sais pas. (Je retraversai à sa suite la salle d'autopsie.) Mais je suppose qu'elle l'apprendra vite.

Le pathologiste, un jeune homme avec une grosse moustache, avait interrompu son travail sur l'adolescente pour fumer une cigarette. Du sang avait coulé de sa main gantée sur le papier de la cigarette, et une gouttelette s'était même déposée sur sa lèvre. Nebe s'arrêta et contempla la scène avec dégoût.

– Alors ? fit-il avec colère. C'en est une autre ?

Le pathologiste exhala paresseusement un nuage de fumée, puis fit la grimace.

– D'après les premières constatations, on dirait bien, dit-il. Elle porte les accessoires habituels.

– Je vois. (Il était évident que Nebe n'appréciait guère le jeune médecin.) J'espère que votre rapport sera plus détaillé que le dernier. Et surtout plus précis. (Il fit demi-tour et s'éloigna à grands pas en jetant par-dessus son épaule :) Envoyez-le-moi dès que possible.

Dans la voiture de Nebe, alors que nous roulions vers Wilhelmstrasse, je lui demandai de quoi il s'agissait.

– Ce qu'on a vu dans la salle d'autopsie, précisai-je.

– Cher ami, dit-il, je crois que vous n'allez pas tarder à en savoir plus.

Le quartier-général du SD[1], le Service de sécurité, que dirigeait Heydrich au numéro 102 de la Wilhelmstrasse, avait un aspect extérieur inoffensif. Et même élégant. À chaque extrémité d'une colonnade ionique se dressaient une loge de garde carrée d'un étage et une entrée voûtée permettant d'accéder à la cour intérieure. Un rideau d'arbres empêchait de distinguer ce qui s'étendait au-delà, et seule la présence de deux sentinelles indiquait qu'on se trouvait devant un bâtiment officiel.

Nous franchîmes une grille, longeâmes une haie de buissons encadrant une pelouse de la taille d'un terrain de tennis, puis stoppâmes devant une belle bâtisse de deux étages aux fenêtres cintrées qui auraient pu laisser passer un éléphant. Des SS se précipitèrent pour ouvrir les portières et nous descendîmes de voiture.

L'intérieur ne ressemblait pas à l'idée que je m'étais faite du siège de la Sipo. Nous attendîmes dans un hall qui se terminait par un splendide escalier doré, orné de cariatides et d'énormes chandeliers. Je regardai Nebe et, d'un mouvement de sourcils, lui fis comprendre que j'étais impressionné.

– Pas mal, hein ? fit-il en m'entraînant vers une porte-fenêtre donnant sur un magnifique jardin.

Au-delà, vers l'ouest, on apercevait la moderne silhouette d'Europa Haus, une réalisation de Gropius, tandis qu'au nord on distinguait l'aile méridionale du siège de la Gestapo dans Prinz Albrecht Strasse. Je le reconnus sans peine pour y avoir été autrefois détenu un certain temps sur ordre d'Heydrich.

Pourtant, apprécier la différence entre le SD, ou Sipo, comme on appelait parfois le Service de sécurité, et la Gestapo était problématique, même pour les employés de ces organismes. D'après ce que j'avais pu comprendre, la distinction

1. SD : Sicherheitsdienst. D'abord police interne de la SS, il deviendra en 1934 le service de renseignements du parti nazi. (NdT)

était la même qu'entre les saucisses de Bockwurst et celles de Francfort : nom différent, goût identique.

Ce qui, en revanche, était aisé à comprendre, c'est qu'en investissant ce bâtiment, l'ancien palais du prince Albrecht, Heydrich s'était fort bien débrouillé. Peut-être même mieux que son supérieur théorique, Himmler, qui occupait à présent le bâtiment jouxtant le siège de la Gestapo, dans ce qui était autrefois l'Hotel Prinz Albrecht Strasse. Bien sûr, le vieil hôtel, à présent désigné sous le nom de SS-Haus, était plus vaste que le palais. Mais il en va dans ce domaine comme dans celui des saucisses : le goût n'a rien à voir avec la taille.

J'entendis claquer les talons de Nebe et, me retournant, je vis que le prince de la terreur du Reich venait de nous rejoindre près de la fenêtre.

Grand, d'une maigreur squelettique, son long visage pâle aussi dépourvu d'expression qu'un masque mortuaire, ses doigts à la Jack Frost croisés derrière son dos rectiligne, Heydrich regarda quelques instants dehors sans prononcer un mot.

– Venez, Messieurs, dit-il enfin. Il fait un temps splendide. Nous allons marcher un peu.

Ouvrant la porte-fenêtre il nous précéda dans le jardin. Il avait les pieds très grands et les jambes arquées comme s'il avait fait beaucoup d'équitation, ce que semblait confirmer la Médaille du cavalier qu'il portait épinglée à sa poche de tunique.

Tel un reptile, l'air frais et le soleil parurent le revigorer.

– Nous sommes dans l'ancienne résidence d'été du premier Frédéric Guillaume, expliqua-t-il avec entrain. Plus récemment, la République l'utilisait pour héberger ses hôtes de marque tels que le roi d'Égypte ou le Premier ministre britannique. Je parle de Ramsay MacDonald, bien sûr, pas de cet imbécile avec son parapluie[1]. Pour moi, c'est le plus beau de nos vieux palais. Je me promène souvent dans ce jardin. Il relie la Sipo au siège de la Gestapo, c'est très pratique. Et

1. Chamberlain. (NdT)

c'est la meilleure saison pour en profiter. Avez-vous un jardin, Herr Gunther?

– Non, répondis-je. Je trouve que ça demande trop d'entretien. Quand je m'arrête de travailler, je m'arrête de travailler. Je ne vais pas me mettre à bêcher un jardin.

– C'est dommage. Dans ma maison de Schlactensee, nous avons un jardin avec un terrain de croquet. L'un de vous joue-t-il à ce jeu?

– Non, fîmes-nous à l'unisson.

– C'est un jeu passionnant; je crois qu'il est très populaire en Angleterre. Il nous fournit une intéressante métaphore pour la nouvelle Allemagne. Les lois ne sont que des arceaux par lesquels nous devons faire passer le peuple, en le forçant plus ou moins. Et aucun mouvement n'est possible sans le maillet. Le croquet est un jeu parfait pour un policier.

Nebe hocha la tête d'un air pensif tandis qu'Heydrich souriait de sa comparaison. Puis il enchaîna avec volubilité. Il expédia en quelques mots une partie des individus qu'il ne pouvait souffrir – les francs-maçons, les catholiques, les Témoins de Jehovah, les homosexuels et l'amiral Canaris, chef de l'Abwehr, le service des renseignements militaires – et s'étendit à satiété sur quelques-uns de ses plaisirs – le piano et le violoncelle, l'escrime, quelques boîtes de nuit et sa famille.

– La nouvelle Allemagne, dit-il, doit enrayer le déclin de la famille et créer une communauté nationale fondée sur le sang. Les temps changent. Aujourd'hui, par exemple, il n'y a plus que 22 787 clochards en Allemagne, c'est-à-dire 5 500 de moins qu'au début de l'année. Il y a plus de mariages, plus de naissances et moitié moins de divorces. Vous vous demandez peut-être pourquoi la famille est si importante aux yeux du Parti. Eh bien, je vais vous le dire. C'est à cause des enfants. Plus nous aurons de beaux enfants, meilleur sera l'avenir de l'Allemagne. C'est pourquoi lorsque quelque chose menace ces enfants, nous devons réagir aussitôt.

J'allumai une cigarette et redoublai d'attention. Il paraissait en venir peu à peu à la raison de ma présence. Nous nous assîmes sur un banc, et je me retrouvai coincé entre Heydrich et Nebe comme un foie de poulet entre deux tranches de pain noir.

– Vous n'aimez pas les jardins, fit Heydrich d'un ton songeur. Et les enfants ? Les aimez-vous ?

– Bien sûr.

– Bien, fit-il. Mon opinion est qu'il est essentiel de les aimer, vu ce que nous faisons – même les choses difficiles que nous devons pourtant faire malgré le dégoût qu'elles nous inspirent –, car sinon nous ne pourrions exprimer notre humanité. Comprenez-vous ce que je veux dire ?

Je n'en étais pas très sûr, mais j'acquiesçai quand même.

– Puis-je vous parler en toute franchise ? demanda-t-il. Et en toute confiance ?

– Je vous en prie.

– Un fou furieux se promène dans les rues de Berlin, Herr Gunther.

Je haussai les épaules.

– Ça n'est pas nouveau, dis-je. Il y en a à tous les coins de rues.

Heydrich secoua la tête avec impatience.

– Non, je ne vous parle pas du membre des sections d'assaut qui tabasse un vieux juif. Je veux parler d'un assassin. D'un homme qui a violé, tué et mutilé quatre jeunes Allemandes en quatre mois.

– Les journaux n'en ont rien dit.

Heydrich éclata de rire.

– Les journaux impriment ce qu'on leur dit d'imprimer, et nous avons imposé le silence sur cette affaire.

– Grâce à Streicher et à son torchon antisémite, ça serait facile de coller ça sur le dos des juifs, dit Nebe.

– Justement, reprit Heydrich. Je veux éviter à tout prix une émeute anti-juive dans cette ville. Elle offenserait mon sens de l'ordre public. Elle m'offenserait en tant que policier. Le jour où nous déciderons de nous débarrasser des juifs, ce sera fait avec méthode, non en faisant appel à la populace. Il ne faut pas perdre de vue les implications commerciales. Il y a deux ou trois semaines, quelques abrutis ont décidé de saccager une synagogue à Nuremberg. Une synagogue qui était assurée auprès d'une bonne compagnie allemande. La compagnie a dû débourser des milliers de marks de dédommagement. Croyez-moi, les émeutes raciales ne sont pas bonnes pour les affaires.

– Alors, pourquoi me parler de celle-ci ?

– Je veux que ce maniaque soit arrêté, et arrêté très vite, Gunther. (Il jeta un regard acéré à Nebe.) Dans la meilleure tradition de la Kripo, un individu, juif, a d'ores et déjà avoué être l'auteur de ces meurtres. Cependant, comme il se trouvait en détention à l'époque du dernier crime, il se pourrait qu'il soit innocent, ce qui signifierait qu'un membre zélé de la chère police de Nebe ait voulu un peu trop vite lui coller ça sur le dos.

» Vous Gunther, en revanche, vous n'avez pas à vous arrêter à des questions raciales ou politiques. De plus, vous possédez une grande expérience dans le domaine de l'investigation criminelle. C'est bien vous, n'est-ce pas, qui avez arrêté Gormann, l'étrangleur ? C'était il y a une bonne dizaine d'années, mais tout le monde s'en souvient. (Il se tut et me regarda droit dans les yeux – une sensation pénible.) En d'autres termes, je veux que vous reveniez, Gunther. Que vous réintégriez la Kripo et que vous identifiiez ce fou avant qu'il ne tue d'autres adolescentes.

Je balançai mon mégot dans les buissons et me levai. Arthur Nebe m'observait d'un air détaché, comme s'il désapprouvait l'idée d'Heydrich de me faire réintégrer la Kripo pour prendre l'enquête en mains à la place des collaborateurs de Nebe. J'allumai une autre cigarette et réfléchis un moment.

– Bon sang, finis-je par dire, il doit bien y avoir d'autres flics aussi capables que moi, non ? Celui qui a coincé Kürten, le Vampire de Dusseldorf. Pourquoi ne pas avoir recours à lui ?

– On a étudié le dossier, fit Nebe. Il semble que Peter Kürten se soit tout simplement rendu. L'enquête elle-même n'a pas été d'une efficacité exemplaire.

– Et vous ne pouvez trouver personne d'autre ?

Nebe secoua la tête.

– Vous voyez, Gunther, intervint Heydrich, nous en revenons à vous. Entre nous, je doute qu'il y ait meilleur détective que vous dans toute l'Allemagne.

Je ris en secouant la tête.

– Vous êtes très habile. Bravo. J'ai apprécié votre petit discours sur la famille et les enfants, général, mais nous savons tous les trois que si vous étouffez à ce point l'affaire, c'est qu'elle fait passer votre police soi-disant moderne pour une bande d'incompétents. Ce qui est mauvais pour eux, et pour vous. Et la vraie raison pour laquelle vous voulez me faire revenir dans vos rangs, ce n'est pas tellement que je sois excellent, c'est que les autres sont nuls. Les seuls crimes dont la Kripo actuelle est capable de s'occuper, ce sont les transgressions raciales et les blagues concernant le Führer.

Heydrich eut un sourire de chien battu et ses yeux s'étrécirent.

– Dois-je comprendre que vous refusez ma proposition, Herr Gunther ? demanda-t-il d'un ton égal.

– J'aimerais pouvoir vous aider, je vous assure. Mais vous tombez au mauvais moment. Je viens d'apprendre que mon associé s'est fait assassiner hier soir. Vous allez peut-être penser que c'est une réaction désuète, mais j'aimerais bien savoir qui l'a tué. En temps ordinaire, j'aurais laissé ça à la Commission criminelle, mais vu ce que vous venez de me dire, je ne peux pas en attendre grand-chose, n'est-ce pas ? Ils m'ont déjà accusé de l'avoir tué, alors qui sait, ils vont peut-être vouloir me faire signer des aveux, auquel cas je serai obligé de travailler pour vous afin d'échapper à la guillotine.

– Oui, j'ai appris ce qui était arrivé à ce malheureux Herr Stahlecker, dit Heydrich en se levant. Je comprends que vous vouliez tirer au clair les circonstances de cette mort tragique. Si mes hommes, si incompétents soient-ils, peuvent vous être de quelque utilité, n'hésitez pas à me le faire savoir. Mais imaginons que cet obstacle soit levé, quelle serait votre réponse ?

Je haussai les épaules.

– Étant donné que si je refusais je perdrais ma licence de détective...

– Évidemment.

– ... mon permis de port d'arme et mon permis de conduire...

– Il nous sera facile de trouver un prétexte...

– ... alors, je suis contraint d'accepter.

– Parfait.

– À une condition.

– Dites.

– Qu'on m'attribue le grade de Kriminalkommissar pour la durée de l'enquête et que je puisse mener mes investigations comme je l'entends.

– Hé, une minute, intervint Nebe. Pourquoi ne pas garder votre ancien grade d'inspecteur ?

– Parce qu'en plus de la différence de salaire, lui fit remarquer Heydrich, Herr Gunther ne veut pas voir des officiers supérieurs lui mettre des bâtons dans les roues. Et il a parfaitement raison. Ce grade lui sera indispensable pour affronter les grincements de dents que suscitera son retour dans les rangs de la Kripo. J'aurais dû y penser moi-même. C'est d'accord.

Nous regagnâmes le palais. Sur le seuil, un officier du SD remit une note à Heydrich qui la parcourut.

– Quelle coïncidence ! fit-il en souriant. Il semble que mes policiers incompétents aient retrouvé l'homme qui a assassiné votre associé, Herr Gunther. Le nom de Klaus Hering vous dit-il quelque chose ?

– Stahlecker surveillait son appartement lorsqu'il a été tué.

– C'est donc une bonne nouvelle. Le seul ennui, c'est que ce Hering semble s'être suicidé. (Il jeta un regard à Nebe et sourit.) Nous ferions mieux d'aller voir ça de plus près, vous ne croyez pas, Arthur ? Sinon, Herr Gunther va croire que c'est un coup monté.

Il est difficile de décrire un homme mort par pendaison sans verser dans le grotesque. La langue boursouflée, dépassant de la bouche comme une troisième lèvre, les yeux exorbités saillant comme les testicules d'un chien de course – ce genre de détails fausse la perception d'ensemble. C'est pourquoi, à part la certitude qu'il ne remporterait plus jamais de prix dans un concours local de joutes oratoires, il n'y avait pas grand-chose à dire de Klaus Hering, hormis qu'il paraissait âgé d'une trentaine d'années, qu'il était plutôt mince, avec des cheveux clairs et que, grâce à sa cravate, il avait gagné quelques centimètres.

Les choses paraissaient assez évidentes. D'après mon expérience, un pendu est presque toujours un suicidé : il existe en effet de nombreux moyens plus faciles pour tuer un homme. Je sais, pour y avoir assisté, qu'il y a des exceptions, mais il s'agit presque toujours d'accidents, dans lesquels la victime a eu la malchance de succomber à une paralysie du nerf pneumogastrique dans l'exercice d'une perversion sadomasochiste. Ces non-conformistes sexuels sont généralement retrouvés nus, ou parés de sous-vêtements féminins, devant un étalage de littérature pornographique à gluante portée de main, et ce sont toujours des hommes.

La mort d'Hering ne paraissait pas avoir été entourée de ces connotations sexuelles. Ses vêtements auraient pu être choisis par sa mère et le fait que ses mains pendaient librement de chaque côté du corps constituait une preuve de plus de son suicide.

L'inspecteur Strunck, le flic qui m'avait interrogé à l'Alex, résuma la situation à l'intention de Nebe et Heydrich.

– On a trouvé le nom et l'adresse de cet individu dans la poche de Stahlecker, dit-il. Il avait dans sa cuisine une baïonnette enveloppée dans du papier journal. La lame était couverte de sang, et d'après sa taille, il semble que ça soit l'arme qui a tué Stahlecker. On a également retrouvé une chemise pleine de sang que Hering devait porter au moment du crime.

– C'est tout ? s'enquit Nebe.

– Le holster de Stahlecker était vide, général, dit Strunck. Peut-être que Gunther pourra nous dire si cette arme appartenait à son associé. Nous l'avons trouvée dans le sac en papier, avec la chemise.

Il me tendit un Walther PPK. Je reniflai l'orifice du canon et reconnus l'odeur de l'huile de nettoyage. Je manœuvrai la culasse : il n'y avait pas de balle dans la chambre, mais le chargeur était plein. Ensuite, j'abaissai le pontet. Les initiales de Bruno étaient gravées dans le métal noir.

– C'est bien l'arme de Bruno, confirmai-je. On dirait qu'il n'a même pas essayé de s'en servir. Puis-je voir cette chemise, je vous prie ?

Strunck consulta du regard le Reichskriminaldirektor.

– Montrez-la-lui, inspecteur, fit Nebe.

La chemise provenait des magasins C & A. Une épaisse tache de sang la souillait au niveau de l'estomac ainsi que du poignet droit, ce qui semblait confirmer les circonstances de la mort.

– On dirait bien qu'il s'agit de l'assassin de votre associé, Herr Gunther, dit Heydrich. Il est rentré chez lui et, après s'être changé, il a réalisé ce qu'il avait fait. Pris de remords, il s'est pendu.

– C'est possible, fis-je sans conviction. Mais si vous permettez, général, j'aimerais jeter un coup d'œil à l'appartement. Seul. Juste pour satisfaire ma curiosité sur un ou deux détails.

– Très bien. Mais ne soyez pas trop long.

Lorsqu'Heydrich, Nebe et l'inspecteur furent sortis, j'examinai de plus près le corps d'Hering. Il semblait qu'il avait attaché un câble électrique à la rampe de l'escalier, s'était passé l'autre extrémité en nœud coulant autour du cou, puis avait enjambé la rampe. Mais seul un examen méticuleux des mains, des poignets et du cou d'Hering pouvait me confirmer que c'était bien ce qui était arrivé. Il y avait quelque chose dans les circonstances de sa mort, quelque chose sur quoi je n'arrivais pas à mettre le doigt, mais qui me semblait bizarre.

Par exemple, pourquoi diable avoir pris la peine de changer de chemise avant de se pendre ?

J'enjambai la rampe et m'agenouillai sur le replat formé par le haut du mur de la montée d'escalier. Me penchant en avant, j'eus une bonne vision du point de suspension, juste derrière l'oreille droite d'Hering. Le degré de serrage du nœud est toujours plus important, et plus vertical dans un cas de pendaison que dans un étranglement. Pourtant, j'aperçus une seconde marque, horizontale, juste sous le nœud, qui renforça mes doutes. Avant de se pendre, Klaus Hering était mort étranglé.

Je vérifiai la taille de la chemise d'Hering. C'était la même que celle de la chemise ensanglantée que j'avais examinée tout à l'heure. Je repassai par-dessus la rampe et descendis quelques marches. Dressé sur la pointe des pieds, j'examinai les poignets et les paumes du mort. Ouvrant avec peine sa main droite, je découvris du sang séché, ainsi qu'un petit objet brillant qui paraissait enfoncé dans la chair. Je le retirai et le posai sur ma paume. L'épingle était tordue, sans doute sous la pression du poing d'Hering, mais malgré le sang qui la voilait en partie, la tête de mort était clairement visible. C'était un insigne de casquette SS.

Je m'efforçai d'imaginer la scène, certain à présent qu'Heydrich y avait prêté la main. Ne m'avait-il pas demandé, dans le jardin du palais du prince Albrecht, quelle serait ma réponse une fois que l'« obstacle » constitué par l'identification et l'arrestation de l'assassin de Bruno aurait été levé ? Or, ne venait-il pas d'être levé de la manière la plus définitive qui soit ? Il avait sans aucun doute prévu ma réaction, et ordonné l'élimination d'Hering avant même notre petite promenade dans le jardin.

Ces pensées en tête, je fouillai l'appartement de manière rapide mais méticuleuse. Je soulevai les matelas, regardai dans la chasse d'eau, roulai les tapis et allai même jusqu'à feuilleter une collection d'ouvrages médicaux. Je finis par découvrir une pleine feuille de timbres édités à l'occasion du cinquième anniversaire de l'accession des nazis au pouvoir, les mêmes qui avaient servi à oblitérer les lettres de chantage adressées à Frau Lange. En revanche, je ne vis aucune trace des lettres envoyées par son fils au Dr Kindermann.

6

Vendredi 9 septembre

Me retrouver à une réunion de travail à l'Alex me procura un sentiment étrange, accentué par le fait d'entendre Arthur Nebe m'appeler Kommissar Gunther. Cinq années s'étaient écoulées depuis le jour de juin 1933 où, incapable de tolérer plus longtemps les purges qu'opérait Goering au sein de la police, j'avais renoncé à mon titre de Kriminalinspektor pour devenir le détective de l'hôtel Adlon. Quelques mois de plus et ma hiérarchie m'aurait, de toute façon, renvoyé. Si quelqu'un à l'époque m'avait dit que je reviendrais à l'Alex sous une casquette d'officier supérieur de la Kripo alors qu'un gouvernement national-socialiste était toujours en place, je l'aurais traité de fou.

À en croire l'expression de leurs visages, la plupart des personnes assises autour de la table auraient été du même avis : Hans Lobbes, numéro trois du Reichskriminaldirektor et responsable administratif de la Kripo ; le comte Fritz von der Schulenberg, vice-président de la police de Berlin et représentant les types en uniforme de l'Orpo[1]. Même les trois officiers de la Kripo, l'un venant des Mœurs et les deux autres de la Commission criminelle, qu'on avait adjoints à cette nouvelle équipe, me considéraient avec un mélange de crainte et de répugnance. Je ne pouvais leur en vouloir. À leurs yeux, je n'étais rien d'autre que l'espion d'Heydrich. J'aurais sans doute eu la même réaction à leur place.

1. Ordnungspolizei. (NdT)

Les deux autres personnes qui, à ma demande, avaient été invitées à la réunion ne faisaient qu'accentuer la méfiance ambiante. L'une de ces personnes, une femme, était spécialiste en psychiatrie criminelle à l'hôpital de la Charité à Berlin. Frau Marie Kalau vom Hofe, une amie d'Arthur Nebe, lui-même féru de criminologie, était conseillère en psychologie criminelle auprès de la police. L'autre, Hans Illmann, professeur de médecine légale à l'université Friedrich Wilhelm de Berlin, avait été le doyen des pathologistes de l'Alex jusqu'à ce que sa sourde hostilité aux nazis ait contraint Nebe à le mettre à la retraite. Nebe lui-même ayant admis qu'Illmann était meilleur que tous les pathologistes employés depuis à l'Alex, j'avais demandé à ce qu'il prenne en charge les aspects médico-légaux de l'affaire.

Un espion, une femme et un dissident politique. Il ne manquait plus que le sténographe se lève en entonnant *L'Internationale* pour que mes collègues croient à une plaisante mise en scène.

Nebe termina le tortueux discours qu'il avait préparé pour me présenter à ses collègues et me passa la parole.

Je secouai la tête.

– Je déteste la bureaucratie, commençai-je. Elle me fait horreur. Pourtant, ce que nous allons mettre sur pied ici, c'est une bureaucratie de l'information. Nous verrons plus tard ce qui, parmi ces informations, se révèle utile. L'information est le sang qui irrigue une enquête criminelle, et si cette information est contaminée, alors c'est toute l'enquête qui est empoisonnée. Je me fiche de savoir si tel ou tel a tort. Dans ce petit jeu, nous avons tous tort jusqu'à ce que nous ayons raison. Mais si j'apprends qu'un membre de mon équipe répand volontairement une fausse information, je ne l'enverrai pas devant une commission disciplinaire. Je le tuerai. Et cette information-là, croyez-moi, elle est solide.

» J'aimerais dire autre chose. Je me fiche de savoir à quel genre de coupable nous avons affaire. Juif, nègre, pédé, membre des sections d'assaut, responsable des Jeunesses hitlériennes, fonctionnaire, ouvrier des ponts et chaussées, ça n'a aucune importance pour moi. La seule chose qui compte, c'est que celui qu'on arrête soit bien le coupable. Ce qui m'amène au problème Josef Kahn. Au cas où vous l'auriez oublié, il s'agit de ce juif qui a avoué les meurtres de Brigitte Hartmann, Christiane Schulz et Zarah Lischka. Il a été interné au titre de l'article 51 à l'asile municipal d'aliénés d'Herzeberge. L'un des objectifs de cette réunion est d'évaluer ses aveux à la lumière du quatrième meurtre, celui de Lotte Winter.

» À cet effet, j'aimerais vous présenter le professeur Hans Illmann, qui a eu l'amabilité d'accepter d'agir en qualité de pathologiste dans cette affaire. Pour ceux d'entre vous qui ne le connaîtraient pas, je rappelle qu'il est l'un des meilleurs pathologistes de ce pays, et c'est une grande chance de le compter parmi nous.

Illmann hocha la tête en continuant de rouler sa cigarette. C'était un homme mince aux fins cheveux bruns, avec des lunettes sans monture et une petite barbiche. Il lécha le papier et planta la cigarette entre ses lèvres. Elle était aussi parfaite qu'une cigarette industrielle. Je lui adressai mes muettes félicitations. Aucune expertise médicale ne valait ce genre de tranquille dextérité.

– Le professeur Illmann, repris-je, nous fera part de ses observations au cas par cas, lorsque le Kriminalassistant Korsch nous aura résumé chaque dossier.

J'adressai un signe de tête au jeune costaud au teint sombre assis en face de moi. Son visage avait quelque chose d'artificiel, comme s'il avait été assemblé par les artistes des Services techniques de la Sipo qui lui auraient accordé trois traits distinctifs, et pas grand-chose d'autre : des sourcils très rapprochés, posés sur ses arcades proéminentes comme un faucon prêt à s'envoler ; un long menton de magicien qui lui donnait l'air rusé ; enfin, une petite moustache à la Fairbanks. Korsch s'éclaircit la gorge et se mit à parler d'une voix un octave plus haut que je n'attendais.

– Brigitte Hartmann, lut-il. Quinze ans, de parents allemands. Disparue le 23 mai 1938. Son corps a été retrouvé le 10 juin dans un sac de pommes de terre, près d'un jardin ouvrier de Siesdorf. Elle habitait avec ses parents à la cité Britz, au sud de Neukölln, d'où elle est allée prendre le U-Bahn à Parchimerallee pour se rendre chez sa tante à Reinickdorf. La tante l'a attendue à la station de la Holzhauser Strasse, mais Brigitte n'y est jamais arrivée. Le chef de la station de Parchimer ne se souvient pas l'avoir vue monter dans le train, mais il a déclaré qu'ayant bu beaucoup de bière ce soir-là, il ne s'en serait de toute façon pas rappelé.

Cette précision déclencha des pouffements autour de la table.

– Connard d'ivrogne, ricana Hans Lobbes.

– Elle est l'une des deux jeunes filles qu'on a enterrées depuis, intervint Illmann d'une voix posée. Je n'ai rien à ajouter aux conclusions de l'autopsie. Vous pouvez continuer, Herr Korsch.

– Christiane Schultz. Seize ans, de parents allemands. Disparue le 8 juin 1938. Son corps a été retrouvé le 2 juillet dans un tunnel de tramway reliant Treptower Park sur la rive droite de la Spree au village de Stralau sur la rive gauche. Au milieu du tunnel est ménagé un atelier d'entretien, en fait un simple recoin sous une arche. C'est là qu'un cheminot a découvert le cadavre, enveloppé dans une vieille bâche.

» La victime était une chanteuse qu'on entendait souvent à l'émission du soir de la BdM, la Ligue des femmes allemandes. Le soir de sa disparition elle s'est rendue aux studios de la Funkturm dans Masuren Strasse où, à 19 heures, elle a interprété l'hymne des Jeunesses hitlériennes. Le père de la victime, ingénieur à l'usine d'aviation Arado de Brandenburg-Neuendorf, devait la prendre à 20 heures en rentrant de son travail. Mais il a crevé un pneu et il est passé aux studios avec vingt minutes de retard. Ne voyant pas Christiane, il a pensé qu'elle s'était fait raccompagner et il est rentré à Spandau. À 21 h 30, constatant qu'elle n'était toujours pas là, et après avoir interrogé les amis de sa fille, il a prévenu la police.

Korsch jeta un coup d'œil à Illmann, puis à moi. Il lissa sa minuscule moustache et se pencha vers la feuille suivante de son dossier.

– Zarah Lischka, reprit-il. Seize ans, de parents allemands. Disparue le 6 juillet 1938, retrouvée morte le 1er août dans un fossé du Tiergarten, près de Siegessaüle. Sa famille habite Antonstrasse, à Wedding. Le père travaille dans un abattoir de Landsbergallee. La mère de Zarah l'a envoyée faire des courses dans Lindowerstrasse, près de la station du S-Bahn. L'épicier se souvient d'elle. Elle lui a acheté des cigarettes, bien qu'aucun de ses parents ne fume, du Blueband et une miche de pain. Ensuite, elle est allée dans la pharmacie voisine. Le pharmacien s'en rappelle également. Elle a demandé de la teinture à cheveux Schwartzkopf Extra Blonde.

Soixante pour cent des jeunes Allemandes utilisent ce produit, me dis-je aussitôt. C'est drôle, je me souvenais de tas de détails inutiles ces temps-ci. En revanche, je crois que j'aurais été incapable de dire ce qui se passait d'important dans le monde, à part l'agitation des territoires sudètes – les émeutes, et les conférences sur la nationalité qui se tenaient à Prague. Restait à voir si ce qui se passait en Tchécoslovaquie était la seule chose vraiment importante.

Illmann éteignit sa cigarette et nous lut ses constatations.

– La victime était nue, et certains signes indiquaient qu'elle avait eu les pieds ligotés. Elle portait deux blessures de couteau à la gorge, mais nous avons de fortes raisons de penser qu'elle a été également étranglée, sans doute pour l'empêcher de crier. Il est probable qu'elle était inconsciente lorsque son assassin lui a tranché la gorge. Le fait que les hématomes aient été entaillés par la lame semble corroborer ce fait. Détail intéressant : d'après la quantité de sang relevée dans ses pieds, d'après le sang séché retrouvé dans son nez et sur ses cheveux, et compte tenu du fait que ses pieds étaient liés serrés, j'en conclus que la victime était suspendue par les pieds lorsqu'elle a été égorgée. Comme un porc.

– Seigneur, lâcha Nebe.

– Après avoir étudié les rapports concernant les deux autres victimes, il est probable que le même *modus operandi* ait été appliqué dans ces deux meurtres. La suggestion avancée par mon prédécesseur, selon laquelle les victimes étaient étendues lorsqu'elles ont été égorgées, est une évidente absurdité et ne tient aucun compte des écorchures relevées au niveau des chevilles, ni de la faible quantité de sang constatée dans les pieds. Il s'agit là d'une négligence patente.

– C'est noté, dit Arthur Nebe en griffonnant quelques mots. Je suis aussi d'avis que votre prédécesseur est incompétent.

– Le vagin de la victime n'a pas été pénétré ni endommagé, reprit Illmann. En revanche, l'anus était distendu sur un diamètre d'environ deux doigts. Les tests de recherche de spermatozoïdes se sont révélés positifs.

Quelqu'un grogna.

– L'estomac était flasque et vide. L'enquête a montré que Brigitte avait mangé de l'*apfelkraut* et des tartines beurrées avant de se rendre à la station de métro. Toute cette nourriture avait été digérée au moment de la mort. Or la pomme, du fait qu'elle absorbe beaucoup d'eau, ne se digère que lentement. C'est pourquoi je situerais la mort entre six et huit heures après son repas, c'est-à-dire deux ou trois heures après qu'on ait signalé sa disparition. La conclusion évidente est qu'elle a été enlevée pour être assassinée.

Je levai la tête vers Korsch.

– Herr Korsch, venons-en aux circonstances du dernier meurtre, je vous prie.

– Lotte Winter, récita-t-il. Seize ans, de parents allemands. Disparue le 18 juillet 1938. Son corps a été retrouvé le 25 août suivant. Elle vivait dans Pragerstrasse et allait au lycée. Elle a quitté le domicile familial pour se rendre à une leçon d'équitation au zoo. Elle ne s'y est jamais présentée. Son corps a été retrouvé allongé dans la carcasse d'un vieux canoë, dans un hangar à bateaux proche du lac Muggel.

– Ce type a l'air de beaucoup bouger, remarqua le comte von der Schulenberg.

– Comme la Mort noire, dit Lobbes.

Illmann reprit la parole.

– Elle a été étranglée, dit-il. Les fractures du larynx, de l'os hyoïde, du cartilage thyroïde et des ligaments thyro-hyoïdiens indiquent une violence plus grande que dans le meurtre de la fille Schulz. Lotte était de constitution plus athlétique, elle a peut-être opposé une certaine résistance. C'est la suffocation qui a causé sa mort, même si l'artère carotide droite avait été tranchée. Comme dans le cas précédent, les pieds semblent avoir été ligotés, et on a retrouvé là aussi du sang dans les narines et sur les cheveux. Il ne fait aucun doute qu'elle était pendue la tête en bas lorsqu'elle a été égorgée, et qu'elle s'est vidée de presque tout son sang.

– On dirait un putain de vampire ! s'exclama l'un des détectives de la Commission criminelle. (Il jeta un regard à Frau Kalau vom Hofe.) Excusez-moi, fit-il.

Elle secoua la tête.

– Des indices de rapport sexuel ? demandai-je.

– À cause de l'odeur, on a dû laver le vagin de la victime à l'eau, déclara Illmann. (Sa remarque déclencha murmures et grognements.) C'est pourquoi on n'a retrouvé aucune trace de sperme. Mais l'orifice vaginal portait des éraflures, et on a observé des contusions au niveau du pelvis, ce qui indique qu'elle a été pénétrée. De force.

– Avant qu'on l'égorge ? demandai-je.

Illmann acquiesça. Pendant un moment, l'assistance garda le silence. Illmann entreprit de rouler une autre cigarette.

– Et depuis, une nouvelle adolescente a disparu, dis-je. N'est-ce pas, inspecteur Deubel ?

Deubel se trémoussa sur sa chaise d'un air embarrassé. C'était un grand type blond avec des yeux gris au regard lourd, de ce regard qu'on prend quand on a assisté à trop de scènes policières nocturnes, pour lesquelles de gros gants de cuir sont recommandés.

– Exact, Kommissar, dit-il. Une certaine Irma Hanke.

– Eh bien, puisque vous êtes chargé de l'enquête, vous allez peut-être pouvoir nous donner quelques précisions.

Deubel haussa les épaules.

– Elle vient d'une honorable famille allemande. Elle a dix-sept ans et habite Schloss Strasse à Steglitz. (Il se tut pour consulter ses notes.) Elle a disparu le mercredi 24 août, au cours d'une collecte au bénéfice du Programme économique du Reich organisée par la BdM.

– Quel était l'objet de cette collecte ? demanda le comte.

– Elle ramassait des tubes de dentifrice vides. Ils sont fabriqués dans un métal qui...

– Merci, inspecteur. Je connais la valeur des tubes de dentifrice vides.

– Bien. (Deubel consulta à nouveau ses notes.) Le jour de sa disparition, elle a été vue dans Feuerbachstrasse, Thorwaldsenstrasse et Munster Damm, lequel longe un cimetière. Le fossoyeur a déclaré avoir aperçu vers 20 h 30 une jeune fille de la BdM répondant à la description d'Irma. Elle allait vers l'ouest, en direction de Bismarckstrasse. Elle rentrait probablement chez elle, puis qu'elle avait dit à ses parents qu'elle serait de retour vers 20 h 45. Depuis, on ne l'a pas revue.

– Des indices ? demandai-je.

– Aucun, commissaire, répondit-il d'un ton ferme.

– Merci, inspecteur. (J'allumai une cigarette et tendis l'allumette à Illmann qui avait fini de rouler la sienne.) Très bien, ajoutai-je en soufflant un nuage de fumée. Ainsi, il s'agit de cinq adolescentes ayant à peu près le même âge et conformes au stéréotype aryen qui nous est si cher. En d'autres termes, elles ont toutes les cheveux blonds, naturels ou teints.

» Or, après l'assassinat de notre troisième vierge du Rhin, un certain Josef Kahn est arrêté pour tentative de viol sur une prostituée. Ou si vous préférez, pour avoir tenté de partir sans payer.

– C'est du juif tout craché, ça, fit Lobbes en déclenchant quelques rires.

– En tout cas Kahn transportait un couteau, assez dangereux, et avait déjà été inculpé pour vol à l'étalage et attentat à la pudeur. Il faisait un excellent suspect. L'inspecteur Willi Oehme du commissariat de Grolmanstrasse, qui l'a arrêté, décide donc de pousser un peu les choses pour voir s'il n'a pas mis dans le mille. Il bavarde avec le jeune Josef, qui est un peu simple d'esprit, et le persuade, à coups de promesses et de grosses phalanges, de signer des aveux.

» Messieurs, c'est ici que j'aimerais vous présenter Frau Kalau vom Hofe. J'emploie le terme « Frau » car, bien qu'elle en ait toutes les qualifications, elle n'est pas autorisée à se prévaloir du titre de docteur. En effet, comme vous pouvez le constater, il s'agit d'une femme, et nous savons tous, n'est-ce pas, que la place d'une femme est à la maison, que son rôle est de procréer de nouvelles recrues pour le Parti et de préparer à manger à son mari. En réalité Frau Kalau vom Hofe est psychothérapeute, et plus précisément spécialiste de ce petit mystère insondable que nous appelons la Mentalité criminelle.

Sur quoi, je braquai mon regard dévorant sur la crémeuse femme assise à l'extrémité de la table. Elle était vêtue d'une jupe magnolia et d'un corsage en crêpe marocain blanc, et ses cheveux châtain clair étaient serrés en un chignon compact au sommet de son crâne délicat. Elle sourit de mes présentations, puis sortit un dossier de sa serviette et l'ouvrit devant elle.

– Pendant son enfance, Josef Kahn a contracté une grave encéphalite léthargique au cours d'une épidémie qui affecta les enfants d'Europe occidentale entre 1915 et 1926. Cette maladie entraîne une modification profonde de la personnalité. Après la phase aiguë, le sujet a tendance à devenir nerveux, irritable. Il peut se montrer agressif et perdre tout sens moral. Les enfants mendient, volent, mentent et font souvent preuve de cruauté. Ils parlent sans arrêt et deviennent incontrôlables, à l'école comme à la maison. On observe fréquemment une curiosité sexuelle anormale et divers problèmes sexuels. Les adolescents post-encéphalitiques développent souvent ce syndrome, qui se manifeste notamment par un manque de retenue sexuelle. Ceci a été constaté chez Josef Kahn, qui est également atteint de la maladie de Parkinson, laquelle entraîne une dégénérescence physique progressive.

Le comte von der Schulenberg bâilla et consulta sa montre. Mais le docteur ne parut pas s'en offusquer. Elle parut même s'amuser de ces mauvaises manières.

– En dépit des apparences, je ne pense pas que Josef ait tué aucune de ces jeunes filles. Pour avoir étudié les résultats des autopsies avec le professeur Illmann, je suis d'avis que ces meurtres démontrent un niveau de préméditation dont Kahn est tout simplement incapable. Kahn ne pourrait tuer que sur impulsion, en laissant sa victime sur place.

Illmann acquiesça.

– L'analyse de ses déclarations, commenta-t-il, montre un certain nombre d'invraisemblances au regard des faits établis. Dans ses déclarations, il affirme avoir utilisé un bas pour étrangler ses victimes, alors qu'il est démontré qu'elles ont été étranglées à mains nues. Il dit les avoir poignardées à l'estomac, alors qu'aucune d'entre elles n'a été poignardée : toutes ont été égorgées. N'oublions pas enfin que le quatrième meurtre a eu lieu alors que Kahn était en garde à vue. Ce meurtre pourrait-il être l'œuvre d'un autre assassin copiant la manière des trois premiers ? Impossible : les journaux n'en ont pas parlé, donc personne n'a pu les imiter. Et puis il existe des similitudes trop grandes entre les quatre meurtres. Ils sont l'œuvre d'un seul et même individu. (Il sourit à Frau Kalau vom Hofe.) Voulez-vous ajouter quelque chose, chère madame ?

– Une seule chose, que l'assassin ne peut pas être Josef Kahn, fit-elle. Et qu'il semble avoir été victime d'une machination que je pensais impossible dans le Troisième Reich.

Avec un petit sourire aux lèvres, elle rangea ses notes, s'appuya contre son dossier et sortit son étui à cigarettes. Comme le fait d'être médecin, fumer n'était pas très bien vu chez une femme, mais il était évident qu'elle n'était pas du genre à se laisser arrêter par de tels scrupules de conscience.

Ce fut le comte qui prit ensuite la parole.

– À la lumière de ces informations, le Reichskriminaldirektor peut-il nous dire si la censure des informations écrites concernant cette affaire va être levée ? (Sa ceinture crissa lorsqu'il se pencha par-dessus la table, impatient d'entendre la réponse de Nebe. Fils d'un célèbre général devenu ambassadeur à Moscou, le jeune von der Schulenberg jouissait d'un solide réseau de relations. Voyant que Nebe gardait le silence, il ajouta :) Je ne vois pas comment nous pourrions conseiller la prudence aux jeunes filles de Berlin si nous ne pouvons pas publier de communiqué officiel dans les journaux. En ce qui concerne l'Orpo, je ferai en sorte que chaque Anwärter redouble de vigilance au cours de ses rondes. Mais les choses seraient plus faciles si le ministère de la Propagande du Reich agissait de son côté.

– C'est un fait reconnu en criminologie, rétorqua Nebe d'une voix douce, que la publicité peut, chez un criminel de ce genre, agir comme un encouragement. Je pense que Frau Kalau vom Hofe confirmera.

– C'est exact, dit-elle. Les assassins en série aiment lire leur nom dans les journaux.

– Cependant, reprit Nebe, je vais téléphoner au Muratti aujourd'hui même pour demander s'il est possible de faire passer quelques discrètes consignes de prudence à l'intention des jeunes filles. Mais je rappelle qu'une campagne de grande envergure demanderait l'accord de l'Obergruppenführer. Il tient par-dessus tout à ce que rien ne transpire qui puisse susciter un mouvement de panique parmi les femmes allemandes.

Le comte hocha la tête.

– À présent, dit-il en se tournant vers moi, je voudrais poser une question au Kommissar.

Il souriait, mais je n'avais guère confiance en lui. Il semblait avoir été à la même école que l'Obergruppenführer Heydrich en matière de sarcasme hautain. Je levai ma garde mentale en prévision d'un mauvais coup.

– Puisqu'il est le détective qui a habilement résolu la célèbre affaire de l'étrangleur Gormann, pourrait-il avoir l'amabilité de nous faire part de ses réflexions sur celle qui nous occupe aujourd'hui ?

Il afficha un sourire terne qui n'avait rien de rassurant, comme s'il faisait un effort pour resserrer un sphincter déjà étroit. Si tant est qu'il le fût. Adjoint d'un ancien responsable des SA, un certain comte Wolf von Helldorf, réputé aussi pédé que le feu patron des SA Ernst Röhm, il se pouvait que Schulenberg ait eu le genre de cul qui aurait tenté un pickpocket à la vue basse.

Sentant qu'il pouvait pousser un peu plus loin son hypocrite curiosité, il ajouta :

– Peut-être avez-vous une idée du genre d'individu que nous devons rechercher?

– Je pense pouvoir répondre sur ce point, intervint Frau Kalau vom Hofe.

Le comte tourna vers elle un regard irrité.

La psychothérapeute attrapa un gros volume dans sa serviette et le posa sur la table. Puis elle en sortit un autre, et un autre, jusqu'à ce qu'elle ait devant elle une pile de livres aussi haute que l'une des bottes impeccablement cirées de von der Schulenberg.

– Comme j'avais anticipé une telle question, j'ai apporté quelques ouvrages traitant de la psychologie criminelle, expliqua-t-elle. J'ai là *le Criminel professionnel*, de Heindl, l'excellent *Manuel de la délinquance sexuelle* de Wulfen, *la Pathologie sexuelle* de Hirschfeld, *le Criminel et ses juges* de F. Alexander, *la...*

C'en fut trop pour le comte. Il rassembla ses papiers et se leva.

– Un autre jour peut-être, Frau Kalau vom Hofe, fit-il avec un sourire nerveux.

Sur ce, il claqua des talons, s'inclina avec raideur et quitta la pièce.

– Salopard, marmonna Lobbes.

– Ça ne fait rien, dit la psychothérapeute en ajoutant quelques numéros de la *Revue de la police allemande* à la pile. On ne peut rien enseigner à celui qui ne veut pas apprendre.

Je souris, aussi bien à sa calme indulgence qu'aux jolis seins qui tendaient le tissu du corsage.

Après la fin de la réunion, je traînai un peu pour rester seul avec elle.

– Il a posé une bonne question, dis-je. Une question à laquelle je n'avais pas de réponse très convaincante. Je vous remercie d'être venue à mon secours.

– Je vous en prie, c'était bien normal, répliqua-t-elle en rangeant les livres dans sa serviette.

J'en pris un et l'examinai.

– Ça m'intéresserait beaucoup d'entendre votre réponse. Puis-je vous offrir un verre ?

Elle consulta sa montre.

– Oui, fit-elle en souriant. Volontiers.

Situé dans les remparts de la vieille ville au bout de Klosterstrasse, *Die Letze Instanz* était un des bars favoris des policiers de l'Alex, qui y retrouvaient les juges et avocats du tribunal de grande instance, tout proche, d'où le bar tirait son enseigne.

À l'intérieur, les murs étaient lambrissés de bois sombre et les sols dallés. Près du bar, équipé d'une grosse machine à pression en céramique jaune surmontée de la figurine d'un soldat du XVIIe siècle, était installé un vaste siège, bâti en carreaux verts, bruns et jaunes et orné de nombreuses silhouettes et visages sculptés. Sur ce siège qui ressemblait à quelque glacial et inconfortable trône, était assis le propriétaire du bar, Warnstorff, un homme à la peau pâle et aux cheveux noirs portant une chemise sans col et un ample tablier de cuir qui lui servait de réserve à monnaie. À notre arrivée, il me salua avec chaleur et nous conduisit au fond de la salle, jusqu'à une table tranquille où il nous apporta bientôt deux chopes de bière. À une table voisine, un consommateur était aux prises avec le plus gros jarret de porc que ma compagne et moi ayons jamais vu.

– Avez-vous faim ? lui demandai-je.

– Après ce spectacle, non, rétorqua-t-elle.

– Oui, il y a de quoi vous couper l'appétit, n'est-ce pas ? À le voir attaquer son os, on dirait qu'il veut gagner la Croix de Fer.

Elle sourit, puis nous retombâmes quelques instants dans le silence.

– Pensez-vous que la guerre va éclater? finit-elle par me demander.

Je plongeai mon regard dans ma chope, comme si la réponse allait surgir parmi les bulles. Je haussai les épaules et secouai la tête.

– Je n'ai pas beaucoup suivi les événements, ces temps-ci, répondis-je.

Je lui racontai alors l'assassinat de Bruno Stahlecker et mon retour dans la Kripo.

– C'est plutôt moi qui devrais vous poser la question, poursuivis-je. En tant que spécialiste en psychologie criminelle, vous êtes mieux placée que quiconque pour savoir ce qui peut se passer dans la tête du Führer. Au vu de l'article 51 du code criminel, diriez-vous qu'il a un comportement compulsif ou irrépressible?

Ce fut son tour de chercher une réponse dans son verre de bière.

– Nous ne nous connaissons pas encore assez pour avoir ce genre de conversation, vous ne trouvez pas? dit-elle.

– Vous avez sans doute raison.

– Mais je vous dirai une chose, reprit-elle en baissant la voix. Avez-vous lu *Mein Kampf* ?

– Ce vieux bouquin rigolo qu'ils distribuent aux jeunes mariés? Pour moi, c'est la meilleure raison que j'ai trouvée de rester célibataire.

– Eh bien, moi, je l'ai lu. On y trouve plusieurs passages dans lesquels Hitler évoque les maladies vénériennes et leurs conséquences. Il va jusqu'à affirmer que l'élimination des maladies vénériennes est la Grande Tâche que doit accomplir la nation allemande.

– Mon Dieu, suggérez-vous qu'il est syphilitique?

– Je ne suggère rien du tout. Je vous dis juste ce qui est écrit dans le grand livre du Führer.

– Mais le livre date des années 20. S'il a une chaude-pisse depuis ce temps-là, il doit en être au stade terminal.

– Cela vous intéressera peut-être d'apprendre que beaucoup des malades internés avec Josef Kahn à l'asile d'Herzeberge sont des gens dont la démence organique est le résultat direct d'une syphilis. Ces malades peuvent faire ou admettre des déclarations contradictoires. Leur humeur oscille entre l'euphorie et l'apathie, sur fond d'instabilité émotionnelle. Le type classique est caractérisé par une euphorie délirante, la folie des grandeurs et des crises d'extrême paranoïa.

– Seigneur, la seule chose qui manque au portrait, c'est la moustache ridicule. (J'allumai une cigarette et tirai une bouffée d'un air sombre.) Changeons de sujet si ça ne vous fait rien. Parlons de choses plus drôles, par exemple, de notre assassin en série. Savez-vous que je commence à le comprendre ? C'est vrai, je ne plaisante pas. Ce sont les jeunes mères de demain qu'il supprime. Les machines à produire des recrues pour le Parti. Moi, je suis à fond pour ces sous-produits de la civilisation moderne qu'on ne cesse de dénoncer, les familles sans enfants et les mères stériles. Au moins jusqu'à ce que nous soyons débarrassés de ce régime de matraques en caoutchouc. Après tout, qu'est-ce qu'un psychopathe de plus dans un pays où ils abondent ?

– Vous en dites plus que vous n'en savez, rétorqua-t-elle. Chacun d'entre nous est capable de cruauté. Chacun d'entre nous est un criminel en puissance. La vie n'est qu'une longue bataille pour conserver une enveloppe civilisée. L'exemple de nombreux tueurs sadiques montre que cette enveloppe ne se déchire que de temps en temps. Prenez Peter Kurten, par exemple. C'était un homme d'apparence si douce que ceux qui le connaissaient ont eu beaucoup de mal à admettre qu'il ait pu se rendre coupable de crimes aussi horribles.

Elle fouilla une nouvelle fois dans sa serviette et, après avoir essuyé la table, posa un mince livre bleu entre nos deux verres.

– Ce livre a été écrit par Carl Berg, un pathologiste criminel qui a eu l'occasion d'étudier Kurten à loisir après son arrestation. J'ai rencontré Berg et je respecte son travail. C'est lui qui a fondé l'Institut de médecine légale et sociale de Düsseldorf, et il a été longtemps assistant médico-légal auprès du tribunal criminel de Düsseldorf. Ce livre, *le Sadique*, est sans doute l'une des meilleures études de la mentalité d'un assassin qui aient jamais été écrites. Je peux vous le prêter si vous le désirez.

– Merci, je veux bien.

– Il vous aidera à comprendre certaines choses, poursuivit-elle. Mais pour pénétrer vraiment dans l'esprit d'un homme tel que Kurten, il vous faut lire ceci.

Elle replongea dans son chargement de livres.

– *Les Fleurs du mal*, lus-je. Charles Baudelaire. (Je l'ouvris et lus quelques vers.) De la poésie ? fis-je en haussant les sourcils.

– Ne prenez pas cet air sceptique, Kommissar. Je suis très sérieuse. Il s'agit d'une excellente traduction et croyez-moi, vous y trouverez beaucoup plus de choses que vous n'imaginez, conclut-elle avec un sourire.

– Je n'ai pas lu de poésie depuis que j'ai étudié Goethe à l'école, dis-je.

– Et comment le trouviez-vous ?

– Un avocat de Francfort peut-il faire un bon poète ?

– C'est un point de vue intéressant, dit-elle. Mais j'espère que vous apprécierez Baudelaire. Maintenant, pardonnez-moi mais je dois partir. (Elle se leva et nous nous serrâmes la main.) Quand vous les aurez lus, rapportez-les moi à l'Institut Goering, dans Budapesterstrasse, juste en face de l'allée conduisant à l'aquarium du zoo. Je suis curieuse de recueillir l'opinion d'un détective sur Baudelaire.

– Ce sera un plaisir de vous en faire part. Vous en profiterez pour me donner votre opinion sur le Dr Lanz Kindermann.

– Kindermann ? Vous connaissez Lanz Kindermann ?

– D'une certaine façon, oui.

Elle me jeta un regard appuyé.

– Vous savez, pour un commissaire de police, vous êtes surprenant. Très surprenant.

7

Dimanche 11 septembre

Je préfère les tomates quand elles sont encore un peu vertes. Elles sont alors douces et fermes, avec une peau lisse et fraîche, parfaites pour la salade. Si on les laisse vieillir, elles se rident, deviennent trop molles pour être manipulées et prennent un goût amer.

C'est la même chose avec les femmes. Sauf que celle-ci était peut-être un peu trop verte pour moi, et sans doute trop fraîche pour son propre intérêt. Debout sur le seuil de ma porte, elle me balaya de la tête aux pieds d'un impertinent regard comme pour jauger mes capacités, ou mon manque de capacités amoureuses.

– Oui ? dis-je. Vous désirez ?

– Je fais une collecte au profit du Reich, expliqua-t-elle en papillotant des yeux avant d'exhiber un sac bourré de matériel de propagande. Le Programme économique du Parti. Euh, c'est le concierge qui m'a laissée entrer.

– Je vois ça. Et qu'est-ce que je peux faire pour vous ?

La tournure de ma question lui fit hausser le sourcil. Je me demandai si son père la trouvait encore assez jeune pour la fesser.

– Eh bien, ça dépend de ce que vous avez, répondit-elle d'un ton où se discernait quelque moquerie.

C'était une jolie fille, avec la mine boudeuse et la voix chaude. Avec des vêtements normaux, elle aurait pu passer pour une fille de 20 ans, mais avec ses deux nattes, ses grosses bottes, sa longue jupe bleu marine, son strict chemisier blanc et sa veste de cuir brune de la BdM – la Ligue des femmes allemandes –, je ne lui donnais pas plus de 16 ans.

– Je vais voir ce que je trouve, dis-je. (Ses manières d'adulte m'amusaient. Elles confirmaient les rumeurs courant sur les filles de la BdM, qu'on disait si libres sur le plan sexuel qu'elles avaient autant de chance de tomber enceintes au cours d'un séjour dans un camp des Jeunesses hitlériennes que d'apprendre la couture, le secourisme ou les traditions allemandes.) Entrez, je vous en prie.

Elle franchit la porte avec autant d'élégance que si elle avait été vêtue d'une cape de vison et inspecta le vestibule. Elle ne parut pas tellement impressionnée.

– Vous êtes bien installé, se contenta-t-elle de murmurer.

Je fermai la porte et déposai ma cigarette dans le cendrier posé sur la tablette de l'entrée.

– Attendez ici, dis-je.

J'allai dans la chambre et passai le bras sous le lit pour trouver, parmi les moutons et autres effilochures de tapis, la valise où je gardais quelques vieilles chemises et serviettes de toilette. Lorsque, époussetant mes manches, je me relevai, je la découvris appuyée contre le chambranle de la porte, en train de fumer une de mes cigarettes. D'un air insolent, elle souffla un cercle de fumée parfait dans ma direction.

– Je croyais que vous autres championnes de la Foi et de la Beauté ne deviez pas fumer, remarquai-je en tentant de dissimuler mon irritation.

– Vous croyez? fit-elle en minaudant. Il y a beaucoup de choses qu'on nous déconseillle. On ne doit pas faire ceci, on ne doit pas faire cela. À croire que tout est mal aujourd'hui, pas vrai? Moi ce que je dis, c'est que si on ne peut pas faire toutes ces bêtises tant qu'on est assez jeune pour s'en amuser, quel intérêt y a-t-il à les faire?

Sur ce, elle se détacha du chambranle et fit demi-tour d'un air dédaigneux.

Une vraie petite garce, me dis-je en la suivant dans le salon.

Elle aspira une bouffée avec le bruit de quelqu'un qui lape une cuillerée de potage, puis me souffla une nouvelle fois un anneau de fumée au visage. Si j'avais pu l'attraper, je le lui aurais serré autour de son joli cou.

– De toute façon, reprit-elle, ce n'est pas une clope de gros gris qui me fera du mal, non?

Je ris.

– Est-ce que j'ai une tête à fumer du mauvais tabac?

– Non, je ne trouve pas, admit-elle. Comment vous appelez-vous ?

– Platon.

– Platon. Ça vous va bien. Eh bien, Platon, vous pouvez m'embrasser si vous voulez.

– Vous n'y allez pas par quatre chemins, pas vrai ?

– Vous ne savez pas comment on surnomme la BdM ? La Ligue allemande des matelas ? La Gâterie du patriote ?

Elle m'enlaça le cou et se livra à une succession de coquetteries qu'elle avait dû longuement répéter devant son miroir. Sa jeune et chaude haleine n'était pas très fraîche, mais, par politesse, je m'efforçai de lui rendre son baiser avec la même application qu'elle y mettait, tandis que mes mains pressaient ses petits seins dont je pinçais les tétons. Ensuite, je saisis de mes paumes moites son derrière rebondi et l'attirai encore plus près de ce que j'avais en tête. Ses yeux coquins chavirèrent et elle se pressa contre moi. Je ne peux pas dire que je n'étais pas tenté.

– Tu connais de jolies histoires, Platon ? s'enquit-elle en gloussant.

– Des jolies, non, répondis-je en resserrant mon étreinte. Mais j'en connais plein d'horribles. Le genre où l'Ogre fait cuire la jolie princesse dans l'eau bouillante avant de la dévorer.

Une vague lueur de doute apparut dans l'iris bleu vif de ses yeux corrompus, et elle ne souriait plus avec autant de confiance lorsque je relevai sa jupe et baissai sa culotte.

– Oh, je pourrais te raconter des tas d'histoires du même genre, repris-je d'un air sombre. Le genre d'histoires que les policiers racontent à leurs petites filles. D'horribles et sanglantes histoires qui provoquent chez les jeunes filles des cauchemars dont leurs pères se réjouissent.

– Arrête, dit-elle en riant avec nervosité. Tu me fais peur.

Certaine à présent que les choses commençaient à déraper, elle essaya de remonter la culotte que j'avais baissée sur ses jambes, dénudant l'oisillon qui nichait entre ses cuisses.

– Ils se réjouissent parce que cela veut dire que leur jolies petites filles auront peur d'entrer dans la maison d'un homme bizarre, par crainte qu'il ne se révèle un méchant ogre.

– Je vous en prie, Monsieur ! Je vous en prie !

Je claquai ses fesses nues et la repoussai.

– C'est pourquoi tu as de la chance, princesse, que je sois un détective et pas un ogre, sinon, je t'aurais déjà réduite en bouillie.

– Vous êtes policier ? fit-elle en refrénant les larmes qui lui montaient aux yeux.

– Oui, je suis policier. Et si jamais j'apprends que tu as refait ton petit numéro d'allumeuse, je veillerai à ce que ton père te flanque une correction dont tu te souviendras. Compris ?

– Oui, dit-elle d'une voix presque inaudible en remontant sa culotte.

Je ramassai la pile de vieilles chemises et serviettes que j'avais laissée par terre et les lui fourrai entre les bras.

– Maintenant, disparais ou c'est moi qui te corrige.

Terrorisée, elle fila dans le couloir et s'enfuit comme devant le roi Nibelung en personne.

Lorsque j'eus refermé la porte derrière elle, l'odeur et la fermeté de ce délicieux petit corps, ainsi que le désir frustré que j'en avais eu me tourmentèrent jusqu'à ce que j'aie bu un verre et pris un bain froid.

En ce mois de septembre, il semblait que la passion, qui chauffait partout comme une vieille boîte à fusibles, ait tendance à s'embraser très vite, et je souhaitai qu'en Tchécoslovaquie le sang échauffé des Allemands des Sudètes s'apaise aussi facilement que ma propre excitation.

Tous les policiers savent que les périodes de grosse chaleur sont marquées par une recrudescence des délits. En janvier et février, même le plus démuni des criminels préfère rester à la maison au coin du feu.

Plus tard ce même jour, alors que je lisais le livre du professeur Berg, *le Sadique*, je me demandai combien de vies avaient été épargnées parce qu'il faisait trop froid ou trop humide pour que Kurten s'aventure hors de chez lui. Pourtant, neuf meurtres, sept tentatives de meurtre et quarante incendies volontaires constituaient déjà un solide dossier.

D'après Berg, Kurten, qui assistait depuis sa plus tendre enfance aux fréquentes scènes de violence entre ses parents, était parvenu au crime à un âge précoce. Il avait commis une série de larcins et subi plusieurs emprisonnements lorsque, à 38 ans, il épousa une femme de caractère. À partir de cet instant, lui qui avait toujours satisfait ses pulsions sadiques en torturant les chats et d'autres animaux, dut emprisonner ces tendances dans une camisole de force mentale. Mais lorsque sa femme s'absentait du foyer, les instincts démoniaques de Kurten devenaient trop forts pour qu'il puisse les contrôler, et il se livrait à ces crimes d'un terrifiant sadisme pour lesquels il devait devenir célèbre.

Ce sadisme était sexuel dans son origine, expliquait Berg. Les conditions dans lesquelles s'était déroulée son enfance l'avaient prédisposé à une déviance de l'instinct sexuel, et ses expériences précoces avaient renforcé la direction de cet instinct.

Durant les douze mois qui s'écoulèrent entre la capture et l'exécution de Kurten, Berg le rencontra à de nombreuses reprises et le trouva homme de caractère et de talent. Il était doué d'un charme et d'une intelligence exceptionnels, d'une excellente mémoire et d'un don d'observation très poussé. Berg fut bientôt contraint de reconnaître l'extrême affabilité de Kurten. Mais un autre de ses traits de caractère était sa grande vanité, qui se traduisait par une allure élégante et soignée, et dans le plaisir qu'il manifestait à s'être joué aussi longtemps qu'il l'avait voulu de la police de Düsseldorf.

La conclusion de Berg n'était guère rassurante pour l'homme civilisé : Kurten n'était pas fou au sens visé par l'article 51, dans la mesure où ses actes, loin d'être compulsifs ou irrépressibles, n'étaient que l'expresson d'une pure et froide cruauté.

Comme si cela ne suffisait pas, la lecture de Baudelaire me procura la paix de l'âme que doit ressentir un bœuf à l'abattoir. Il ne fallait pas faire un effort d'imagination surhumain pour admettre la suggestion de Frau Kalau vom Hofe selon laquelle ce poète français quelque peu gothique fournissait une radiographie instructive de l'esprit d'un Landru, d'un Gormann ou d'un Kürten.

Pourtant, il y avait là autre chose. Quelque chose de plus profond et de plus universel qu'une simple indication de ce qu'est la psyché d'ùn assassin multiple. Dans l'intérêt de Baudelaire pour la violence, dans sa nostalgie du passé et dans sa révélation du monde de la mort et de la corruption, je percevais l'écho d'une litanie diabolique beaucoup plus contemporaine, j'y distinguais la pâle figure d'un autre genre de criminel, un criminel dont le spleen avait force de loi.

Je n'ai pas une bonne mémoire des mots. Je ne me souviens qu'avec peine des paroles de l'hymne national. Pourtant, certains vers de Baudelaire me restèrent en tête comme l'odeur tenace d'un mélange de musc et de goudron.

Ce soir-là, je pris ma voiture pour rendre visite à la veuve de Bruno, Katia, dans leur maison de Berlin-Zehlendorf. C'était ma seconde visite depuis la mort de Bruno, et je rapportai à Katia quelques affaires de son mari restées au bureau, ainsi qu'une lettre de mon assurance accusant réception de la demande d'indemnité que j'avais formulée au nom de Katia.

Bien que nous ayions encore moins à nous dire qu'avant, je restai près d'une heure, à tenir la main de Katia en essayant de dissoudre la boule dans ma gorge avec plusieurs verres de schnapps.

– Comment Heinrich prend-il la chose ? demandai-je avec embarras en entendant le garçon chanter dans sa chambre.

– Il n'en a pas encore parlé, répondit Katia dont le chagrin laissa momentanément place à l'embarras. Je pense qu'il chante pour éviter d'avoir à y réfléchir.

– Le chagrin nous affecte tous d'une manière différente, dis-je en m'efforçant de lui trouver une excuse.

Je savais pourtant que ça n'était pas vrai. Lorsque mon propre père était mort, alors que je n'étais pas beaucoup plus âgé qu'Heinrich, j'avais brusquement pris conscience que je n'étais moi-même pas immortel. En temps normal, je n'aurais pas été insensible à la situation d'Heinrich.

– Mais pourquoi chante-t-il cette chanson ? ajoutai-je.

– Il s'est mis dans la tête que les juifs sont pour quelque chose dans la mort de son père.

– C'est absurde, dis-je.

Katia soupira et secoua la tête.

– C'est ce que je lui ai dit, Bernie. Mais il ne veut rien entendre.

En sortant, je m'attardai devant la porte du garçon qui chantait à tue-tête.

– Chargeons nos armes/aiguisons nos couteaux/Et mort à ces salauds de juifs/qui nous empoisonnent la vie !

L'espace d'un instant, je faillis ouvrir la porte et lui balancer mon poing dans la figure. Mais à quoi bon ? Que faire, sinon le laisser seul ? N'y a-t-il pas des tas de façons d'échapper à ce qui nous fait peur, et l'une des plus répandues n'est-elle pas la haine ?

8

Lundi 12 septembre

Une plaque, une carte officielle, un bureau au deuxième étage : à part le nombre d'uniformes SS qui se baladaient partout, on aurait pu se croire revenu au bon vieux temps.

Dommage qu'il n'y ait pas plus de bons souvenirs à évoquer, mais le bonheur n'avait jamais été un sentiment très répandu à l'Alex, à moins que l'idée que vous vous faites d'une joyeuse soirée consiste à taper sur une paire de reins avec un pied de chaise. De temps en temps, un collègue que j'avais connu à l'époque m'arrêtait dans un couloir pour me saluer et exprimer ses condoléances à propos de Bruno. Mais la plupart du temps, on me balançait le genre de regard qui doit accueillir un croque-mort dans une clinique pour cancéreux.

Deubel, Korsch et Becker m'attendaient dans mon bureau. Deubel expliquait à ses sous-officiers la subtile technique de l'uppercut du fumeur.

– Exactement, disait-il. Quand il se fourre la clope au bec, tu lui balances ton poing dans la gueule. Une mâchoire ouverte se casse comme rien.

– Ça fait plaisir de constater que l'investigation criminelle se tient au goût du jour, dis-je en entrant. Je suppose que vous avez appris ça dans les Freikorps, Deubel.

Ce dernier sourit.

– On dirait que vous avez lu mon carnet scolaire, commissaire.

– J'ai beaucoup lu, en effet, dis-je en m'asseyant à mon bureau.

– Moi, je ne suis pas un grand lecteur, dit-il.

– Tiens, vous me surprenez.

– Avez-vous lu les livres que vous a donnés cette femme, commissaire ? demanda Korsch. Ceux qui expliquent la mentalité criminelle ?

– Pas besoin de toutes ces explications pour celui qui nous occupe, intervint Deubel. C'est un dingue, voilà tout.

– Peut-être, dis-je. Mais vous n'arriverez pas à le coincer avec des nerfs de bœuf et des coups de poings américains. Oubliez vos méthodes habituelles – que ce soit l'uppercut du fumeur ou d'autres. (Je fixai Deubel avec insistance.) Un tueur de ce genre est difficile à arrêter parce que, la plupart du temps en tout cas, il se comporte en citoyen normal. Par ailleurs, comme nous ne sommes pas dans le domaine de la criminalité ordinaire et que nous n'avons pu déterminer un mobile précis, il nous est impossible d'avoir recours à nos informateurs.

Le Kriminalassistent Becker, détaché du Département VB3 – les Mœurs – secoua la tête.

– Pardonnez-moi, commissaire, mais je ne suis pas tout à fait d'accord. Nous avons quelques indics parmi les déviants sexuels. Des tapettes et des pédophiles, c'est vrai, mais de temps en temps ils nous fournissent une information valable.

– Tu parles, marmonna Deubel.

– Bon, dis-je. Nous les interrogerons. Mais je voudrais d'abord attirer votre attention sur deux aspects de cette affaire. D'abord, le fait que ces filles disparaissent, et que l'on retrouve ensuite leurs corps dans tous les quartiers de la ville. Ceci me conduit à penser que le tueur possède une voiture. L'autre constatation, c'est qu'il n'y a eu aucun témoin de l'enlèvement des victimes. Personne n'a vu de jeune fille hurler pendant qu'on la faisait monter de force dans une voiture. Ce qui me fait dire qu'elles suivent volontairement le tueur. Qu'elles n'en ont pas peur. Il est évidemment peu probable que toutes l'aient connu, mais il est fort possible qu'elles aient confiance en lui à cause de son apparence ou de sa fonction.

– Un prêtre, peut-être, suggéra Korsch. Ou un responsable d'organisation de jeunesse.

– Ou un flic, dis-je. Il est possible qu'il soit quelque chose dans ce genre. Ou les trois à la fois.

– Vous pensez qu'il se déguise ? demanda Korsch.

Je haussai les épaules.

– Je pense que nous ne pouvons écarter aucune hypothèse pour l'instant. Korsch, vous chercherez dans les archives les dossiers de types inculpés pour agression sexuelle, portant un uniforme ou un costume religieux, et ayant un permis de conduire. (Korsch fit la moue.) Je sais, c'est un gros boulot, c'est pourquoi j'ai demandé à Lobbes, des services administratifs de la Kripo, de vous adjoindre un homme ou deux. (Je consultai ma montre.) Le Kriminaldirektor Müller vous attend au VC1 dans une dizaine de minutes, vous feriez mieux d'y aller tout de suite.

– Toujours rien sur la fille Hanke? demandai-je à Deubel après le départ de Korsch.

– Mes hommes ont fouillé partout, dit-il. La voie ferrée, les parcs, les terrains vagues. Nous avons fait draguer deux fois le canal Teltow. On ne peut pas faire grand-chose de plus. (Il alluma une cigarette et fit la grimace.) Elle est morte, à l'heure qu'il est. Tout le monde le sait.

– Je veux que vous fassiez du porte-à-porte dans le secteur où elle a disparu. Interrogez tout le monde, y compris les petits amis de la fille. Quelqu'un a bien dû voir quelque chose. Emportez quelques photos pour rafraîchir les mémoires.

– Si je puis me permettre, commissaire, grogna-t-il, il me semble que ce boulot est du ressort des types en uniforme de l'Orpo.

– Ces têtes de pioche ne sont bons qu'à arrêter des ivrognes et des putes, rétorquai-je. Ce travail exige du doigté. Voilà tout.

Deubel écrasa sa cigarette d'un geste suggérant qu'il aurait aimé trouver mon visage à la place du cendrier, puis il sortit à contrecœur du bureau.

– Prenez garde à ce que vous dites de l'Orpo devant Deubel, commissaire, me conseilla Becker. C'est un ami de Daluege la Marionnette. Ils étaient dans le même régiment de Freikorps à Stettin.

Les Freikorps, ou corps-francs, étaient des organisations paramilitaires composées d'anciens combattants de la Première Guerre mondiale ayant pour objectif de débarrasser l'Allemagne du bolchévisme et de protéger les frontières du pays contre les incursions polonaises. Kurt Daluege, dit la Marionnette, était devenu chef de l'Orpo.

– Merci, j'ai lu son dossier.

– C'était un bon flic autrefois. Mais maintenant, il se contente de faire son boulot et de rentrer chez lui. Tout ce qu'Eberhard Deubel attend de la vie, c'est de survivre assez longtemps pour bénéficier de la retraite et voir sa fille épouser le directeur de la banque locale.

– Il y en a des tas comme lui à l'Alex, lui fis-je remarquer. Vous avez des enfants, n'est-ce pas, Becker ?

– Un fils, commissaire, dit-il avec fierté. Norfried. Il a bientôt deux ans.

– Norfried, hein ? Un nom très allemand.

– C'est ma femme, commissaire. Elle est passionnée par les théories aryennes du Dr Rosenberg.

– Et ça ne lui fait rien de vous voir travailler aux Mœurs ?

– Nous ne parlons pas beaucoup de mon travail. Pour elle, je ne suis qu'un flic comme les autres.

– Bien. Maintenant, parlez-moi de ces indics déviants sexuels.

– À l'époque où j'étais à la Section M2, la Brigade de surveillance des bordels, nous n'en utilisions qu'un ou deux, expliqua-t-il. Mais la Brigade des pédés de Meisinger les utilise tout le temps. Tout son travail dépend des informateurs. Il y a quelques années existait une organisation homosexuelle, la Ligue de l'amitié, qui comptait 30 000 membres. Meisinger s'est débrouillé pour récupérer leur fichier, ce qui lui permet aujourd'hui encore de faire pression sur tel ou tel pour lui soutirer des informations. Il a aussi confisqué la liste des abonnés de plusieurs magazines pornographiques, ainsi que le nom des éditeurs. Nous pourrions en interroger un ou deux, commissaire. Et puis il y a aussi la grande roue du Reichsführer Himmler, un fichier rotatif électrique comportant plusieurs milliers de noms. Nous pourrions peut-être l'essayer.

– Ça me fait plutôt penser à la boule d'une voyante.

– Il paraît qu'Himmler est emballé par ce truc.

– Notre type doit aimer se faire tripoter, non ? Où sont passées les putes maintenant que les bordels ont été fermés ?

– Dans les salons de massage. Si vous voulez baiser une fille, il faut vous laisser masser le dos avant. Kuhn – le patron du M2 – ne les embête pas trop. Vous voulez demander à quelques filles si elles ont eu un client bizarre ces derniers temps ?

– Ça me paraît un point de départ aussi bon qu'un autre.

– Il nous faudra un mandat E pour recherche de personne disparue.

– Occupez-vous-en tout de suite, Becker.

Becker était un homme de haute taille, avec de petits yeux bleus à l'expression ennuyée, de fins cheveux blonds, un nez comme une truffe de chien et un sourire moqueur, presque dément. Il avait les traits d'un cynique, et il en était un. Une meute de hyènes affamées n'aurait pas prononcé plus de blasphèmes envers la beauté divine de la vie que ne le faisait Becker dans sa conversation.

Puisqu'il était trop tôt pour faire la tournée des salons de massage, nous décidâmes de rendre d'abord visite à un éditeur de littérature pornographique. De l'Alex, nous nous rendîmes donc en voiture à Hallesches Tor.

Wende Hoas était un haut bâtiment gris proche de la ligne du S-Bahn. Nous montâmes directement au dernier étage où Becker, sourire de dément aux lèvres, ouvrit une porte d'un coup de pied.

Un petit homme rondouillard portant monocle et moustache leva les yeux de son bureau et nous accueillit avec un sourire nerveux.

– Ah, Herr Becker, dit-il. Entrez, entrez. Je vois que vous avez amené un ami. Très bien.

La pièce à l'odeur de renfermé était minuscule. De hautes piles de livres et de magazines menaçaient de submerger le bureau et l'armoire à dossiers. Je pris un des magazines et le feuilletai.

– Salut, Helmut, ricana Becker en s'emparant à son tour d'une revue. (Il tourna les pages avec des grognements de satisfaction.) Mais c'est dégueulasse ! s'exclama-t-il en riant.

– Faites votre choix, messieurs, dit l'homme répondant au nom d'Helmut. Si vous cherchez quelque chose de spécial, il suffit de le demander. Ne soyez pas timides.

Il s'appuya au dossier de son siège et, de la poche de son crasseux gilet gris, sortit une boîte à priser qu'il ouvrit d'un ongle en deuil. Il se prépara une prise et se l'envoya dans les narines avec un bruit aussi offensant pour l'oreille que la littérature entassée autour de lui l'était pour l'œil.

À côté de ses gros plans de détails gynécologiques mal photographiés, le magazine que je parcourais consacrait une partie assez importante de ses pages à des textes censés faire sauter les boutons de braguette. À les en croire, les jeunes infirmières allemandes copulaient sans plus d'imagination que le chat de gouttière moyen.

Becker balança son magazine par terre et en ouvrit un autre.

– « La nuit de noces d'une vierge », lut-il.

– Ça n'est pas pour vous, Herr Becker, fit Helmut.

– « Les Mémoires d'un gode » ?

– Celui-là n'est pas mal.

– « Violée dans le U-Bahn. »

– Ah, en voilà un bon. Il y a une fille là-dedans qui a la chatte la plus juteuse que j'aie jamais vue.

– Et vous en avez vu un paquet, hein, Helmut ?

L'homme sourit d'un air modeste et se pencha par-dessus l'épaule de Becker pour mieux voir.

– J'aimerais bien avoir une voisine comme ça, pas vous ? commenta Helmut.

Becker renifla avec dédain.

– Pour ça, faudrait habiter à côté d'un chenil.

– Ah ! ah ! Elle est bonne ! s'écria Helmut en ôtant son monocle.

Alors qu'il le nettoyait, une longue mèche grisâtre se détacha de la crêpe de cheveux bruns filasses censée dissimuler le début de calvitie qui dégarnissait le sommet de son crâne et, tel un couvre-lit mal bordé, pendouilla de façon ridicule sur son oreille d'un rose translucide.

– Nous cherchons un homme qui prend plaisir à mutiler les jeunes filles, dis-je. Avez-vous ici du matériel s'adressant à ce genre de malades ?

Helmut sourit et secoua la tête avec tristesse.

– Non, désolé. Nous ne touchons pas aux trucs sadiques. Nous laissons le fouet et la bestialité à d'autres.

– Tu parles, Charles, persifla Becker.

J'essayai d'ouvrir l'armoire à dossiers. Elle était verrouillée.

– Qu'y a-t-il dans ce placard ?

– Quelques papiers. La caisse noire. Les livres de compte, ce genre de choses. Rien qui puisse vous intéresser, je pense.

– Ouvrez.

– Je vous assure, monsieur, il n'y a là rien qui puisse...

Les mots se figèrent dans sa bouche lorsqu'il me vit sortir mon briquet. J'en actionnai la molette et l'approchai du magazine que j'avais parcouru. Il brûla avec une paresseuse flamme bleue.

– Becker. Combien valait ce magazine, à votre avis ?

– Oh, ces revues coûtent cher, commissaire. Au moins dix reichsmarks chacune.

– Donc, il doit y en avoir pour au moins deux mille reichsmarks dans ce trou à rat.

– Oh, facile ! Ça serait dommage que ça flambe.

– J'espère que votre ami est assuré.

– Vous voulez voir l'intérieur de l'armoire ? intervint Helmut. Il fallait le dire.

Il tendit la clé à Becker pendant que je laissais tomber le magazine enflammé dans la corbeille à papiers métallique.

Le tiroir du haut ne contenait qu'une petite caisse à monnaie, mais celui du bas était plein de magazines pornos. Becker en prit un et le retourna pour lire le titre.

– « La vierge sacrifiée », dit-il. Regardez un peu ça, commissaire.

Une série de photos décrivait l'humiliation et la punition d'une adolescente par un vieux bonhomme affreux portant un toupet de travers. Les marques qu'avaient laissées sa canne sur les fesses nues de la fille avaient l'air bien réelles.

– Écœurant, fis-je.

– Je ne suis que le distributeur, expliqua Helmut en soufflant dans un mouchoir sale. Pas l'éditeur.

L'une des photos retint en particulier mon attention. Une fille nue était étendue, pieds et poings liés, sur l'autel d'une église, comme pour un sacrifice humain. Son vagin était distendu par un énorme concombre. Becker fixa Helmut d'un regard féroce.

– Mais vous savez qui prend les photos, n'est-ce pas ?

Helmut garda le silence jusqu'à ce que Becker, le saisissant d'une main à la gorge, le frappe de l'autre main en travers de la bouche.

– Je vous en prie, ne me frappez pas.

– Je suis sûr que t'aimes ça, sale petit pervers, gronda Becker que le travail échauffait. Allez, crache le morceau, sinon c'est elle qui te le fera cracher.

Disant ces mots, il sortit une courte matraque en caoutchouc de sa poche et la pressa contre le visage d'Helmut.

– C'est Poliza ! hurla Helmut.

Becker lui comprima les joues entre ses doigts.

– Qui ça ?

– Theodor Poliza. Un photographe. Il a un studio sur Schiffbauerdamm, à côté du théâtre de la Comédie. C'est lui que vous cherchez.

– Si tu nous as menti, Helmut, menaça Becker en lui enfonçant la matraque dans le gras de la joue, on reviendra. Et non seulement on foutra le feu à ton stock, mais tu grilleras avec. J'espère que t'as bien compris, conclut-il en le repoussant.

Helmut tamponna sa bouche sanguinolente avec son mouchoir crasseux.

– Oui, c'est compris.

Une fois dans la rue, je crachai dans le caniveau.

– Ça donne un sale goût dans la bouche, hein ? fit Becker. Je suis heureux de ne pas avoir eu de fille, je vous assure.

Je faillis lui dire que j'étais bien d'accord avec lui sur ce point, mais je m'abstins.

Nous roulâmes vers le nord.

Les bâtiments publics de cette ville étaient incroyables. Ils ressemblaient à d'immenses montagnes de granite gris, une énormité destinée à rappeler l'importance de l'État et la quantité presque négligeable que représente un pauvre individu. Cela pourrait expliquer en partie la façon dont cette histoire de national-socialisme a commencé. Il est difficile de ne pas être impressionné par un gouvernement, quel qu'il soit, dont les services sont installés dans des bâtiments aussi grandioses. Et les longues et larges avenues qui reliaient les différents quartiers de la ville semblaient n'avoir été conçues que pour pouvoir y faire manœuvrer des colonnes de soldats.

Ayant retrouvé l'appétit, je fis arrêter Becker devant un petit traiteur de Friedrichstrasse où nous entrâmes commander deux bols de soupe aux lentilles. En attendant qu'on nous serve, nous observâmes les ménagères faisant la queue pour acheter des saucisses, lesquelles étaient enroulées sur le long comptoir de marbre comme les ressorts rouillés d'une énorme voiture, ou encore pendues aux murs carrelés comme des régimes de bananes trop mûres.

Becker avait beau être marié, les femmes attiraient toujours son regard et il me faisait part d'un commentaire presque obscène chaque fois qu'une cliente entrait dans la boutique. Il ne m'avait pas échappé qu'il avait récupéré quelques magazines pornographiques lors de notre visite chez l'éditeur. Comment ne les aurais-je pas remarqués ? Il ne cherchait même pas à les dissimuler. Gifler un type, lui faire saigner la bouche, le menacer avec une matraque, le traiter de sale dégénéré et ensuite lui piquer ses bouquins pornos – c'était ça, bosser dans la Kripo.

Nous regagnâmes la voiture.

– Vous connaissez ce Poliza ? demandai-je.

– Je l'ai vu une fois, répondit-il. Qu'est-ce que je peux vous en dire, à part qu'il ne vaut même pas la merde collée sous vos semelles ?

Le théâtre de la Comédie du Schiffbauerdamm, situé sur la rive nord de la Spree, était une vieille bâtisse surmontée d'une tour et ornée sculptures en albâtre : tritons, dauphins et nymphes dénudées. Le studio de Poliza était installé dans un sous-sol voisin.

Nous descendîmes quelques marches et empruntâmes une longue allée menant à la porte du studio, où nous attendait un homme vêtu d'un blazer crème, d'un pantalon vert et d'une cravate de soie citron vert, la boutonnière ornée d'un œillet rouge. Il n'avait économisé ni son temps ni son argent pour se faire cette allure, mais l'ensemble était d'un tel mauvais goût qu'il ressemblait à quelque tombe gitane.

D'un seul regard, Poliza comprit que nous ne vendions pas d'aspirateurs. Mais ça n'était pas un bon coureur. Il avait le derrière trop gros, les jambes trop courtes et les poumons sans doute trop durs. Pourtant, le temps que nous réalisions ce qui se passait, il avait déjà parcouru une dizaine de mètres dans l'allée.

– Ordure, marmonna Becker.

La voix de la simple logique aurait dû faire comprendre à Poliza qu'il était stupide de fuir, que Becker et moi n'aurions aucun mal à le rattraper, mais, déformée par la peur, cette voix lui parut sans doute aussi inquiétante que nous.

Becker n'avait pas ces problèmes de voix. Tout en criant à Poliza de s'arrêter, il se mit à lui courir après. Je m'efforçai de rester à sa hauteur, mais au bout de quelques pas, il m'avait distancé. Quelques secondes de plus et il aurait sans doute rattrapé le fugitif.

C'est alors que, voyant l'arme dans sa main, un Parabellum à canon long, je criai aux deux hommes de ne plus bouger.

Poliza s'immobilisa presque aussitôt. Il leva les mains comme pour protéger ses oreilles du fracas de la détonation, puis s'écroula en pivotant sur lui-même, l'orbite déchiquetée par la sortie de la balle, tandis qu'une bouillie de sang et d'humeur aqueuse noyait ce qui restait de son œil.

Nous nous rejoignîmes au-dessus du cadavre de Poliza.

– Qu'est-ce qui vous a pris ? haletai-je. Vous avez des cors au pied ? Vos godasses sont trop petites ? Ou bien vous n'avez pas confiance dans vos poumons ? Écoutez, Becker, j'ai dix ans de plus que vous et j'aurais pu rattraper ce type avec un scaphandre sur le dos.

Becker soupira et secoua la tête.

– Bon sang, je suis désolé, commissaire, dit-il. Je voulais juste le blesser.

Il jeta un regard incrédule à son pistolet, comme s'il avait du mal à croire qu'il venait de tuer un homme.

– Le blesser ? Et vous visiez quoi ? Ses oreilles ? Écoutez, Becker, quand vous voulez blesser quelqu'un et que vous ne vous appelez pas Buffalo Bill, vous visez les jambes, sacrebleu. Vous n'essayez pas de lui arranger sa coupe de cheveux. (Je jetai un regard circulaire, m'attendant à voir accourir des badauds. Mais nous étions seuls. Je hochai la tête vers le pistolet.) Et puis d'où vient ce canon ?

Becker l'éleva devant lui.

– Un Parabellum Artillerie, commissaire.

– Merde, vous n'avez jamais entendu parler des Conventions de Genève ? On pourrait faire des forages pétroliers avec une arme pareille.

Je lui ordonnai d'aller appeler un fourgon pour transporter le corps et, pendant qu'il téléphonait, je visitai le studio de Poliza.

Il n'y avait pas grand-chose à voir. Une série de foufounes grandes ouvertes séchaient sur un fil dans la chambre noire. Une collection de fouets, de chaînes, de menottes, ainsi qu'un autel pourvu de cierges comme celui que j'avais vu sur les photos de la fille au concombre. Des piles de magazines du genre de ceux qu'on avait vus dans le bureau d'Helmut. Rien pour indiquer que Poliza ait assassiné cinq adolescentes.

Lorsque je ressortis, Becker était de retour avec un sergent en uniforme. Les deux hommes regardaient le corps de Poliza comme deux écoliers découvrant le cadavre d'un chat dans le caniveau. Le sergent enfonça même le bout de sa chaussure dans les côtes de Poliza.

– En plein dans les mirettes, dit-il d'une voix presque admirative. J'aurais jamais cru qu'il y ait tant de gelée là-dedans.

– C'est dégoûtant, non ? fit Becker sans grand enthousiasme.

Ils levèrent la tête à mon approche.

– Le fourgon arrive? (Becker acquiesça.) Bien. Vous ferez votre rapport plus tard. (Je me tournai vers le sergent.) Vous restez ici jusqu'à l'arrivée du fourgon, compris?

– Entendu, commissaire, fit-il en redressant le torse.

– Vous avez fini d'admirer votre œuvre?

Becker marmonna quelque chose.

– Alors, allons-y, fis-je.

Nous retournâmes à la voiture.

– Où allons-nous?

– J'aimerais visiter quelques salons de massage.

– Dans ce cas, il faut aller voir Evona Wylezynska. Elle en possède plusieurs. Elle prélève 25% sur ce que gagnent les filles. Elle sera sans doute chez elle, dans Richard Wagner Strasse.

– Richard Wagner Strasse? répétai-je. Jamais entendu parler. Où est-ce que ça se trouve?

– C'est l'ancienne Sesenheimerstrasse, qui rejoint Spree-strasse. Vous savez, c'est là où se trouve l'Opéra.

– Estimons-nous heureux qu'Hitler aime l'opéra et pas le football.

Becker sourit. Il parut retrouver son entrain pendant le trajet.

– Est-ce que je peux vous poser une question très personnelle, commissaire?

Je haussai les épaules.

– Essayez toujours. Si c'est trop compliqué, je vous enverrai la réponse par la poste.

– Voilà : est-ce que vous avez déjà baisé une Juive?

Je me tournai vers lui pour essayer de croiser son regard, mais il le gardait fixé devant lui.

– Non, ça ne m'est jamais arrivé. Mais ce ne sont pas les lois raciales qui m'en ont empêché. C'est juste que je n'ai jamais rencontré de Juive qui veuille coucher avec moi.

– Donc, vous ne refuseriez pas si l'occasion se présentait?

Je haussai à nouveau les épaules.

– Non, je ne pense pas. (Je m'interrompis et attendis la suite, mais comme il gardait le silence, j'ajoutai :) Pourquoi me posez-vous cette question?

Becker sourit derrière son volant.

– Il y a une petite masseuse juive dans le salon où nous allons, fit-il avec gourmandise. Une vraie bombe. Elle a une chatte comme une anguille de mer, un long muscle suceur. Elle vous aspire comme un vairon, elle vous suce et vous rejette avant de vous réaspirer. C'est la meilleure chatte que j'aie jamais connue. (Il secoua la tête d'un air connaisseur.) Rien ne vaut une bonne petite Juive bien juteuse. Pas même une négresse ou une Chinetoque.

– Je ne savais pas que vous étiez aussi large d'esprit, Becker, dis-je. Ni aussi cosmopolite. Bon Dieu, je parie que vous avez même lu Goethe.

La plaisanterie le fit rire. Il semblait avoir déjà oublié Poliza.

– Je dois vous prévenir pour Evona, dit-il. Si vous voulez qu'elle parle, il faudra y aller doucement. Boire un coup, ne pas précipiter les choses, vous voyez ce que je veux dire. Faire comme si nous n'étions pas pressés. Si jamais elle sent qu'on la bouscule, elle fermera les volets et se mettra à astiquer les miroirs des chambres.

– Ma foi, des tas de gens réagissent comme ça ces temps-ci. Comme je dis toujours, personne ne prendra le risque de tendre ses mains vers le poêle s'il se doute que vous êtes en train d'y faire mijoter un potage.

Evona Wylezynska était une Polonaise au décolleté vertigineux coiffée à la garçonne et parfumée à l'huile de Macassar. En plein après-midi, elle portait un peignoir de voile couleur pêche passé par-dessus une combinaison en épais satin assorti, ainsi que des pantoufles à hauts talons. Elle accueillit Becker comme s'il venait lui annoncer une diminution de loyer.

– Ce cher Emil, roucoula-t-elle. Ça fait si longtemps que nous ne vous avons pas vu. Où vous cachiez-vous ?

– Je ne suis plus aux Mœurs, expliqua-t-il en l'embrassant sur la joue.

– Quel dommage. Vous faisiez du si bon travail. (Elle se tourna alors vers moi, me considérant comme si j'étais une chose malpropre qui risquait de tacher son coûteux tapis.) Et qui est cette personne ?

– Ne vous inquiétez pas, Evona. C'est un ami.

– Votre ami a-t-il un nom ? Et ignore-t-il qu'on ôte son chapeau en entrant chez une dame ?

Je laissai passer et enlevai mon chapeau.

– Bernhard Gunther, Frau Wylezynska, dis-je en lui serrant la main.

– Enchantée de vous connaître, très cher.

Sa voix langoureuse à l'accent prononcé semblait provenir d'un point situé au bas de son corset, dont je distinguai la forme sous la combinaison. Le temps qu'elle arrive à sa bouche boudeuse, elle était devenue plus taquine qu'un chaton de mémère. Sa bouche aussi me posait quelques problèmes. Elle était du genre à pouvoir avaler cinq plats d'affilée chez Kempinski sans gâter son rouge à lèvres, mais en cet instant précis, j'eus l'impression que ses papilles n'en avaient qu'après moi.

Elle nous fit entrer dans un salon dont le confort aurait suscité l'approbation d'un avocat de Potsdam, puis se dirigea vers l'énorme plateau à boissons.

– Que désirez-vous, messieurs ? J'ai tout ce que vous voulez.

Becker pouffa bruyamment.

– Ça, c'est vrai, fit-il.

Je souris. Becker commençait à me porter sur les nerfs. Je demandai un scotch. Lorsqu'Evona me le tendit, ses doigts froids frôlèrent les miens.

Elle but une grande gorgée de son verre, comme si c'était un médicament au goût désagréable qu'il s'agissait d'avaler le plus vite possible, puis m'entraîna vers un gros sofa en cuir. Becker ricana et s'installa dans un fauteuil.

– Comment va mon vieil ami Arthur Nebe ? s'enquit-elle. (Remarquant ma surprise, elle ajouta :) Oui, Arthur et moi nous connaissons depuis de nombreuses années. Depuis 1920, pour être précis, l'année où il est entré dans la Kripo.

– Il est toujours le même, répondis-je.

– Dites-lui de venir me voir un de ces jours, dit-elle. Je lui ferai le grand jeu à l'œil. À moins qu'il préfère un simple massage. Oui, c'est ça. Dites-lui de venir pour un massage. Je le lui ferai moi-même.

L'idée la fit rire aux éclats, puis elle alluma une cigarette.

– Je le lui dirai, dis-je en me demandant si je le ferais et si elle se souciait que je le fasse.

– Et vous, Emil ? Vous voulez un peu de compagnie ? Peut-être que vous aimeriez tous les deux un petit massage, hein ?

J'allai lui préciser le but de notre visite, mais en fus empêché par Becker qui applaudit d'un air ravi.

– C'est ça ! s'exclama-t-il. Détendons-nous un peu. Nous sommes bien ici. (Il me jeta un regard plein de sous-entendus.) Nous ne sommes pas pressés, n'est-ce pas, commissaire ?

Je haussai les épaules et secouai la tête.

– Tant que nous n'oublions pas la raison pour laquelle nous sommes venus, fis-je en m'efforçant de ne pas paraître trop rabat-joie.

Evona Wylezynska se leva et appuya sur un bouton de sonnette dissimulé derrière un rideau. Puis elle revint s'asseoir en faisant des « ta ! ta ! ta ! »

– Pourquoi ne pas oublier un peu le travail, hein ? C'est pour ça que tous ces messieurs viennent ici, pour oublier leurs soucis.

Profitant de ce qu'elle avait le dos tourné, Becker fronça les sourcils et secoua la tête. Je ne compris pas ce qu'il voulait me dire.

Evona saisit ma nuque et se mit à la masser d'une main aussi vigoureuse qu'une tenaille de maréchal-ferrant.

– Tout ça est trop tendu, Bernhard, m'informa-t-elle d'une voix enjôleuse.

– Ça ne m'étonne pas. Vous verriez la taille de la charrette qu'ils me font tirer à l'Alex. Sans compter les passagers.

Ce fut mon tour de jeter un regard entendu à Becker. J'écartai les doigts d'Evona et y déposai un baiser amical. Ils sentaient le savon à l'iode, qui n'est pas le meilleur aphrodisiaque que je connaisse.

Les filles d'Evona entrèrent dans la pièce comme une troupe de chevaux de cirque. Certaines portaient une combinaison et des bas, mais la plupart était nues. Elles prirent position autour de Becker et moi, puis allumèrent des cigarettes et se servirent à boire, presque comme si nous n'étions pas là. Il y avait là plus de chair féminine que je n'en avais vu depuis longtemps, et je dois avouer que mon regard aurait marqué au fer rouge une femme ordinaire. Mais celles-ci étaient habituées à être jaugées et nos regards lascifs ne semblaient pas les déranger. L'une d'elles prit une chaise et, la posant devant moi, s'y installa à califourchon, m'offrant une vision parfaite de son intimité. Et pour faire bonne mesure, elle fit rouler ses fesses nues sur le siège.

Mais déjà Becker était debout, se frottant les mains comme le plus affranchi des camelots.

– Eh bien, tout ça est fort appétissant, n'est-ce pas ? (Becker enlaça deux des filles tandis que son visage s'empourprait d'excitation. Il jeta un regard circulaire et, ne trouvant pas celle qu'il cherchait, demanda :) Dis-moi, Evona, où est cette mignonne petite Juive qui travaillait pour toi ?

– Esther, tu veux dire ? Elle a dû nous quitter, malheureusement.

Nous attendîmes des explications, mais les lèvres d'Evona se contentèrent de souffler un nuage de fumée.

– Dommage, fit Becker. Je venais juste de raconter à mon ami quelle belle fille c'était. (Il haussa les épaules.) Bah, ça ne fait rien. Une de perdue, dix de retrouvées, pas vrai ?

Ignorant l'expression de mon visage, et soutenu comme un ivrogne par les deux filles, il fit demi-tour, s'éloigna dans le couloir au parquet grinçant et disparut dans une des chambres, me laissant seul au milieu des autres filles.

– Et vous, Bernhard, quels sont vos goûts ? (Evona claqua des doigts et fit signe à une des filles d'approcher.) Celle-ci ressemble beaucoup à Esther, dit-elle. (Elle posa sa main sur la fesse nue de la jeune fille, la fit tourner dans ma direction et la caressa de la paume.) Elle a deux vertèbres de trop, ce qui fait que son derrière est très loin de sa taille. Charmant, vous ne trouvez pas ?

– Très, concédai-je en tâtant poliment le postérieur à la fraîcheur de marbre. Mais pour tout vous dire, je suis plutôt du genre vieux jeu. J'aime qu'une fille m'aime pour moi et non pour mon portefeuille.

Evona sourit.

– J'en étais sûre. (Elle claqua les fesses de la fille comme un toutou.) Allez, dehors. Sortez toutes.

En regardant le groupe sortir de la pièce, je ressentis une certaine déception à ne pas être taillé dans le même bois que Becker. Evona sentit ma perplexité.

– Vous n'êtes pas comme Emil. Lui, il succombe à la première fille qui lui montre ses ongles. Il serait capable de baiser un chat aux reins brisés. Comment trouvez-vous le whisky ?

Je le fis tourner dans mon verre avec un regard éloquent.

– Il est parfait, dis-je.

– Eh bien, que puis-je vous proposer d'autre ?

Sentant sa poitrine contre mon bras, je baissai les yeux et souris à ce qui était exposé au balcon. J'allumai une cigarette et la fixai droit dans les yeux.

– Ne faites pas semblant d'être déçue si je vous dis que tout ce que je cherche, ce sont des renseignements.

Elle sourit d'un air aguichant et reprit son verre.

– Quel genre de renseignements ?

– Je cherche un homme. Et n'allez pas vous faire des idées. L'homme que je cherche est un assassin avec quatre meurtres à son actif.

– Comment pourrais-je vous aider ? Je gère un bordel, pas une agence de détectives.

– Il ne doit pas être rare qu'un client se montre brutal avec une de vos filles.

– Aucun n'y va avec des pincettes, Bernhard, je vous assure. Dès lors qu'ils ont payé, la plupart pensent qu'ils ont le droit d'arracher la culotte de mes filles.

– Alors, un type qui serait allé au-delà de ce qui est considéré comme normal. Peut-être qu'une de vos filles a eu un tel client. Ou qu'elle en a entendu parler par une autre fille.

– Parlez-moi de lui.

– Nous ne savons pas grand-chose, soupirai-je. Nous ignorons son nom, son adresse, d'où il vient et à quoi il ressemble. Tout ce que je sais, c'est qu'il aime ligoter les adolescentes.

– Beaucoup d'hommes aiment attacher les femmes, répliqua Evona. Ne me demandez pas ce qu'ils en retirent. Il y en a même qui aiment les fouetter, mais je ne le permets pas ici. On devrait enfermer ce genre de porc.

– Le moindre indice nous aiderait. Nous n'avons pratiquement aucune piste.

Evona haussa les épaules et écrasa sa cigarette.

– Et puis merde, lâcha-t-elle. Moi aussi, j'ai eu cet âge. Quatre filles, avez-vous dit ?

– Peut-être cinq. Toutes avaient entre quinze et seize ans. Originaires de familles convenables et promises à un bel avenir. Jusqu'à ce que ce maniaque les enlève, les viole, les égorge et balance leurs corps nus quelque part.

Evona prit l'air songeur.

– Je repense à quelque chose, dit-elle d'un ton prudent. Mais comprenez qu'il est peu probable qu'un homme qui fréquente le genre de maison que je tiens ne soit pas attiré par les jeunes filles. Après tout, le but d'un endroit comme celui-ci est de satisfaire les besoins d'un homme, non ?

J'acquiesçai mais ne pus m'empêcher de penser à l'exemple de Kürten, qui contredisait cette affirmation. Je décidai cependant de ne pas discuter.

– Ne vous emballez pas, dit-elle. Je ne sais pas du tout ce que ça vaut.

Evona se leva et me demanda de l'excuser un instant. Elle revint en compagnie de la fille dont j'avais pu admirer la chute de reins anormalement longue. Elle avait passé une robe de chambre et paraissait plus nerveuse habillée que nue.

– Kommissar, je vous présente Helene, dit Evona en se rasseyant. Helene, assieds-toi et raconte-nous la fois où ton client a essayé de te tuer.

La fille prit place sur le fauteuil qu'avait occupé Becker. Elle était jolie mais semblait fatiguée, comme si elle manquait de sommeil ou prenait de la drogue. Fuyant mon regard, elle mordillait sa lèvre en tirant sur une mèche de ses longs cheveux roux.

– Allons, raconte, la pressa Evona. Il ne te mangera pas. S'il en avait eu envie, il l'aurait fait tout à l'heure.

– L'homme que nous recherchons aime ligoter ses victimes, lui expliquai-je en me penchant vers elle d'un air encourageant. Ensuite, il les étrangle ou leur tranche la gorge.

La fille resta silencieuse quelques instants.

– Excusez-moi, finit-elle par dire. C'est difficile pour moi. Je voulais oublier cette histoire, mais Evona m'a raconté que des jeunes filles avaient été tuées. Je voudrais vous aider, vraiment, mais c'est difficile.

J'allumai une cigarette et lui proposai le paquet. Elle refusa d'un hochement de tête.

– Prends ton temps, Helene, dis-je. S'agit-il d'un client ? D'un type venu pour un massage ?

– Vous ne m'obligerez pas à témoigner devant un tribunal, au moins ? Je ne dirai rien si je dois comparaître devant un juge et dire que je suis masseuse.

– La seule personne à laquelle tu raconteras cette histoire, c'est moi.

La fille renifla d'un air peu convaincu.

– Vous n'avez pas l'air d'un mauvais bougre. (Son regard tomba sur ma cigarette.) Je crois que je vais en prendre une, finalement, dit-elle.

– Tiens, sers-toi, fis-je en lui tendant le paquet.

La première bouffée parut la galvaniser et elle se lança dans son histoire avec un mélange d'embarras et, sans doute, de peur rétrospective.

– Ce client est venu un soir, il y a environ un mois. Je lui ai fait un massage et quand je lui ai demandé s'il voulait le spécial, il a répondu qu'il voulait m'attacher et que je lui fasse une pipe. Je lui ai dit que ça lui coûterait vingt marks de plus et il a dit que c'était d'accord. Je me suis donc retrouvée ligotée comme un poulet rôti, et quand j'ai eu fini de le sucer, je lui ai demandé de me détacher. Alors, il a pris un drôle d'air, puis il m'a traitée de sale pute ou quelque chose comme ça. Bien sûr, on a l'habitude des hommes qui deviennent grossiers quand ils en ont fini avec nous, comme s'ils avaient honte, mais je me suis rendu compte que celui-ci était différent et j'ai essayé de garder mon calme. Il a sorti un couteau et l'a posé sur ma gorge pour me faire peur. Je peux vous dire que je n'en menais pas large. J'avais envie de hurler à m'en faire éclater les poumons, mais je n'ai pas voulu l'effrayer, sinon il m'aurait égorgée. Je pensais le calmer en parlant avec lui.

Elle tira une bouffée, les lèvres tremblotantes.

– Mais il s'est aperçu que j'avais envie de crier et il a voulu m'étrangler. Il m'a serré la gorge et j'ai commencé à étouffer. Heureusement, à ce moment-là, une fille s'est trompée de porte et est entrée, sinon il m'aurait tuée, j'en suis sûre. J'ai gardé des marques de doigts autour du cou pendant une semaine.

– Que s'est-il passé quand l'autre fille est entrée ?

– Ça, je ne pourrais pas vous dire exactement. J'étais plus occupée à reprendre ma respiration qu'à m'assurer qu'il trouvait un taxi pour rentrer, vous voyez ce que je veux dire ? Il me semble qu'il a ramassé son fourbi et qu'il est parti.

– À quoi ressemblait-il ?

– Il portait un uniforme.

– Quel genre d'uniforme ? Peux-tu être plus précise ?

Elle haussa les épaules.

– Pour qui vous me prenez ? Pour Hermann Goering ? Merde, je sais pas quel genre d'uniforme c'était.

– De quelle couleur était-il ? Vert, noir, brun ? Allons, Helene, essaie de te souvenir. C'est important.

Elle tira une vigoureuse bouffée et secoua la tête avec impatience.

– Un vieil uniforme. Du genre qu'on portait avant.

– Tu veux dire un uniforme d'ancien combattant ?

– Oui, un peu, mais peut-être plus... comment dire ? Plus prussien. Vous savez, avec la moustache cosmétiquée, les bottes de cavalier. Ah oui ! j'oubliais... Il portait des éperons.

– Des éperons ?

– Oui, des éperons de cavalier.

– Tu ne te souviens de rien d'autre ?

– Il portait une gourde en bandoulière. Elle ressemblait à un étui de bugle, mais il m'a dit qu'elle était remplie de schnapps.

Je hochai la tête d'un air satisfait et me redressai contre le dossier du sofa en me demandant comment ça se serait passé avec elle si j'avais accepté. C'est alors que je remarquai la teinte jaunâtre de ses mains. Loin d'être due à la nicotine, à la jaunisse ou à un tempérament biliaire, cette décoloration indiquait à coup sûr qu'Helene avait travaillé dans une usine de munitions. C'est comme ça que j'avais un jour identifié un cadavre repêché dans le canal Landwehr. Encore une chose qu'Hans Illmann m'avait apprise.

– Dites donc, fit Helene, si jamais vous coincez ce salopard, assurez-vous qu'il ait droit au régime de faveur de la Gestapo, hein ? Avec poucettes et matraques.

– Tu peux compter sur moi, fis-je en me levant. Et merci pour ton aide.

Helene se leva à son tour. Elle croisa les bras et haussa les épaules.

– Moi aussi, j'ai été adolescente, vous voyez ce que je veux dire ?

Je jetai un coup d'œil à Evona et souris.

– Je vois ce que tu veux dire. (Je hochai la tête vers les chambres réparties le long du couloir.) Quand Don Juan aura fini ses investigations, dites-lui que je suis parti interroger le maître d'hôtel du Peltzer. Qu'ensuite, j'irai peut-être bavarder avec le gérant du Jardin d'hiver pour voir si je peux en tirer quelque chose. Après quoi, je retournerai à l'Alex pour nettoyer mon arme. Et chemin faisant, qui sait ? j'aurai peut-être l'occasion de travailler un peu.

9

Vendredi 16 septembre

– D'où êtes-vous, Gottfried ?

L'homme sourit avec fierté.

– D'Eger, dans les territoires sudètes. Encore quelques semaines et vous pourrez dire que c'est l'Allemagne.

– Et moi je dis que c'est de la folie, rétorquai-je. Encore quelques semaines et votre Sudetendeutsche Partei[1] nous aura tous entraînés dans la guerre. La loi martiale a d'ores et déjà été proclamée dans la plupart des districts contrôlés par le SDP.

– Un homme doit être prêt à mourir pour ses idées.

Il s'appuya au dossier de sa chaise et ramena vers lui sa botte dont l'éperon crissa sur le sol de la salle d'interrogatoire. Je me levai, desserrai le col de ma chemise et m'écartai du rectangle ensoleillé que projetait la fenêtre. Il faisait chaud. Trop chaud pour porter une veste, sans parler d'un uniforme complet d'officier de cavalerie prussien. Gottfried Bautz, arrêté dans la matinée, ne semblait prêter aucune attention à la chaleur, même si sa moustache cosmétiquée commençait à montrer quelques signes d'affaissement.

– Et une femme ? demandai-je. Est-ce qu'elle doit être prête à mourir aussi ?

Ses yeux s'étrécirent.

– Je crois que vous feriez mieux de me dire pourquoi vous m'avez amené ici, vous ne pensez pas, Herr Kommissar ?

1. Sudetendeutsche Partei, Parti des Allemands des Sudètes. (NdT)

– Êtes-vous déjà allé dans un salon de massage de la Richard Wagner Strasse ?

– Non, je ne crois pas.

– Vous ne passez pas inaperçu, Gottfried. Je crois que vous n'auriez pas plus marqué les mémoires si vous aviez grimpé l'escalier sur un destrier blanc. À propos, pourquoi portez-vous cet uniforme ?

– J'ai servi l'Allemagne et j'en suis fier. Pourquoi ne pourrais-je pas porter l'uniforme ?

J'allais lui expliquer que la guerre était finie, mais vu que la suivante se profilait et que Gottfried avait de toute évidence une case en moins, je m'abstins de lui faire part de mes réflexions.

– Alors, dis-je. Oui ou non, êtes-vous allé dans ce salon de massage de la Richard Wagner Strasse ?

– Ça se pourrait. On ne se rappelle pas toujours l'adresse exacte de ce genre d'endroits. Je n'ai pas l'habitude de...

– Épargnez-moi la liste de vos habitudes. Une des filles de l'établissement affirme que vous avez essayé de la tuer.

– C'est absurde.

– Elle est catégorique, pourtant.

– Est-ce que cette fille a déposé plainte ?

– Oui.

Gottfried Bautz ricana d'un air suffisant.

– Allons, Herr Kommissar. Vous savez aussi bien que moi que ça n'est pas vrai. D'abord, parce qu'il n'y a pas eu de confrontation. Ensuite, parce qu'en Allemagne aucune pute n'oserait signaler à la police ne serait-ce que la perte de son caniche. Pas de plainte, pas de témoin, je ne vois même pas pourquoi nous avons cette conversation.

– Elle dit que vous l'avez ligotée comme une saucisse, que vous l'avez bâillonnée et qu'ensuite, vous avez essayé de l'étrangler.

– Elle dit, elle dit... Écoutez, à quoi riment ces conneries ? C'est ma parole contre la sienne, voilà tout.

– Vous oubliez le témoin, Gottfried. La fille qui est entrée à l'improviste pendant que vous serriez le cou de l'autre.

Comme je disais, on n'oublie pas facilement un individu comme vous.

– Je suis prêt à passer devant un tribunal. Laissons les juges décider qui dit la vérité. Un homme qui s'est battu pour son pays, ou deux petites putes sans cervelle. Et elles, est-ce qu'elles sont prêtes à comparaître ? (Il s'était mis à crier et la sueur perlait à son front comme du sucre glace.) Vous picorez dans une flaque de vomi et vous le savez !

Je me rassis et pointai mon index entre ses deux yeux.

– Ne commence pas à faire le malin, Gottfried. Pas ici. L'Alex met plus de types KO que Max Schmelling, et ils n'ont pas toujours la chance de regagner leur vestiaire après le combat. (Je croisai les mains derrière ma nuque, renversai la tête et contemplai le plafond d'un air nonchalant.) Crois-moi, Gottfried, cette petite pute n'est pas stupide au point de désobéir à ce que je lui dis. Et si je lui dis de tailler une pipe au juge en plein procès, elle le fera. Compris ?

– Alors vous pouvez aller vous faire foutre, grogna-t-il. Si vous êtes prêt à me construire une cage sur mesures, je ne vois pas pourquoi vous auriez besoin de moi pour fabriquer la clé. Merde, pourquoi je devrais répondre à vos questions ?

– C'est comme vous voulez, mon vieux. Je ne suis pas pressé. Je vais rentrer chez moi, prendre un bon bain chaud et dormir dans un lit douillet. Et puis demain je reviendrai voir si vous avez passé une bonne soirée. Ma foi, c'est à vous de voir. Mais cet endroit n'a pas mérité le surnom de Misère grise pour des prunes.

– D'accord, d'accord, marmonna-t-il. Allez-y, posez vos foutues questions.

– On a fouillé votre chambre.

– Elle vous a plu ?

– Pas autant qu'aux cafards qui y logent. On a trouvé une corde. Un de mes inspecteurs pense que c'est cette corde spécial étrangleur qu'on peut acheter au Ka-De-We. Mais ça pourrait aussi bien servir à ligoter quelqu'un.

– Ou à travailler, peut-être bien. Je travaille pour les déménagements Rochling.

– Je sais, nous avons vérifié. Mais pourquoi rapporter une corde à la maison ? Pourquoi ne pas la laisser dans le camion ?

– Je voulais me pendre.

– Qu'est-ce qui vous a fait changer d'avis ?

– J'ai réfléchi et je me suis dit que ça n'allait pas si mal pour moi. Mais c'était avant de vous rencontrer.

– Et ce tissu ensanglanté qu'on a retrouvé dans un sac sous votre lit ?

– Ça ? C'était du sang menstruel. Une amie à moi qui a eu un petit accident. Je voulais le brûler, et puis j'ai oublié.

– Pouvez-vous le prouver ? Votre amie confirmera-t-elle votre version ?

– Malheureusement je ne sais pas grand-chose sur cette personne, Kommissar. C'était une aventure sans lendemain, vous me comprenez. (Il s'interrompit un instant.) Mais il existe sûrement des tests scientifiques qui confirmeront ce que je dis, n'est-ce pas ?

– Les tests pourraient déterminer s'il s'agit de sang humain ou pas. Ils ne permettraient sans doute pas de fournir une réponse aussi précise que ce que vous suggérez. Mais je n'en suis pas sûr, je ne suis pas pathologiste.

Je me levai à nouveau, gagnai la fenêtre et allumai une cigarette.

– Vous fumez ? (Il acquiesça et je lançai le paquet sur la table. Je le laissai aspirer une bonne bouffée avant de lui balancer ma grenade.) J'enquête sur les meurtres de quatre, peut-être cinq jeunes filles, annonçai-je d'une voix égale. C'est pour ça qu'on vous a amené ici. Pour nous aider dans nos investigations, comme on dit.

Gottfried se leva d'un bond, la mâchoire ballante. Sa cigarette roula sur la table où il l'avait jetée. Il se mit à secouer la tête.

– Non, non et non ! Vous vous trompez d'adresse. Je ne sais rien de cette histoire. Je vous en prie, croyez-moi. Je suis innocent.

– Et la fille que tu as violée à Dresde en 1931 ? Tu as fait de la taule pour ça, pas vrai, Gottfried ? Tu vois, j'ai étudié ton dossier.

– Ça n'était un viol qu'en termes juridiques. Parce que la fille était mineure. Je ne le savais pas. En tout cas, elle était consentante.

– Voyons, quel âge avait-elle ? Quinze ans ? Seize ans ? C'est à peu près l'âge des gamines qui ont été assassinées. Après tout, tu les préfères peut-être jeunes. Tu as honte de ce que tu es, et tu transfères ta honte sur elles. Comment font-elles pour te pousser à commettre de telles horreurs ?

– Non, c'est faux, je le jure...

– Comment peuvent-elles se montrer si dégoûtantes ? Comment osent-elles te provoquer de manière aussi impudique ?

– Arrêtez, pour l'amour du ciel !

– Alors, tu es innocent ? Laisse-moi rire. Ton innocence ne vaut pas plus qu'une merde dans le caniveau, Gottfried. L'innocence, c'est pour les citoyens décents et respectueux de la loi, pas pour les rats d'égout dans ton genre qui essaient d'étrangler une fille dans un salon de massage. Maintenant, assieds-toi et ferme-la.

Pendant quelques secondes, il oscilla sur ses talons, puis se laissa tomber sur sa chaise.

– J'ai tué personne, marmonna-t-il. Vous pouvez retourner ça dans tous les sens, je suis innocent. Je vous le jure.

– Peut-être bien, dis-je. Mais on ne peut pas raboter une planche sans faire de copeaux. C'est pourquoi, innocent ou pas, je suis obligé de te garder quelque temps. Au moins jusqu'à ce que je sois sûr que tu n'as rien à voir là-dedans.

Je ramassai ma veste et me dirigeai vers la porte.

– Une dernière question, dis-je. Je suppose que tu n'as pas de voiture ?

– Avec ce que je gagne ? Vous plaisantez, non ?

– Et le camion de déménagement ? C'est toi qui le conduis ?

– Oui, c'est moi.

– Ça t'arrive de le prendre certains soirs ? (Il garda le silence. Je haussai les épaules.) Bah, je pourrai toujours demander à ton patron.

– C'est interdit, mais il m'arrive de l'utiliser, c'est vrai. Je fais des petits transports en dehors du boulot. (Il me regarda droit dans les yeux.) Mais je ne l'ai jamais utilisé pour y tuer quelqu'un, si c'est ce que vous avez en tête.

– Je n'y avais pas pensé, à vrai dire. Mais merci pour l'idée.

Assis dans le bureau d'Arthur Nebe, j'attendais la fin de sa conversation téléphonique. Lorsqu'il reposa le combiné, son visage était grave. Je voulus dire quelque chose, mais il porta son index à ses lèvres, ouvrit son tiroir et en sortit un couvre-théière dont il chapeauta le téléphone.

– C'est pour quoi faire ?

– Mon téléphone est sur écoute. Une petite attention d'Heydrich, je suppose, mais qui sait ? Ce couvercle préservera l'intimité de notre conversation. (Il s'appuya au dossier de sa chaise, sous le portrait du Führer fixé au mur, et poussa un long soupir de lassitude.) C'était un de mes hommes qui m'appelait de Berchtesgaden, dit-il. Les conversations d'Hitler avec le Premier ministre britannique n'ont pas l'air de bien se passer. Il semble que la perspective d'une guerre avec l'Angleterre ne fasse ni chaud ni froid à notre bien-aimé chancelier. Il ne veut faire aucune concession.

» Il est évident qu'il se fiche pas mal des Allemands Sudètes . Tout ce discours nationaliste n'est que poudre aux yeux. Tout le monde le sait. Ce qu'il veut en réalité, c'est l'industrie lourde austro-hongroise. Il en aura besoin s'il veut déclencher une guerre européenne. Bon sang, j'aurais préféré qu'il ait un interlocuteur plus coriace que Chamberlain. Savez-vous qu'il a apporté son parapluie avec lui ? Comme un minable petit banquier...

– Vous trouvez ? Moi, je pense que ce parapluie dénote un certain bon sens. Vous croyez qu'Hitler ou Goebbels parviendraient à enflammer leur auditoire s'ils serraient un parapluie sous le bras ? C'est l'absurdité même des Anglais qui en fait un peuple impossible à fanatiser. C'est elle que nous devrions envier.

– Intéressant, rétorqua Nebe en souriant d'un air songeur. Mais parlez-moi plutôt de ce type que vous avez arrêté. Pensez-vous qu'il soit notre homme ?

Pendant quelques instants, je laissai mon regard errer dans la pièce, espérant trouver sur les murs et au plafond de quoi renforcer ma conviction, puis je levai les mains comme pour désavouer l'internement de Gottfried Bautz dans une des cellules du sous-sol.

– D'un point de vue uniquement circonstanciel, il pourrait figurer en bonne place sur une liste de suspects. (Je m'accordai un soupir.) Mais rien ne le désigne comme coupable. La corde retrouvée dans sa chambre est du même modèle que celle qui a servi à ligoter les pieds d'une des victimes. Mais c'est un type de corde très courant. Nous utilisons la même ici à l'Alex.

» Nous avons aussi trouvé un chiffon sous son lit, imprégné de sang, qui pourrait appartenir à l'une des victimes. Mais il pourrait tout autant s'agir de sang menstruel, comme il l'affirme. Il dispose d'une fourgonnette avec laquelle il aurait pu transporter et tuer ses victimes. Mes hommes sont en train d'examiner le camion, mais pour l'instant, il semble aussi net qu'un ongle de dentiste.

» D'autre part il y a son dossier. Il a été condamné pour un délit sexuel que la justice a assimilé à un viol. Il y a quelques semaines, il pourrait avoir tenté de tuer une prostituée après l'avoir attachée. Il correspond donc au type psychologique de l'homme que nous recherchons. (Je secouai la tête.) Mais tout ça est aussi aléatoire que Fritz *fucking* Lang. Ce que je veux, c'est une preuve.

Nebe hocha la tête d'un air philosophe, posa ses talons sur le bord du bureau et joignit l'extrémité de ses doigts.

– Vous pourriez étayer le dossier ? Faire craquer le client ?

– Il n'est pas stupide. Ça prendra du temps. Je ne suis pas un excellent interrogateur et je ne veux pas prendre de raccourcis. La dernière chose que je veuille dans cette affaire, c'est voir des bouts de dents cassées sur l'acte d'accusation. C'est comme ça que Josef Kahn s'est retrouvé chez les loufdingues.

Je pris une cigarette américaine dans la boîte que Nebe gardait sur son bureau et l'allumai avec un énorme briquet en cuivre que lui avait offert Goering. Le Premier ministre avait pour habitude de distribuer des briquets à ceux qui lui avaient rendu quelque menu service. Il les utilisait comme une nounou accorde bonbons et biscuits.

– À propos, il n'a toujours pas été relâché ? demandai-je.

Le long visage de Nebe prit une expression peinée.

– Non, pas encore, répondit-il.

– Je sais que l'on considère ça comme un détail, le fait qu'il n'ait tué personne, mais ne pensez-vous pas qu'il est temps de le libérer ? Nous respectons encore quelques règles, non ?

Il se leva, contourna son bureau et vint se planter devant moi.

– Vous n'allez pas aimer ce que je vais vous dire, Bernie, dit-il. Pas plus que moi quand je l'ai appris.

– Ce ne sera pas exceptionnel, non ? Je me dis que la seule raison pour laquelle il n'y a pas de miroir dans les toilettes de l'Alex, c'est pour que personne ne soit obligé de se regarder en face. Ils ne vont pas le relâcher, c'est ça ?

Nebe s'appuya au rebord du bureau, croisa les bras et fixa pendant une longue minute le bout de ses chaussures.

– C'est pire que ça. Il est mort.

– Que s'est-il passé ?

– Officiellement ?

– Dites toujours.

– Josef Kahn s'est suicidé lors d'une crise de démence.

– Plausible. Et la réalité ?

– Je ne sais rien de sûr, dit-il en haussant les épaules. Disons que c'est de la spéculation étayée. J'entends des choses, je lis des choses et j'en tire certaines conclusions. Il faut dire qu'en tant que Reichskriminaldirektor, j'ai accès à tous les décrets secrets décidés par le ministère de l'Intérieur. (Il prit une cigarette et l'alluma.) Ils sont en général camouflés sous un jargon bureaucratique d'apparence neutre. En ce moment, par exemple, il semble qu'on aille vers la création d'un nouveau comité chargé de la détection de graves maux constitutionnels...

– Du genre de ceux qui affligent le pays, vous voulez dire?

– ... dans le but d'instaurer un «eugénisme positif en accord avec la pensée du Führer sur le sujet». (Il agita sa cigarette en direction du portrait suspendu derrière lui.) Cette référence à «la pensée du Führer sur le sujet» signifie qu'il faut se référer à son ouvrage, que vous avez lu et relu, je suppose. Dans ce livre vous verrez qu'il préconise l'emploi des techniques médicales les plus modernes afin d'empêcher les handicapés physiques et les malades mentaux de contaminer la santé future de la race.

– Qu'est-ce que ça veut dire dans la pratique?

– Je pensais qu'on se contenterait d'empêcher ces malheureux de fonder une famille. C'est du simple bon sens, non? S'ils sont incapables de prendre soin d'eux-mêmes, ils ne pourront pas s'occuper d'enfants.

– C'est pourtant le cas des responsables des Jeunesses hitlériennes.

Nebe repassa derrière son bureau.

– Vous devriez apprendre à surveiller vos paroles, Bernie, dit-il mi-figue, mi-raisin.

– Racontez-moi la fin de votre petite histoire désopilante.

– Voilà. Un certain nombre de rapports, de plaintes si vous préférez, envoyées à la Kripo par des parents de gens internés dans des établissements psychiatriques m'amènent à penser qu'on a commencé à y pratiquer officieusement l'euthanasie.

Je me penchai en avant et me pinçai le nez entre pouce et index.

– Est-ce qu'il vous arrive d'avoir des migraines? Moi, oui. À cause des odeurs. La peinture a une odeur désagréable. Le formol aussi, à la morgue. Mais le pire, ce sont ces coins à pisse près des endroits où dorment les ivrognes et les clochards. C'est une odeur qui me revient dans mes pires cauchemars. Vous savez, Arthur, je pensais connaître toutes les mauvaises odeurs de cette ville. Mais ça, c'est comme une vieille merde cuite avec des œufs pourris.

Nebe ouvrit un tiroir et sortit une bouteille et deux verres. Sans un mot, il nous servit deux doses généreuses.

Je vidai mon verre cul sec et attendis que l'alcool trouve le chemin de ce qui me restait de cœur et d'estomac. J'acquiesçai lorsque Nebe me proposa un second verre.

– C'est toujours au moment où l'on pense que les choses ne peuvent plus empirer qu'on se rend compte qu'elles sont déjà bien pires qu'on ne pensait. Et qu'elles empirent encore. (Je vidai mon verre et en examinai la forme.) Merci d'avoir été aussi direct, Arthur. (Je me levai.) Et merci pour le remontant.

– Tenez-moi au courant pour votre suspect, dit-il. Essayez d'envoyer deux de vos hommes lui jouer le numéro du bon et du méchant. Pas de brutalités, mais une bonne petite pression psychologique à l'ancienne mode. Vous voyez ce que je veux dire. Et dites-moi, comment marche votre équipe ? Tout va bien ? Pas de ressentiments ni de choses de ce genre ?

J'aurais pu me rasseoir et lui débiter une liste d'imperfections aussi interminable qu'une réunion du Parti, mais c'était inutile. Je savais que la Kripo abritait une centaine de flics pires que les trois de mon équipe. C'est pourquoi je me contentai de hocher la tête en lui disant que tout allait bien.

Pourtant, sur le seuil du bureau, je m'immobilisai et prononçai la formule sans y penser. Non par obligation, non pour répliquer à quelqu'un, auquel cas j'aurais pu me consoler en me disant que je voulais juste ne pas faire de vagues, éviter d'offenser : c'est moi qui pris l'initiative de prononcer les deux mots rituels.

– Heil Hitler.

– Heil Hitler, marmonna Nebe.

N'ayant même pas levé les yeux de la page sur laquelle il avait commencé d'écrire, il ne vit pas mon expression. J'ignore quel air j'eus alors, mais quel qu'il fût, je sus qu'il était né de ce que je venais de comprendre : la seule plainte que j'aurais pu déposer à l'Alex aurait été contre moi-même.

10

Lundi 19 septembre

Le téléphone sonna. Je me traînai de l'autre côté du lit et décrochai. Deubel parlait déjà que je n'avais pas encore enregistré l'heure. Il était 2 heures du matin.

– Répétez-moi ça.

– Nous pensons avoir retrouvé la fille disparue, commissaire.

– Morte ?

– Comme une souris dans une tapette. Il n'y a pas encore eu d'identification certaine, mais ça ressemble aux quatre autres. Je viens d'appeler le professeur Illmann. Il est en route.

– Où êtes-vous, Deubel ?

– À la gare du Zoo.

Il faisait encore chaud dehors lorsque je montai dans ma voiture, et j'ouvris la vitre autant pour profiter de l'air nocturne que pour me réveiller un peu. Sauf pour Herr et Frau Hanke, encore endormis dans leur maison de Steglitz, la journée s'annonçait rayonnante.

Je roulai vers l'est sur Kurfürstendamm, avec ses boutiques aux formes géométriques éclairées au néon, puis pris au nord par Joachimstaler Strasse, dominée à son extrémité par la vaste serre illuminée de Zoo Bahnhof. Plusieurs fourgonnettes de police étaient garées devant la gare, ainsi qu'une ambulance parfaitement superflue. Un flic s'employait à éloigner quelques pochards curieux.

Je traversai le hall principal en direction de la barrière de police qui avait été érigée pour délimiter le coin de la consigne et des objets trouvés. Arrivé devant les deux agents qui gardaient la barrière, j'exhibai ma plaque et ils me laissèrent passer. Deubel vint à ma rencontre.

– Alors ? fis-je.

– Un cadavre féminin dans une malle, commissaire. Vu son aspect et son odeur, elle doit y être depuis un certain temps. La malle était dans le bureau de la consigne.

– Le professeur est arrivé ?

– Oui, et le photographe aussi. Ils n'ont pas fait grand-chose, à part se rincer l'œil. Nous avons préféré vous attendre.

– Votre prévenance me touche. Qui a découvert le cadavre ?

– Moi, commissaire, avec un agent de mon équipe.

– Ah ? Et comment avez-vous fait ? Vous avez consulté un médium ?

– On a reçu un appel anonyme à l'Alex. L'homme a indiqué au sergent de permanence l'endroit où se trouvait le corps, et le sergent de permanence l'a transmis à mon équipier. Il m'a appelé et nous sommes venus tout de suite. Nous avons localisé la malle, trouvé le cadavre, ensuite je vous ai appelé.

– Un appel anonyme, dites-vous ? Quelle heure était-il ?

– Minuit environ. J'allais rentrer chez moi.

– J'aimerais parler au sergent qui a reçu l'appel. Envoyez quelqu'un s'assurer qu'il ne parte pas sans avoir rédigé son rapport. Comment êtes-vous entré ici ?

– Le chef de gare de nuit, commissaire. Il garde les clés dans son bureau quand la consigne ferme. (Deubel désigna, debout à quelques mètres, un gros type huileux qui se rongeait la paume.) C'est lui, là-bas.

– J'ai l'impression qu'on lui retarde son dîner. Dites-lui que je veux les noms et adresses de tous ceux qui travaillent dans ce service, avec l'heure à laquelle ils commencent le matin. Quels que soit leurs horaires, je veux les voir tous demain matin à l'ouverture de la gare, avec leurs dossiers et registres. (Je restai silencieux quelques instants, durcissant ma carapace en prévision de ce qui allait suivre.) Bon, allons-y.

À l'intérieur de la consigne, nous trouvâmes Hans Illmann, assis sur un gros colis marqué « Fragile » et fumant une de ses cigarettes roulées, qui observait le photographe de la police en train d'installer ses projecteurs et le trépied de son appareil.

– Ah, Kommissar, dit-il en se levant. Nous venons d'arriver. Je savais que vous voudriez être là. Comme le ragoût a un peu trop mijoté, vous feriez mieux de mettre ça. (Il me tendit une paire de gants en caoutchouc, puis considéra Deubel d'un air maussade.) Voulez-vous partager notre dîner, inspecteur?

Deubel fit la grimace.

– Je préférerais pas, si ça ne vous fait rien, professeur. En général, je tiens le coup, mais j'ai une fille à peu près du même âge, voyez-vous.

Je hochai la tête.

– Allez donc réveiller Becker et Korsch et dites-leur de rappliquer. Je ne vois pas pourquoi nous serions les seuls à ne pas dormir.

Deubel tourna les talons.

– Oh, inspecteur, fit Illmann, demandez aussi à un agent de nous préparer du café. Je travaille beaucoup mieux quand je suis réveillé. Il me faudra également quelqu'un pour prendre des notes. Votre sergent a-t-il une écriture lisible?

– Je suppose que oui, professeur.

– Inspecteur, la seule supposition qu'il est prudent de faire en ce qui concerne le niveau d'alphabétisation de l'Orpo est que tous ceux qui y travaillent sont capables de remplir une fiche de pari mutuel. Alors si ça ne vous ennuie pas, tâchez de vous en assurer. Je préfère prendre des notes moi-même plutôt que d'avoir à déchiffrer ensuite les pattes de mouches cyrilliques d'une forme de vie encore primitive.

– Entendu, professeur, fit Deubel avec un sourire pincé avant de s'éloigner.

– Je ne pensais pas qu'il était du genre sensible, commenta Illmann en le regardant partir. Imaginez un détective refusant de voir un cadavre. C'est comme un marchand de vin qui refuserait de goûter le bourgogne qu'il a l'intention d'acheter. Impensable. Comment font-ils pour recruter toutes ces brutes?

– C'est simple. Ils font des descentes et ramassent tous les types qui portent des culottes de peau. C'est ce que les nazis appellent la sélection naturelle.

Au fond de la consigne, la malle contenant le corps était posée par terre, recouverte d'un drap. Nous approchâmes quelques colis et bagages sur lesquels nous nous assîmes.

Illmann retira le drap et je fronçai le nez lorsque l'odeur de ménagerie envahit mes narines, me faisant par réflexe tourner la tête par-dessus mon épaule en quête d'une goulée d'air.

– Bon sang, murmura Illmann, c'est vrai qu'il a fait chaud cet été.

C'était une grande malle en cuir bleu de bonne qualité, avec des poignées et des renforts de cuivre – le genre qu'on embarque sur les paquebots de luxe qui font la navette entre Hambourg et New York. Mais pour sa seule occupante, une fille nue d'environ 16 ans, il n'y aurait plus qu'un voyage : le dernier. À demi-enveloppée dans ce qui semblait une sorte de rideau brun, elle reposait sur le dos, les jambes repliées sur sa gauche, un des seins nus pointant en l'air comme si quelque chose, sous elle, la rehaussait. La tête formait avec le corps un angle invraisemblable, la bouche ouverte semblait presque sourire, les yeux étaient mi-clos. À part le sang séché qui obstruait ses narines et la corde qui enserrait ses chevilles, on aurait pu croire que la jeune fille était en train de s'éveiller d'un long sommeil.

Le sergent de Deubel, un gaillard au cou plus court qu'un goulot de gourde et au buste en forme de sac de sable, se présenta avec crayon et calepin et s'installa un peu à l'écart d'Illmann et moi. Il suçotait un bonbon et, les jambes croisées avec nonchalance, ne semblait pas être ému outre mesure par le spectacle.

Illmann l'observa un moment, puis hocha la tête et se mit à dicter ses constatations.

– La victime, commença-t-il d'une voix solennelle, est une adolescente d'environ seize ans, nue, enfermée dans une grande malle de bonne fabrication. Le corps est partiellement enveloppé dans de la cretonne brune, les pieds liés par une corde.

Illmann parlait lentement, observant des pauses entre les membres de phrase pour permettre au sergent de transcrire ses observations.

– Après avoir dégagé le corps du tissu qui l'enveloppe, nous constatons que la tête est presque détachée du tronc. Le cadavre est en état de décomposition avancée du fait d'être resté dans la malle pendant quatre à cinq semaines. Les mains ne présentent aucune blessure de défense. Je les protége afin d'examiner les doigts au laboratoire, mais comme la victime avait pour habitude de se ronger les ongles, l'examen ne révélera sans doute rien.

Il sortit de sa mallette deux sacs d'épais papier dans lesquels je l'aidai à enfiler les mains de la jeune fille.

– Ventrebleu, qu'est-ce donc ? fit-il. Mes yeux me joueraient-ils un tour, ou est-ce bien un corsage ensanglanté que je vois devant moi ?

– Ce doit être son uniforme de la BdM, dis-je en le regardant extraire de la malle un corsage puis une jupe bleu marine.

– Comme c'est prévenant de la part de notre ami de nous envoyer son linge à laver. Et moi qui pensais qu'il ne nous surprendrait plus. Or, voilà qu'il téléphone à l'Alex, et maintenant, ça... Faites-moi penser à consulter mon agenda pour vérifier si ça n'est pas mon anniversaire.

Quelque chose d'autre retint mon regard. Je me penchai et saisis le petit carré de bristol.

– La carte d'identité d'Irma Hanke, dis-je.

– Eh bien, ça me facilite le travail, je suppose. (Illmann tourna la tête vers le sergent.) La malle contenait aussi les vêtements et la carte d'identité de la victime, dicta-t-il.

Une tache de sang souillait le volet intérieur de la carte.

– Une marque de doigt, à votre avis ? demandai-je au professeur.

Il me prit la carte et examina la tache.

– Possible. Mais je ne vois pas en quoi ça pourrait nous être utile. Une empreinte digitale, ça serait autre chose. Ça répondrait à beaucoup de nos prières.

Je secouai la tête.

– Ce n'est pas une réponse. C'est une question. Pourquoi un cinglé voudrait-il connaître l'identité de sa victime ? Cette trace de sang, en supposant que c'est celui de la fille, indiquerait qu'elle était déjà morte quand il a regardé la carte. Dans ce cas, pourquoi a-t-il ressenti le besoin de connaître son identité ?

– Peut-être pour pouvoir dire son nom quand il téléphonerait à l'Alex.

– Oui, mais alors pourquoi attendre plusieurs semaines avant d'appeler ? Ça ne vous paraît pas bizarre ?

– Remarque intéressante, Bernie. (Il glissa la carte d'identité dans un sac qu'il rangea dans sa mallette avant de replonger son regard dans la cantine.) Et ça, qu'est-ce que c'est ? (Il saisit un sac, petit mais curieusement lourd, et en examina l'intérieur.) Ça n'est pas bizarre, ça aussi ? (C'étaient les tubes de dentifrice vides qu'Irma Hanke avait collectés au profit du Programme économique du Reich.) Notre ami semble avoir pensé à tout.

– C'est comme si ce salaud nous mettait au défi de le coincer. Il nous donne tout. Il va péter d'orgueil s'il continue à nous échapper.

Illmann dicta quelques dernières notes au sergent, puis annonça qu'il avait terminé ses constatations préliminaires et que le photographe pouvait opérer. Tout en retirant nos gants, nous nous éloignâmes de la malle et apprîmes que le chef de gare nous avait préparé du café. Il était fort et brûlant, tout à fait ce qu'il me fallait pour éliminer le goût de mort que j'avais dans la bouche. Illmann roula deux cigarettes et m'en tendit une. L'odorant tabac avait un goût de nectar passé au barbecue.

– Et maintenant, qu'allez-vous faire de votre dingue de Tchèque ? fit-il. Celui qui se prend pour un officier de cavalerie ?

– Il semble qu'il ait bien été officier de cavalerie, répondis-je. Il a été commotionné par un souffle d'obus sur le front oriental et n'a jamais retrouvé tous ses esprits. Mais il n'est pas vraiment dingue et à moins de découvrir une preuve accablante, je ne crois pas qu'on puisse lui imputer quoi que ce soit. Et je ne tiens pas à le faire condamner à partir d'aveux extorqués. Ce n'est pas qu'il soit bavard, remarquez bien. On l'a interrogé tout le week-end et il persiste à clamer son innocence. Il faudra le confronter au personnel de la consigne pour voir si quelqu'un reconnaît en lui le type qui a déposé la malle. Si ça n'est pas le cas, je serai contraint de le relâcher.

– Ça risque de contrarier votre inspecteur au cœur tendre, fit Illmann avec un petit gloussement. Celui qui a une fille adolescente. D'après ce qu'il me disait tout à l'heure, l'inculpation du Tchèque n'était qu'une question de jours.

– Ça ne m'étonne pas. Pour lui sa condamnation pour viol est une preuve suffisante. Ce qu'il voudrait, c'est que je le laisse dans une cellule tranquille en compagnie du Tchèque pour pouvoir lui danser sur le ventre jusqu'à ce qu'il craque.

– Ces méthodes modernes de la police doivent être épuisantes. Je me demande où ils trouvent leur énergie.

– C'est la seule chose pour laquelle ils trouvent de l'énergie. Comme il me l'a rappelé tout à l'heure, Deubel devrait être au lit. Ces flics voudraient avoir les mêmes horaires que des employés de banque. (Je fis signe à Deubel d'approcher avant d'ajouter à l'intention d'Illmann :) Avez-vous remarqué qu'à Berlin la plupart des crimes ont lieu la journée ?

– Vous oubliez les visites nocturnes de nos chers amis de la Gestapo.

– Ce n'est jamais quelqu'un d'un grade supérieur à celui de Kriminalassistent qui remplit les Fiches rouges A1. Et encore, seulement s'il s'agit de quelqu'un d'important.

Je me tournai vers Deubel, qui faisait de son mieux pour paraître au bord de l'épuisement physique et bon pour l'hôpital.

– Quand le photographe aura fini ses portraits, dites-lui que j'aimerais une photo de la malle avec le couvercle fermé. Et surtout, je veux que les photos soient tirées quand les employés de la consigne se présenteront au travail. Ça leur rafraîchira la mémoire. Le professeur emportera la malle à l'Alex dès que le photographe aura terminé.

– Qu'est-ce qu'on fait pour la famille, commissaire ? C'est bien Irma Hanke, n'est-ce pas ?

– Il faudra procéder à une identification formelle, bien sûr, mais une fois que le professeur aura fini ses examens. Peut-être même qu'il pourra l'arranger un peu avant que sa mère la voie ?

– Je ne suis pas un employé des pompes funèbres, Bernie, fit Illmann d'un ton pincé.

– Allons, ça ne sera pas la première fois que vous recoudrez un ballot de steak haché.

– Très bien, soupira Illmann. Je verrai ce que je peux faire. Mais il me faudra presque toute la journée. Peut-être même jusqu'à demain.

– Prenez le temps qu'il vous faudra, mais j'aimerais leur apprendre la nouvelle ce soir, alors essayez au moins de lui recoller la tête sur les épaules d'ici là, entendu ?

Deubel bâilla sans discrétion.

– Inspecteur, votre bout d'essai est parfait. Je vous confie donc le rôle du type qui veut aller se coucher. Vous l'avez bien mérité. Vous partirez dès que Becker et Korsch seront là. Mais je veux que vous organisiez une confrontation dans la matinée. Pour voir si les types de la consigne reconnaissent notre ami sudète.

– Très bien, commissaire, rétorqua Deubel déjà ragaillardi à la perspective de pouvoir bientôt se coucher.

– Comment s'appelle ce sergent de permanence ? Celui qui a reçu l'appel anonyme ?

– Gollner.

– Le vieux Tanker Gollner ?

– Lui-même, commissaire. Vous le trouverez à la caserne. Il a dit qu'il nous attendrait là-bas parce qu'il avait déjà eu affaire à la Kripo et qu'il n'avait pas envie de poireauter toute la nuit à nous attendre.

– Ce vieux Tanker n'a pas changé, fis-je en souriant. Bon, mieux vaut ne pas le faire patienter, si je comprends bien?

– Qu'est-ce que je dis à Becker et Korsch quand ils arriveront? demanda Deubel.

– Dites à Korsch de passer la consigne au peigne fin. Au cas où on nous aurait laissé d'autres petites surprises.

Illmann s'éclaicit la gorge.

– Ça serait peut-être une bonne idée que l'un d'entre eux assiste à l'autopsie, dit-il.

– Becker vous donnera un coup de main. Il adore tourner autour des filles. Sans parler de ses connaissances en matière de mort violente. Mais prenez garde à ne pas le laisser seul avec le cadavre, Professor. Selon son humeur, il serait capable de lui mettre une balle dans la tête ou sa queue entre les jambes.

C'est dans Kleine Alexander Strasse, qui filait vers le nord-est en direction de Horst Wessel Platz, qu'étaient logés les policiers travaillant à l'Alex voisine. La caserne était un grand bâtiment divisé en petits appartements pour les hommes mariés et les officiers supérieurs, et en chambres individuelles pour les autres.

En dépit du fait qu'il n'était plus marié, le Wachmeister Fritz «Tanker» Gollner bénéficiait, en raison de ses états de service, d'un petit studio au deuxième étage et à l'arrière du bâtiment.

Une jardinière bien entretenue était la seule note de fantaisie de l'appartement, les murs nus n'étant décorés que de quelques photographies de Gollner recevant des décorations. Il m'invita à prendre place sur l'unique fauteuil et s'assit au bord du lit tiré au cordeau.

– J'ai appris que vous étiez revenu, fit-il d'une voix égale. (Il se pencha et tira une caisse de dessous le lit.) Une bière?

– Volontiers, merci.

Il hocha la tête d'un air réfléchi tout en décapsulant les bouteilles avec ses pouces.

– Il paraît que vous êtes passé Kommissar. Inspecteur à sa démission, il ressuscite en Kommissar. Ça vous ferait presque croire à la magie, pas vrai ? Si je ne vous connaissais pas aussi bien, je dirais que quelqu'un vous a mis dans sa poche.

– N'est-ce pas le cas de chacun d'entre nous ? D'une manière ou d'une autre.

– Ce n'est pas mon cas. Et, à moins que vous ayez bien changé, ça n'est pas votre genre non plus.

Il but une gorgée de bière d'un air songeur.

Tanker était un Frison de l'Emsland, contrée où, dit-on, la matière grise est aussi rare que la fourrure sur un poisson. Toutefois, même s'il était sans doute incapable d'épeler le nom de Wittgenstein, et encore moins d'expliquer sa philosophie, Tanker était un bon policier, formé à la vieille école des agents en uniforme, le genre ferme mais juste, inculquant le respect de la loi aux jeunes voyous à coups de taloches amicales, et moins enclin à coller un homme en cellule qu'à lui asséner une efficace et, du point de vue administratif, fort simple leçon de morale sous la forme d'un coup de poing format encyclopédie. On disait de Tanker qu'il était le plus rude des flics de l'Orpo et, à le voir assis en face de moi, en manches de chemise, sa grosse ceinture tendue à craquer par un ventre encore plus gros, j'étais tout prêt à le croire. Son visage prognathe semblait avoir été créé environ un million d'années avant Jésus-Christ. Tanker n'aurait pas paru moins civilisé s'il avait été vêtu de la peau d'un smilodon.

Je sortis mes cigarettes et lui en offris une. Il refusa d'un signe de tête et sortit sa pipe.

– Si vous voulez mon avis, dis-je, nous sommes tous dans la poche arrière d'Hitler. Et il s'apprête à dévaler une montagne sur le cul.

Tanker suçota l'embout de sa pipe, puis entreprit de la bourrer. Lorsqu'il eut terminé, il sourit et leva sa bouteille.

– Alors, buvons aux rochers cachés sous la neige.

Il rota bruyamment et alluma sa pipe. Les nuages de fumée odorante qui déferlèrent dans ma direction comme le brouillard sur la Baltique me rappelèrent l'infortuné Bruno. Ça sentait même aussi fort que l'infecte mixture qu'il avait l'habitude de fumer.

– Vous connaissiez Bruno Stahlecker, n'est-ce pas, Tanker?

Il acquiesça tout en continuant de tirer sur sa pipe.

– Oui, je le connaissais, dit-il sans desserrer les dents. J'ai appris ce qui lui était arrivé. Bruno était un type bien. (Il ôta le tuyau d'entre ses lèvres tannées comme du cuir et examina la braise dans le fourneau.) Je le connaissais même très bien. Nous étions dans l'infanterie. On a participé à pas mal d'actions ensemble. C'était encore un gamin, mais ça n'a jamais eu l'air de beaucoup l'émouvoir. De se battre, je veux dire. C'était un brave.

– Il a été enterré mardi dernier.

– J'y serais allé si j'avais eu le temps. (Il réfléchit un moment.) Mais c'était à l'autre bout de Zehlendorf. Trop loin pour moi. (Il termina sa bière et ouvrit deux autres bouteilles.) En tout cas, on m'a dit qu'ils avaient coincé le fils de pute qui avait fait le coup.

– Oui, c'est ce qu'on dit aussi, répliquai-je. Mais parlez-moi de ce coup de fil d'hier soir. Quelle heure était-il?

– Juste avant minuit. Le type a demandé le sergent de permanence. C'est moi en personne, que je lui dis. Ecoutez-moi bien, il dit. La fille disparue, Irma Hanke, vous la trouverez dans une grande malle en cuir bleu à la consigne de la gare du Zoo. Je demande qui est à l'appareil, mais le type a déjà raccroché.

– Pourriez-vous décrire sa voix?

– Je dirais que c'était la voix de quelqu'un d'éduqué. Un homme habitué à donner des ordres et à être obéi. Comme un officier. (Il secoua sa tête massive.) Mais je pourrais pas vous dire son âge.

– Un accent?

– Un soupçon d'accent bavarois.

– Vous en êtes sûr?

– Ma pauvre femme était de Nuremberg, commissaire, c'est pourquoi j'en suis sûr.

– Comment décririez-vous le ton de sa voix ? Agité ? Perturbé d'une manière ou d'une autre ?

– Il ne m'a pas donné l'impression d'être dingue, si c'est ce que vous suggérez. Au contraire, il m'a paru avoir le sang-froid d'une couleuvre congelée. Comme je vous ai dit, il m'a fait penser à un officier.

– Et il a demandé à parler au sergent de permanence ?

– Ce sont ses mots exacts, commissaire.

– Vous avez entendu des bruits de fond ? De la circulation ? De la musique ? Quelque chose dans ce genre ?

– Rien du tout.

– Qu'avez-vous fait ensuite ?

– J'ai appelé la standardiste du Bureau central des téléphones de Französische Strasse. Elle a pu localiser le lieu de l'appel, une cabine publique devant la gare de West Kreuz. J'ai envoyé une voiture de patrouille pour y apposer des scellés en attendant qu'une équipe du 5D relève les empreintes éventuelles.

– Bon travail. Puis vous avez appelé Deubel ?

– Oui, commissaire.

Je hochai la tête et entamai ma seconde bouteille de bière.

– D'après ce que je comprends, l'Orpo sait donc de quoi il retourne, fis-je.

– Au début de la semaine dernière, von der Schulenberg a réuni tous les Hauptmann. Il a confirmé ce que beaucoup d'entre nous soupçonnions déjà, à savoir qu'il y avait un nouveau Gormann dans les rues de Berlin. Les collègues pensent que c'est pour ça que vous avez réintégré la police. Les civils qu'on nous a fourgués seraient incapables de trouver un morceau de charbon sur un crassier. Alors que l'arrestation de Gormann, ça c'était du boulot.

– Merci, Tanker.

– Ceci dit, commissaire, si je peux me permettre de vous donner mon avis, j'ai pas l'impression que le dingue de Sudète que vous avez arrêté ait pu faire ça.

– À moins qu'il ait un téléphone dans sa cellule, ça paraît en effet peu probable. Mais on va d'abord s'assurer que les types de la consigne de Zoo Bahnhof ne le reconnaissent pas. On ne sait jamais, il pourrait avoir un complice.

Tanker hocha la tête.

– C'est bien possible, dit-il. Tout sera possible en Allemagne tant qu'Hitler chiera à la Chancellerie du Reich.

Quelques heures plus tard, j'étais de retour à Zoo Bahnhof, où Korsch avait distribué des photos de la malle aux employés de la consigne. Ils les examinèrent, les étudièrent, secouèrent la tête en se grattant la barbiche. Aucun ne se souvenait d'avoir enregistré une malle de cuir bleu.

Un homme en blouse kaki, qui semblait être leur chef, sortit un registre de sous le comptoir métallique et me l'apporta.

– Je suppose que vous notez le nom et l'adresse des gens qui vous laissent des bagages, fis-je sans grande conviction.

D'une manière générale, un assassin qui dépose sa victime dans une consigne répugne en effet à laisser ses véritables nom et adresse.

L'homme à la blouse kaki, dont les dents gâtées me rappelaient les isolateurs en céramique noircis des câbles de tramway, me regarda avec une tranquille assurance et tapota de l'ongle de l'index la couverture du registre.

– On va le trouver là-dedans, celui qui a laissé cette malle, dit-il.

Il ouvrit le livre, se lécha un pouce dont un chien n'aurait pas voulu et tourna les pages graisseuses.

– Sur la photo que vous avez prise, on voit un ticket sur la malle, dit-il. Sur ce ticket, il y a un numéro, le même qui est tracé à la craie sur le flanc du bagage. Et on va trouver ce même numéro dans ce registre, avec une date, un nom et une adresse.

Il tourna encore quelques pages, puis en parcourut une du bout du doigt.

– Nous y voilà, annonça-t-il. La malle a été déposée ici le vendredi 19 août.

– Quatre jours après sa disparition, commenta Korsch.

L'homme à la blouse suivit la ligne horizontale jusque sur la page opposée.

– D'après ce qui figure ici, la malle appartiendrait à un certain Herr Heydrich, prénom commençant par « R », résidant au numéro 102 de la Wilhelmstrasse.

Korsch ne put s'empêcher de glousser.

– Merci, dis-je à l'employé. Vous nous avez été très utile.

– Je vois pas ce qu'il y a de drôle, marmonna-t-il en s'éloignant.

Je souris à Korsch.

– On dirait que notre oiseau a le sens de l'humour, dis-je.

– Allez-vous mentionner ce détail dans votre rapport, commissaire ?

– C'est un indice matériel, non ?

– Peut-être, mais le général n'appréciera guère.

– À mon avis ça va même le mettre hors de lui. Mais voyez-vous, notre assassin n'est pas le seul à apprécier les bonnes blagues.

De retour à l'Alex, je reçus un coup de téléphone du département d'Illmann – V D 1, Médecine légale. Mon interlocuteur était le SS-Hauptsturmführer Dr Schade, dont le ton obséquieux me fit comprendre qu'il ne me croyait pas sans crédit auprès du général Heydrich.

Le docteur m'informa qu'une équipe d'experts avait relevé une série d'empreintes dans la cabine téléphonique de West Kreuz d'où l'assassin avait appelé l'Alex. Les relevés avaient été transmis pour examen au V C 1, le département où étaient archivés les casiers judiciaires. La malle et son contenu étaient en cours d'examen, et le Dr Schade informerait aussitôt le Kriminalassistent Korsch au cas où l'on y découvrirait la moindre empreinte.

Je le remerciai de son appel et lui annonçai que mon enquête devait être traitée en priorité absolue. Tout le reste pouvait attendre.

Moins de quinze minutes après cette conversation, je reçus un autre appel, de la Gestapo, cette fois.

– Sturmbahnführer Roth à l'appareil, entendis-je. Section IV B1. Kommissar Gunther, vous interférez avec une autre enquête de la plus haute importance.

– Section IV B1 ? Je ne crois pas connaître ce département. M'appelez-vous de l'intérieur de l'Alex?

– Nous sommes installés dans Meinekestrasse et nous enquêtons sur les criminels catholiques.

– J'ignore tout de votre département, Sturmbahnführer, et je n'ai aucune envie d'en savoir plus. Néanmoins, je ne vois pas comment je pourrais vous gêner dans vos investigations.

– C'est pourtant le cas. Est-ce vous qui avez ordonné au SS-Hauptsturmführer Dr Schade de donner priorité à votre enquête sur toutes les autres?

– C'est exact.

– Vous devriez pourtant savoir, en tant que Kommissar, que la Gestapo a préséance sur la Kripo dès lors que sont engagés les services du V D1.

– Je n'ai jamais entendu parler de cette préséance. Mais quel crime abominable a été commis qui puisse justifier la préséance de vos services sur une enquête pour meurtre? Vous accusez un prêtre de consubstantiation frauduleuse, peut-être? Ou de faire passer le vin de messe pour le sang du Christ ?

– Votre légèreté est tout à fait déplacée, Kommissar, dit-il. Mon département enquête sur de graves accusations d'homosexualité concernant certains membres du clergé.

– Vous me rassurez. Je n'en dormirai que mieux cette nuit. Mais je vous signale que mon enquête a été déclarée prioritaire par le général Heydrich lui-même.

– Connaissant l'importance qu'il attache à la mise hors d'état de nuire des ennemis religieux de l'Etat, cela m'étonne beaucoup.

– Dans ce cas, je suggère que vous appeliez directement la Wilhelmstrasse pour que le général vous le confirme.

– Je n'y manquerai pas. Mais je ne doute pas qu'il soit fort déçu de votre incapacité à apprécier la menace du troisième grand complot mondial contre l'Allemagne. Le catholicisme est un danger aussi grand pour la sécurité du Reich que le bolchévisme et la juiverie internationale.

– Vous oubliez les extra-terrestres, répliquai-je. Mais pour tout vous dire je me contrefous de ce que vous pourrez lui raconter. Le V D 1 fait partie de la Kripo, pas la Gestapo, et dans tout ce qui concerne cette enquête, la Kripo bénéficie d'une priorité absolue sur tous les autres services de notre département. J'ai reçu là-dessus, tout comme le Dr Scahde, des instructions écrites de la main du Reichskriminaldirektor. Alors votre enquête à la noix, je vous conseille de vous la carrer dans le cul. C'est pas un peu plus de merde là-dedans qui vous fera sentir plus mauvais.

Sur quoi je raccrochai brutalement. Il y avait après tout certains aspects agréables dans ce travail. Le moindre n'était pas la possibilité qu'il offrait de pisser sur les bottes de la Gestapo.

Lors de la confrontation qui eut lieu en fin de matinée, le personnel de la consigne ne reconnut pas en Gottfried Bautz l'homme qui avait déposé la malle contenant le cadavre d'Irma Hanke et, à l'écœurement de Deubel, je signai l'ordre de sa remise en liberté.

La loi allemande obligeait les hôteliers et propriétaires de logements à signaler dans les six jours au poste de police le plus proche la présence d'un étranger chez eux. C'est pourquoi, pour la somme de cinquante pfennigs, le Bureau d'enregistrement des résidents de l'Alex pouvait fournir l'adresse de toute personne de passage à Berlin. Les gens pensaient que cette loi faisait partie des Lois d'exception décrétées par les nazis, alors qu'en réalité elle existait avant eux. La police prussienne a toujours été réputée pour son efficacité.

Mon bureau n'était éloigné que de quelques portes du Bureau d'enregistrement installé dans la salle 350, de sorte que le brouhaha et le va-et-vient permanent dans le couloir m'obligeaient à garder ma porte fermée. Il était évident que c'était une des raisons pour lesquelles on m'avait installé là, aussi loin que possible des locaux de la Commission criminelle. Je suppose qu'on préférait dissimuler ma présence au personnel de la Kripo, de peur que je ne le contamine par mes conceptions anarchistes du travail d'investigation policier. Ou bien espérait-on que mon esprit d'insubordination serait brisé par cette mesure d'isolement ? Même par une journée ensoleillée comme celle-ci, mon bureau avait un aspect déprimant. Le bureau métallique vert olive, aux angles plus dangereux qu'un fil de fer barbelé, n'avait pour lui que d'être assorti au linoléum usé et aux rideaux défraîchis. Quant aux murs, ils avaient cette teinte jaunâtre inimitable que confère la combustion de plusieurs milliers de cigarettes.

En y revenant après avoir dormi quelques heures dans mon appartement, je compris que ce n'était pas la présence d'Hans Illmann m'attendant avec un dossier de photos qui allait rendre l'endroit plus plaisant. Me félicitant d'avoir eu la bonne idée de manger un morceau avant ce qui promettait d'être une séance peu appétissante, je m'assis sur ma chaise et lui fis face.

– C'est donc ici qu'on vous a caché, dit-il.

– C'est censé être provisoire, expliquai-je, tout comme ma présence. Mais franchement, je préfère rester à l'écart. Comme ça, j'ai moins de chances de reprendre racine à la Kripo. Et je crois pouvoir dire que c'est aussi le souhait général.

– Je n'aurais pas cru que l'on puisse créer un tel remue-ménage dans la haute administration de la Kripo à partir d'un donjon bureaucratique comme celui-ci. (Il rit puis, se caressant la barbiche, ajouta :) Vous et un Sturmbahnführer de la Gestapo avez causé des tas de problèmes à ce pauvre Dr Schade. Il a reçu des coups de téléphone de plusieurs personnages importants. De Nebe, de Müller et même d'Heydrich. Ça doit vous faire plaisir. Ne haussez pas les épaules avec cette modestie. Je dois vous faire part de mon admiration, Bernie, en toute sincérité.

J'ouvris un tiroir et sortis une bouteille et deux verres.

– Buvons à cette bonne nouvelle, dis-je.

– Avec plaisir. Après la journée que j'ai eue, ça n'est pas de refus. (Il saisit son verre et en but une gorgée avec un plaisir non dissimulé.) Je n'avais aucune idée qu'il existât un département spécial de la Gestapo destiné à persécuter les catholiques.

– Moi non plus. Mais je ne peux pas dire que ça me surprenne beaucoup. Le national-socialisme ne tolère qu'une seule foi. (Je hochai la tête en direction du dossier posé sur les genoux d'Illmann.) Alors, que m'avez-vous apporté ?

– Des photos de la victime numéro 5.

Il me tendit le dossier et entreprit de rouler une cigarette.

– Bon travail, dis-je en feuilletant le dossier. Vous avez un excellent photographe.

– Oui, j'étais sûr que vous apprécieriez. Celle de la gorge est particulièrement intéressante. L'artère carotide droite a presque été tranchée d'un coup de couteau horizontal. Ce qui veut dire que la victime était étendue sur le dos quand elle a été égorgée. La plus grande partie de la plaie est située sur le côté droit de la gorge, ce qui signifie que notre homme est sans doute droitier.

– Ça devait être un sacré couteau, fis-je en examinant la profondeur de la coupure.

– Oui. Il a presque sectionné le larynx. (Il lécha le papier à cigarette.) Ça devait être une lame très tranchante, comme une curette de chirurgien. Cependant, l'épiglotte a été fortement compressée, et j'ai constaté, entre elle et l'œsophage, plusieurs hématomes gros comme des pépins d'orange.

– Elle a donc été étranglée ?

– Très bien, fit Illmann avec un sourire. Mais à moitié étranglée, en réalité. J'ai trouvé une petite quantité de sang dans les poumons, qui étaient en partie gonflés.

– Il l'aurait donc réduite au silence en l'étranglant, puis l'aurait égorgée ?

– Elle a perdu tout son sang, suspendue par les pieds comme un veau à l'abattoir. Pareil que les précédentes. Vous avez une allumette ?

Je lui lançai une pochette sur le bureau.

– Et son petit trésor ? Il l'a baisée ?

– Non seulement baisée, mais abîmée. Ça n'a rien d'étonnant. Je suppose qu'elle était vierge. J'ai même trouvé des marques d'ongle sur la muqueuse. Mais surtout, j'ai découvert des poils pubiens étrangers. Et je ne veux pas dire par là qu'ils ont été importés de Paris.

– Vous avez pu en déterminer la couleur ?

– Brune. Mais ne me demandez pas la nuance exacte, je ne peux pas être plus précis.

– Vous êtes sûr qu'ils n'appartiennent pas à Irma Hanke ?

– Sûr et certain. Ils tranchaient sur sa petite chatte blonde d'Aryenne comme un étron dans un bol de sucre. (Il renversa la tête et cracha un nuage de fumée au plafond.) Vous voulez que j'essaie de le comparer avec ceux de votre dingue de Tchèque ?

– Non, je l'ai relâché ce midi. Il n'a rien à voir là-dedans. Et puis il est blond. (Je feuilletai le rapport d'autopsie.) Autre chose ?

– Oui. (Il tira une bouffée et posa sa cigarette dans le cendrier puis, de sa veste de chasse en tweed, sortit une feuille de journal pliée qu'il étala sur le bureau.) Je voulais vous montrer ceci.

C'était la « une » d'un vieux numéro du *Der Stürmer*, la publication antisémite de Julius Streicher. Un bandeau barrait le coin supérieur gauche, annonçant un « Spécial Meurtres rituels ». La précision était presque superflue. L'illustration aurait été suffisante. Huit jeunes Allemandes, blondes et nues, étaient suspendues la tête en bas avec la gorge tranchée, et leur sang s'écoulait dans un grand calice tenu par la répugnante caricature d'un juif.

– Intéressant, non ? fit-il.

– Streicher publie chaque semaine des cochonneries du même genre. Personne n'y prête attention.

Illmann secoua la tête et reprit sa cigarette dans le cendrier.

– Je ne dis pas qu'il faut le prendre au sérieux, dit-il. Je ne crois pas plus aux meurtres rituels qu'au pacifisme d'Adolf Hitler.

– Sauf qu'il y a ce dessin, n'est-ce pas? (Il acquiesça.) Qui rappelle étrangement la façon dont cinq jeunes Allemandes ont été assassinées.

Il acquiesça une nouvelle fois.

Je lus le commentaire qui accompagnait le dessin : « Les juifs attirent chez eux les Gentils, enfants comme adultes, les tuent et recueillent leur sang. Ils utilisent ensuite ce sang dans leurs cérémonies religieuses (pain azyme) et s'en servent pour pratiquer la magie noire. Ils torturent leurs victimes, surtout les enfants, et pendant ces tortures, ils hurlent des menaces et des malédictions, jettent des sorts aux Gentils. Ces meurtres systématiques ont un nom spécial. On les appelle Meurtres rituels. »

– Suggéreriez-vous que Streicher a quelque chose à voir avec les meurtres?

– Je ne suggère rien du tout, Bernie. J'ai juste pensé que ça valait la peine de vous faire voir ça. (Il haussa les épaules.) Mais pourquoi pas? Après tout, ça ne serait pas le premier Gauleiter de district à commettre un meurtre. Le gouverneur Kube, entre autres, l'a déjà fait à Kurmark.

– On raconte beaucoup de choses sur Streicher, dis-je.

– Dans n'importe quel autre pays, il serait sous les verrous.

– Puis-je garder ça?

– Volontiers. Ça n'est pas le genre de lecture que je laisse traîner dans mon salon. (Il écrasa sa cigarette et se leva pour prendre congé.) Qu'allez-vous faire?

– En ce qui concerne Streicher? Je ne sais pas encore. (Je consultai ma montre.) J'y réfléchirai après l'identification du corps par la famille. Becker va arriver d'une minute à l'autre avec les parents. Nous ferions mieux de descendre à la morgue.

C'est à la suite d'une remarque de Becker que je décidai de raccompagner moi-même les parents Hanke chez eux après que le père eut formellement reconnu la dépouille de sa fille.

– Ce n'est pas la première fois que j'annonce une mauvaise nouvelle à des parents, m'avait-il expliqué. C'est curieux, jusqu'à la dernière minute, ils gardent espoir, ils se raccrochent au moindre signe. Mais au moment où vous leur annoncez la nouvelle, le coup est vraiment dur. En général, la mère s'effondre. Or, les Hanke se sont comportés différemment. C'est difficile à expliquer, commissaire, mais j'ai eu l'impression qu'ils s'y attendaient.

– Après quatre semaines? Allons, ils s'étaient résignés au pire, voilà tout.

Becker fronça les sourcils et passa la main dans ses cheveux en désordre.

– Non, c'était autre chose, dit-il d'une voix lente. Comme s'ils étaient déjà au courant, comme s'ils le savaient. Excusez-moi, commissaire, je ne m'exprime pas très bien. Peut-être que je n'aurais pas dû vous en parler. Peut-être que c'est mon imagination qui me joue des tours.

– Becker, croyez-vous à l'instinct?

– Je pense, oui.

– Voyez-vous, il arrive que ça soit la seule chose qui reste à un flic pour faire progresser l'enquête. Et dans ce cas, il n'a pas d'autre choix que de suivre cet instinct. Un flic qui n'obéit pas de temps en temps à une intuition ne prend jamais de risques. Et on ne résoud jamais d'affaire sans prendre de risques. Vous avez eu raison de m'en parler.

Assis à côté de moi tandis que je roulais vers le sud-ouest pour regagner Steglitz, Herr Hanke, comptable aux établissements AEG de Seestrasse, n'avait pas l'air du tout résigné devant la mort de sa fille unique. Je n'en écartai pas pour autant ce que m'avait dit Becker. J'attendais de pouvoir me forger ma propre opinion.

– Irma était une fille intelligente, soupira Hanke. (Il avait un accent rhénan et la même voix que Goebbels.) Assez intelligente pour suivre ses études et décrocher son Abitur comme elle en avait l'intention. Mais ça n'était pas une grosse tête. Elle se contentait d'être brillante, et jolie avec ça. Elle était bonne en gymnastique. Elle venait d'obtenir la Médaille sportive du Reich et son diplôme de natation. Elle n'a jamais fait de mal à personne. (Sa voix se brisa lorsqu'il ajouta :) Qui l'a tuée, Kommissar ? Qui a pu faire une chose pareille ?

– C'est ce que je veux découvrir, dis-je.

Mais la femme de Hanke, installée sur la banquette arrière, pensait déjà connaître la réponse.

– Vous prétendez ne pas savoir qui a fait ça ? intervint-elle. Ma fille était une militante de la BdM, elle était citée comme parfait exemple du type aryen dans son cours de théorie raciale. Elle connaissait le Horst Wessel par cœur et pouvait citer des pages entières du grand livre du Führer. Alors, vous ne voyez pas ? Qui aurait pu la tuer, elle, une vierge, sinon les juifs ? Qui d'autre que des juifs aurait pu lui faire ce qu'on lui a fait ?

Herr Hanke se retourna et prit la main de sa femme.

– Nous n'en savons rien, Silke, ma chérie, dit-il. N'est-ce pas, Kommissar ?

– Je pense que c'est très peu probable, dis-je.

– Tu vois, Silke ? Le Kommissar n'y croit pas, et moi non plus.

– Je vois ce que je vois, siffla-t-elle. Vous avez tort, tous les deux. C'est aussi évident que le nez au milieu de la figure d'un juif. Qui d'autre que les juifs ? Vous ne voyez pas que c'est évident ?

L'accusation est aussitôt formulée, partout dans le monde, chaque fois qu'on découvre un cadavre portant les marques d'un meurtre rituel. Et chaque fois cette accusation n'est formulée qu'à l'encontre d'une seule catégorie de la population : les juifs. Les mots de l'article du *Stürmer* me revinrent en mémoire et, en écoutant Frau Hanke, je compris qu'elle avait raison, mais d'une manière qu'elle ne soupçonnait pas.

11

Jeudi 22 septembre

Un coup de sifflet retentit, le train s'ébranla puis sortit lentement de la gare Anhalter pour les six heures de trajet jusqu'à Nuremberg. Korsch, le seul autre occupant du compartiment, lisait déjà son journal.

– Merde, fit-il, écoutez ça. Ils disent que le Premier ministre soviétique, Maxim Litvinoff, a déclaré devant la Ligue des Nations à Genève que son gouvernement était résolu à respecter le traité qui le lie à la Tchécoslovaquie, et qu'il proposera une aide militaire aux Tchèques dès que la France le fera. Seigneur, cette fois ça va barder, si on est attaqués sur deux fronts.

J'émis un grognement. Il n'y avait pas plus de chance de voir les Français s'opposer réellement à Hitler que de les voir instaurer la Prohibition. Litvinoff avait choisi ses mots avec soin. Personne ne voulait la guerre. Personne sauf Hitler, bien entendu. Hitler le syphilitique.

Je repensai à une entrevue que j'avais eue le mardi précédent avec Frau Kalau vom Hofe à l'Institut Goering.

– Je vous ai rapporté vos livres, lui avais-je annoncé. Celui du Professor Berg est particulièrement intéressant.

– Je suis heureuse qu'il vous ait plu. Et Baudelaire ?

– J'ai bien aimé, d'autant que ses poèmes pourraient très bien s'appliquer à l'Allemagne d'aujourd'hui. Surtout ceux du *Spleen de Paris*.

– Alors, vous êtes peut-être prêt pour Nietzsche, dit-elle en se redressant sur son siège.

Nous étions dans un bureau lumineux, meublé avec goût et donnant sur le zoo. On entendait piailler les singes au loin.

Elle continuait à sourire. Elle était plus jolie que dans mon souvenir. Je saisis le cadre posé sur son bureau et examinai la photo d'un bel homme accompagné de deux petits garçons.

– Votre famille ?

– Oui.

– Vous devez être une femme très heureuse. (Je reposai la photo encadrée.) Nietzsche, fis-je en changeant de sujet. Je ne sais pas. Je ne suis pas un grand lecteur, vous savez. Je ne trouve jamais le temps. Mais j'ai quand même lu les pages de *Mein Kampf* dont vous m'aviez parlé, à propos des maladies vénériennes. Ça m'a d'ailleurs obligé à trouver une brique pour caler la fenêtre de la salle de bain. (Elle rit.) Mais je crois que vous aviez raison. (Elle voulut parler mais je levai la main.) Je sais, je sais, vous n'avez rien dit. Vous vous êtes contentée de me dire ce qui figurait dans l'ouvrage incomparable du Führer. Vous ne vous livriez pas du tout à une analyse psychologique de l'auteur à travers ses écrits.

– Exact.

Je m'assis et la fixai par-dessus le bureau.

– Mais il serait possible de le faire ?

– Oh oui, tout à fait.

Je lui tendis la « une » du *Stürmer*.

– Même avec ce genre de chose ?

Elle me regarda droit dans les yeux, puis ouvrit un coffret à cigarettes. J'en pris une, lui donnai du feu puis allumai la mienne.

– Est-ce une question officielle ? demanda-t-elle.

– Non, bien sûr que non.

– Alors, je dirais que c'est possible. En fait, je dirais que le *Stürmer* est l'œuvre non pas d'une mais de plusieurs personnalités psychotiques. Les prétendus éditoriaux, ces illustrations de Fino – Dieu seul sait quel effet a ce genre de saletés sur l'esprit des gens.

– Pourriez-vous spéculer un peu ? Sur ces effets, je veux dire.

Ses jolies lèvres firent la moue.

– Difficile à évaluer, dit-elle après un instant de réflexion. Mais il est presque certain qu'à dose régulière, ce genre de littérature peut avoir un effet corrupteur sur des esprits faibles.

– Assez corrupteur pour transformer un homme en assassin ?

– Non, rétorqua-t-elle. Je ne le pense pas. Ça ne pourrait pas transformer un homme normal en assassin. Mais ce genre d'articles et d'illustrations peut avoir un impact sur un homme qui a des prédispositions criminelles. Comme vous l'a enseigné la lecture de Berg, Kürten lui-même reconnaissait que les reportages criminels malsains l'avaient influencé.

Elle croisa les jambes et le crissement de ses bas aiguilla mes pensées vers le haut de ses cuisses, puis vers ses jarretelles, enfin vers le paradis de dentelle que j'imaginai niché là. Mon estomac se serra lorsque je me vis glisser la main sous sa jupe, lorsque que je la vis nue devant moi, continuant à me parler de sa manière brillante. Où exactement commence la corruption ?

– Je vois, dis-je. Et quelle serait votre opinion professionnelle de l'homme qui publie de tels articles ? Je veux parler de Julius Streicher.

– Une haine aussi violente est presque à coup sûr le résultat d'une grande instabilité mentale. (Elle se tut un instant.) Puis-je vous parler en toute confidence ?

– Bien sûr.

– Vous savez que Matthias Goering, le président de cet institut, est le cousin du Premier ministre ?

– Oui, je sais.

– Streicher a écrit beaucoup d'absurdités sur la médecine en général, et sur la psychothérapie en particulier, qu'il considère comme une conspiration juive. À un certain moment, il a failli mettre en danger l'avenir même de la médecine mentale dans ce pays. Le Dr Goering, qui a donc de bonnes raisons de souhaiter que Streicher soit écarté, a procédé à une évaluation psychologique du personnage sur ordre du Premier ministre. Je suis sûre que vous pourriez bénéficier du soutien de cet institut au cas où une enquête impliquant Streicher serait ouverte.

Je hochai lentement la tête.

– Enquêtez-vous sur Streicher ? s'enquit-elle.

– Tout à fait entre nous ?

– Bien sûr.

– Franchement, je ne sais pas. Pour l'instant, disons que je m'intéresse à lui.

– Voulez-vous que je demande au Dr Goering de vous aider ?

Je secouai la tête.

– Par pour le moment. Mais je vous remercie de la proposition. Je m'en souviendrai. (Je me levai et allai à la porte.) Je parie que vous avez une haute opinion du Premier ministre, puisqu'il est le protecteur de cet institut. Est-ce que je me trompe ?

– Il a fait beaucoup pour nous, c'est vrai. Sans son aide je doute que cet institut ait pu exister. Nous l'estimons beaucoup pour cette raison.

– N'allez pas croire que je vous en veux pour ça, vous vous tromperiez. Mais ne vous est-il jamais venu à l'esprit que votre cher protecteur pourrait bien aller chier dans le jardin de quelqu'un d'autre, comme Streicher vient chier dans le vôtre ? Y avez-vous pensé ? Nous vivons dans un quartier dégueulasse et nous continuerons à marcher dans la merde jusqu'à ce que quelqu'un ait la bonne idée d'enfermer les chiens errants dans le chenil municipal. (Sur ce je l'avais saluée en touchant le bord de mon chapeau.) Réfléchissez-y.

Korsch tortillait sa moustache d'un air absent en poursuivant sa lecture. Je suppose qu'il l'avait laissée pousser dans l'espoir qu'elle lui donnerait l'air viril, comme d'autres choisissent la barbe : non parce qu'ils répugnent à se raser – une barbe exige presque autant de soins qu'un visage imberbe – mais parce qu'ils espèrent ainsi imposer le respect. Cependant, la moustache de Korsch, à peine plus marquée qu'un trait de crayon à cils, ne faisait que renforcer la sournoiserie de ses traits. Elle lui donnait l'air d'un maquereau, une impression en réalité trompeuse puisqu'en moins de deux semaines j'avais découvert en lui un collaborateur dynamique et fiable.

Remarquant que je l'observais, il m'informa que le Premier minsitre polonais, Josef Beck, avait exigé une solution au problème de la minorité hongroise de la région tchécoslovaque d'Olsa.

– On dirait une réunion de gangsters, vous ne trouvez pas, commissaire ? Tout le monde veut sa part du gâteau.

– Korsch, répliquai-je, vous avez raté votre vocation. Vous auriez dû être présentateur d'actualités à la radio.

– Excusez-moi, commissaire, fit-il en repliant son journal. Etes-vous déjà allé à Nuremberg ?

– Une fois. Juste après la guerre. Mais je dois dire que je n'apprécie guère les Bavarois. Et vous, vous connaissez ?

– Non, c'est la première fois que j'y vais. Mais je comprends votre réaction à l'égard des Bavarois. Ce stupide conservatisme qu'ils professent. Ça n'a aucun sens, non ? (Pendant quelques instants il regarda défiler la campagne allemande à travers la vitre. Puis il se tourna à nouveau vers moi et demanda :) Pensez-vous vraiment que Streicher soit impliqué dans ces meurtres, commissaire ?

– On ne peut pas dire que les pistes se bousculent dans cette affaire, n'est-ce pas ? Ni que le Gauleiter de Franconie soit un personnage très recommandable. Arthur Nebe m'a même confié que Julius Streicher était l'un des pires criminels du Reich, et qu'il fait déjà l'objet de plusieurs enquêtes. Il m'a bien recommandé de nous adresser directement au président de la police de Nuremberg. Il semble que ce ne soit pas le grand amour entre lui et Streicher. Mais nous devons faire preuve de la plus grande prudence. Streicher règne sur son territoire comme un seigneur de la guerre chinois. Et n'oublions pas qu'il est en excellents termes avec le Führer.

À la gare de Leipzig, le jeune chef d'une compagnie de marine SA s'installa dans le compartiment. Korsch et moi partîmes en quête du wagon-restaurant. À la fin de notre repas, le train était arrêté à Gera, localité proche de la frontière tchécoslovaque, mais en dépit du fait que le jeune SA fût descendu à cet arrêt, nous ne vîmes aucun signe des concentrations de troupes dont nous avions entendu parler. Selon Korsch, la présence en ces lieux d'un sous-officier de marine SA signifiait qu'une attaque amphibie était en préparation, ce qui, décidâmes-nous de concert, était un excellent signe, puisque la frontière était, pour l'essentiel, montagneuse.

Le train pénétra en gare de Nuremberg en début d'après-midi et, une fois dehors, nous prîmes un taxi devant la statue équestre d'un illustre inconnu. Nous roulâmes vers l'est par Frauentorgraben, parallèlement aux remparts de la vieille ville, hauts de sept ou huit mètres et renforcés à intervalles réguliers par de grosses tours carrées. Cet énorme rempart, ainsi que le profond fossé asséché d'une trentaine de mètres de largeur qui l'entoure, distingue le vieux Nuremberg de la nouvelle ville qui s'étend tout autour.

Nous descendîmes au *Deutscher Hof*, l'un des plus anciens et des meilleurs hôtels de la ville. Nos chambres bénéficiaient d'une vue splendide qui nous permettait, par-delà le rempart, d'apercevoir l'enchevêtrement des toits et des cheminées de la vieille ville.

Au début du XVIIIe siècle, Nuremberg était la plus grande ville de l'ancien royaume de Franconie et l'un des principaux centres commerciaux entre l'Allemagne, Venise et l'Orient. Depuis, elle était restée la principale ville industrielle et commerciale du sud de l'Allemagne, mais avait acquis depuis peu une nouvelle importance en tant que capitale du national-socialisme. Chaque année, Nuremberg accueillait les immenses meetings du Parti mis en scène par l'architecte d'Hitler, Albert Speer.

Grâce au sens de l'organisation des nazis, il était inutile de se rendre à Nuremberg pour assister à ces événements orchestrés à grand renfort de publicité, à tel point qu'en septembre les gens s'abstenaient d'aller au cinéma pour ne pas subir les actualités, presque entièrement consacrées à ces meetings monstres.

Jusqu'à cent mille personnes se rassemblaient en effet dans le stade Zeppelin pour agiter leurs petits drapeaux. Comme toutes les villes de Bavière que j'avais eu l'occasion de connaître, Nuremberg n'était pas un endroit très amusant.

Puisque notre rendez-vous avec Martin, le président de la police de Nuremberg, n'était fixé que le lendemain à 10 heures du matin, Korsch et moi passâmes la soirée à chercher un endroit où nous divertir. Il faut dire que c'est l'administration de la Kripo qui réglait nos frais, et cette pensée ravissait Korsch.

– Pas mal du tout ! s'exclama-t-il avec enthousiasme. Non seulement l'Alex nous offre un hôtel chic, mais en plus elle nous paye pour prendre du bon temps !

– Profitons-en, dis-je. Ce n'est pas tous les jours qu'on peut jouer les grosses huiles du Parti. En plus, si Hitler arrive à avoir sa guerre, nous risquons de ne pas retrouver une telle occasion de longtemps.

Beaucoup de cafés de Nuremberg auraient pu passer pour des locaux de corporations artisanales. Ils regorgeaient de reliques militaires et d'antiquités, et leurs murs étaient souvent décorés de vieux tableaux et de souvenirs bizarres accumulés par des générations de propriétaires successifs, mais qui ne présentaient pour nous guère plus d'intérêt qu'un recueil de tables de logarithmes. Ceci mis à part, et il est difficile de dénier ça à la Bavière, la bière était bonne et au *Blaue Flasche* de Hall Platz, où nous dînâmes, la nourriture était encore meilleure.

De retour au *Deutscher Hof*, nous nous rendîmes au bar de l'hôtel pour boire un cognac et là, nous assistâmes à une scène incroyable. L'une des tables d'angle était occupée par un groupe bruyant de trois personnes, déjà ivres, comprenant deux blondes à l'air stupide et un homme qui, avec sa tunique ocre de dirigeant du NSDAP, n'était autre que le Gauleiter de Franconie, Julius Streicher en personne.

Le garçon qui nous apporta nos verres eut un sourire nerveux lorsque nous lui demandâmes confirmation de l'identité du personnage assis dans le coin. Il répondit que c'était bien Streicher, puis s'éloigna rapidement lorsque ce dernier cria qu'on lui apporte une autre bouteille de champagne.

Il n'était pas difficile de comprendre pourquoi Streicher suscitait la crainte. Sans parler de son rang, qui lui conférait une puissance importante, le personnage était bâti comme un lutteur. Avec un cou presque inexistant, un crâne chauve, de petites oreilles, un menton carré et des sourcils à peine marqués, Julius Streicher ressemblait à une version édulcorée de

Benito Mussolini. Son allure agressive était encore accentuée par l'énorme nerf de bœuf posé devant lui comme un long serpent noir.

Il martela la table de son poing, faisant tinter verres et couverts.

– Bon Dieu de bon Dieu ! hurla-t-il à l'adresse du garçon. Qu'est-ce qui faut faire dans cette putain de boîte pour arriver à se faire servir ? On meurt de soif ici. (Il pointa l'index sur un autre serveur.) Toi là-bas, espèce de petit con, je t'avais dit de t'occuper de nous et de nous remplacer la bouteille dès qu'elle était vide. T'es bouché ou quoi ?

Sur quoi, il recommença à marteler la table avec son poing, au grand ravissement de ses deux compagnes dont les couinements de joie parvinrent à faire rire Streicher de sa propre colère.

– À qui vous fait-il penser ? me demanda Korsch.

– À Al Capone, fis-je sans même réfléchir. À vrai dire, ils me rappellent tous Al Capone.

Ma réponse fit glousser Korsch.

Nous sirotâmes nos cognacs tout en observant la scène, à laquelle nous n'aurions jamais espéré assister aussi vite, et vers minuit, il ne restait plus dans la salle que nous et le groupe de Streicher, les autres consommateurs ayant été chassés par les jurons incessants du Gauleiter. Un garçon vint essuyer notre table et vider le cendrier.

– Il est toujours comme ça ? lui demandai-je.

Le garçon eut un rire amer.

– Quoi, ça ? Ce n'est rien, dit-il. Vous auriez dû le voir il y a dix jours, quand les réunions du Parti se sont enfin terminées. Il a foutu un bordel terrible.

– Pourquoi continuez-vous à le servir ? voulut savoir Korsch.

Le garçon le considéra d'un œil plein de commisération.

– Vous plaisantez ou quoi ? Essayez donc de l'empêcher d'entrer. Le *Deutscher* est son bistrot préféré. Il aurait vite trouvé un prétexte pour nous faire fermer si jamais nous refusions de le servir. Et encore, ça pourrait aller beaucoup plus loin. On raconte que de temps en temps, il va fouetter les jeunes détenus dans les cellules du palais de justice de la Furtherstrasse.

– Il ne doit pas faire bon être juif dans cette ville, commenta Korsch.

– Vous l'avez dit, fit le garçon. Le mois dernier, il a entraîné la foule à brûler la synagogue.

À ce moment, Streicher se mit à chanter, marquant le rythme en tapant avec ses couverts sur la table, dont il avait pris la précaution d'ôter la nappe. Le tintamarre accompagnant ce martèlement, l'accent à couper au couteau de Streicher, son ivresse et son incapacité totale à suivre une mélodie, sans parler des cris d'orfraie et des rires de cocottes de ses deux compagnes, nous empêchèrent d'identifier le morceau. Mais nous étions prêts à parier que ça n'était pas une chanson de Kurt Weill, et ce chahut nous chassa dans nos chambres.

Le lendemain matin, nous marchâmes jusqu'à Jakob Platz où, face à une élégante église, se dresse la forteresse édifiée par l'ordre des Chevaliers teutoniques. Son angle sud-est était occupé par l'Elisabeth-Kirche, coiffée d'un dôme, tandis que l'angle sud-ouest, au coin de Schlotfegergasse, qui abritait les anciens casernements, était devenu le quartier-général de la police. C'était à ma connaissance le seul siège de police dans toute l'Allemagne qui disposait de sa propre église catholique.

– Comme ça, ils sont sûrs de vous extorquer une confession, plaisanta Korsch.

Le SS-Obergruppenführer Dr Benno Martin, qu'Heinrich Himmler, entre autres, avait précédé au poste de président de la police de Nuremberg, nous reçut dans son bureau seigneurial du dernier étage. Dans un tel décor, je m'attendais presque à le voir brandir une épée. D'ailleurs, lorsqu'il se tourna de profil, je remarquai une estafilade sur sa joue.

– Comment ça va à Berlin ? s'enquit-il en nous offrant une cigarette de son coffret.

Lui-même utilisait un fume-cigarette en palissandre ressemblant à une pipe puisqu'il maintenait la cigarette verticale.

– Tout est calme, dis-je. Tout le monde retient son souffle.

– Ça se comprend, dit-il en désignant le journal posé sur son bureau. Chamberlain a pris l'avion pour Bad Godesberg. Il doit à nouveau rencontrer le Führer.

Korsch tira le journal vers lui, jeta un coup d'œil à la manchette puis le repoussa.

– On discute beaucoup trop, si vous voulez mon avis, dit Martin.

J'émis un grognement ambigu.

Martin sourit et posa son menton carré dans sa paume.

– J'ai appris par Arthur Nebe qu'un psychopathe se baladait dans les rues de Berlin, violant et égorgeant la fine fleur de la virginité allemande. Il m'a dit aussi que vous vous intéressiez de près au psychopathe le plus dangereux d'Allemagne pour voir si par hasard les deux oiseaux ne marchaient pas main dans la main. Je fais allusion bien sûr à ce sphincter de porc nommé Streicher. Exact?

Je soutins son froid et pénétrant regard. J'étais prêt à parier que le général lui-même n'était pas un enfant de chœur. Nebe avait décrit Benno Martin comme un administrateur de la plus haute efficacité. Pour un chef de police dans l'Allemagne nazie, cela pouvait à peu près tout recouvrir, jusqu'à, et y compris, un Torquemada.

– C'est exact, dis-je en exhibant la une du *Stürmer*. Cette illustration décrit de manière précise la façon dont cinq adolescentes ont été assassinées. À l'exception du juif recueillant le sang dans le calice, bien sûr.

– Bien sûr, dit Martin. Mais vous n'avez pas exclu la possibilité que ces meurtres puissent être le fait des juifs.

– Non, mais...

– Mais c'est le côté théâtral de la mise à mort qui vous fait douter qu'ils puissent être coupables. Exact ?

– Ça et le fait qu'aucune des victimes n'était juive.

– Peut-être que l'assassin préfère des filles plus séduisantes, fit Martin en souriant. Peut-être qu'il préfère les blondes aux yeux bleus à des bâtardes juives dépravées. À moins qu'il s'agisse d'une coïncidence. (Mon étonnement ne lui échappa pas.) Mais vous n'êtes pas du genre à croire aux coïncidences, n'est-ce pas, Kommissar ?

– Pas quand il y a meurtre, non. Là où d'autres voient des coïncidences, je vois des lignes directrices. Ou du moins, j'essaie de les déceler. (Je m'appuyai à mon dossier et croisai les jambes.) Connaissez-vous les travaux de Carl Jung à ce propos ?

Il eut un reniflement de dédain.

– Bon sang, c'est à ça qu'en est arrivée la Kripo ?

– Je pense qu'il aurait fait un excellent policicr, rétorquai-je avec un sourire affable. Si je puis me permettre.

– Epargnez-moi les cours de psychologie, Kommissar, soupira Martin. Dites-moi simplement ce que vous avez découvert comme ligne directrice qui vous a poussé à venir à Nuremberg vous pencher sur le cas de notre bien-aimé Gauleiter ?

– Eh bien voilà, dis-je. Il m'est venu à l'idée que quelqu'un était en train de jouer un vilain tour aux juifs.

Ce fut au tour du général de marquer de l'étonnement.

– Vous vous souciez vraiment de ce qui peut arriver aux juifs ?

– Général, je me soucie surtout de ce qui pourrait arriver aux gamines de quinze ans qui rentreront chez elles ce soir après l'école. (Je tendis à Martin une feuille dactylographiée.) Voici les dates de disparition des cinq victimes. J'aimerais savoir si Streicher ou un de ses collaborateurs était présent à Berlin ces jours-là.

Martin parcourut la feuille.

– Je devrais pouvoir vous renseigner, dit-il. Mais je peux vous dire qu'il est pratiquement devenu *persona non grata* dans la capitale. Hitler l'a relégué ici pour qu'il ne fasse pas de grabuge et ne puisse embêter que des personnes de peu d'importance comme moi-même. Cela ne veut pas dire que Streicher ne se rend pas secrètement à Berlin de temps en temps. J'en ai la preuve. Le Führer apprécie la conversation de Streicher, ce que je ne comprends pas, puisqu'il semble aussi apprécier la mienne.

Se tournant vers la batterie de téléphones installée près du bureau, il appela son adjudant et lui demanda de lui préparer un rapport sur les faits et gestes de Streicher aux dates indiquées.

– J'ai cru également comprendre que vous aviez certaines informations concernant le comportement criminel de Streicher, dis-je.

Martin se leva et se dirigea vers son armoire à dossiers. Avec un ricanement silencieux, il en sortit une chemise de l'épaisseur d'une boîte à chaussures, qu'il posa sur le bureau.

– Je connais à peu près tout de la vie de ce fumier, grogna-t-il. Ses gardes SS travaillent pour moi. Son téléphone est sur écoute et j'ai installé des micros dans tous ses appartements. J'ai même des photographes installés en permanence dans une boutique en face d'un studio où il va voir une prostituée.

Korsch étouffa un juron qui était un mélange d'admiration et de surprise.

– Alors, par où voulez-vous commencer ? Je pourrais consacrer tout un service aux forfaits de ce salopard. Accusations de viol, demandes de reconnaissance de paternité, tabassages d'adolescents avec ce fouet qu'il a toujours avec lui, corruption de fonctionnaires, détournement de fonds du Parti, escroqueries, vols, faux et usage de faux, incendie criminel, extorsion de fonds – ce type est un vrai gangster, messieurs. Un monstre qui terrorise les habitants de cette ville, ne paie jamais ses notes, provoque des faillites et brise la carrière d'honnêtes gens qui ont eu le courage de s'opposer à lui.

– Nous l'avons vu à l'œuvre, dis-je. Hier soir, au *Deutscher Hof.* Il buvait avec deux dames.

Le regard du général exprima une ironie cinglante.

– Des dames. Vous plaisantez, bien sûr. De vulgaires catins, oui. Il les présente comme des actrices, mais ce sont des putes. Streicher contrôle presque toute la prostitution de la ville. (Il ouvrit un classeur à fiches et feuilleta les formulaires de plainte.) Attentats à la pudeur, dégâts criminels, des centaines de plaintes pour tentative de corruption. Streicher considère cette ville comme son royaume et on le laisse faire.

– Les accusations de viol pourraient être intéressantes, dis-je. Pouvez-vous me situer les circonstances ?

– Aucune preuve matérielle. Toutes les victimes ont été intimidées ou achetées. Streicher est très riche, vous savez. En plus de ce qu'il gagne comme gouverneur de district, en monnayant des faveurs et en vendant même certains postes, il gagne une fortune avec le torchon qu'il édite. Le *Stürmer* se vend à un demi-million d'exemplaires, ce qui, à trente pfennigs pièce, représente cent cinquante mille Reichsmarks par semaine. (Korsch émit un sifflement.) Sans compter ce que rapporte la publicité. Vous comprenez qu'avec ça, Streicher peut acheter beaucoup de monde.

– Existe-t-il contre lui des accusations plus graves ?

– S'il a tué quelqu'un, vous voulez dire ?

– Oui.

– Eh bien... oublions les lynchages de quelques juifs ici et là. Streicher aime s'offrir un bon petit pogrom personnel de temps en temps. En plus de toute autre considération, ça lui permet de s'adjuger une part supplémentaire de butin. Oublions aussi la fille qui est morte chez lui suite à l'intervention d'une faiseuse d'anges. Streicher n'est certainement pas le premier officiel du Parti à arranger un avortement illégal. Ça nous laisse deux homicides non élucidés dans lesquels il est peut-être impliqué.

» Le premier concerne le serveur d'une soirée à laquelle Streicher assistait, et qui a choisi ce moment pour se suicider. Un témoin a vu Streicher marcher dans le parc en compagnie du garçon vingt minutes avant que ce dernier ne soit retrouvé noyé dans une mare. Le second décès est celui d'une jeune actrice amie de Streicher dont le corps nu a été retrouvé dans Luitpoldhain Park. Elle avait été fouettée à mort avec une lanière de cuir. J'ai vu son cadavre. Il ne restait pas un centimètre carré de peau intacte.

Il se rassit, apparemment satisfait de l'effet que ces révélations avaient sur Korsch et moi-même. Il ne résista pourtant pas à l'envie d'ajouter quelques détails salaces.

– Et puis il y a la collection pornographique de Streicher, qu'il prétend avec fierté la plus importante de Nuremberg. La vantardise est le péché mignon de Streicher : il se vante du nombre de ses enfants illégitimes, du nombre de rêves érotiques qu'il a faits dans la semaine, combien de garçons il a fouettés tel ou tel jour. Il va jusqu'à mentionner ce genre de détails dans ses discours.

Je secouai la tête et m'entendis soupirer. Comment en était-on arrivé là ? Comment un monstre sadique comme Streicher avait-il pu parvenir à une position de pouvoir presque absolu ? Combien y en avait-il d'autres comme lui ? Mais au fond, le plus surprenant dans tout ceci était ma capacité à être encore surpris par ce qui se passait en Allemagne.

– Et les collaborateurs de Streicher ? demandai-je. Les journalistes du *Stürmer* ? Ses associés ? Si Streicher essaie de mouiller les juifs, il fait peut-être faire le sale boulot par quelqu'un.

Le général Martin fronça les sourcils.

– Oui, mais pourquoi à Berlin ? Pourquoi ne pas le faire ici ?

– Je vois quelques bonnes raisons à ça, dis-je. Quels sont les principaux ennemis de Streicher à Berlin ?

– À l'exception d'Hitler, et peut-être de Goebbels, vous avez l'embarras du choix. (Il haussa les épaules.) Goering est sans doute le plus acharné. Ensuite Himmler, et aussi Heydrich.

– Je m'attendais à cette réponse. Vous tenez là votre première raison. Il est certain que cinq meurtres non élucidés en plein Berlin posent de gros problèmes à au moins deux des pires ennemis de Streicher.

Il hocha la tête.

– Et la deuxième raison ?

– Nuremberg a une longue tradition antisémite, répondis-je. Les pogroms ont toujours été fréquents ici, alors que Berlin est plutôt libérale dans sa façon de traiter les juifs. C'est pourquoi, si Streicher parvient à faire porter le chapeau de ces meurtres à un ou plusieurs membres de la communauté juive de Berlin, les choses se gâteraient aussitôt pour elle. Peut-être même pour les juifs de toute l'Allemagne.

– C'est une hypothèse séduisante, admit Martin en insérant une cigarette dans son curieux instrument. Mais enquêter là-dessus risque de prendre du temps. Je suppose, bien sûr, qu'Heydrich nous fournira tout l'appui de la Gestapo. Car le plus haut niveau de surveillance est justifié, n'est-ce pas, Kommissar ?

– C'est en tout cas ce que j'écrirai dans mon rapport, général.

Le téléphone sonna. Martin décrocha et répondit.

– Berlin, dit-il en me passant le combiné. C'est pour vous.

– Deubel à l'appareil, entendis-je. Une autre fille a disparu.

– Quand ?

– Vers 9 heures hier soir. Blonde, yeux bleus, même âge que les autres.

– Des témoins ?

– Pas pour le moment.

– Nous rentrons par le train de cet après-midi, dis-je. (Je rendis le combiné à Martin avant de l'informer :) Il semble que le tueur ait de nouveau frappé. Une autre adolescente a disparu hier soir, au moment même où Korsch et moi étions au *Deutscher Hof*, en train de fournir un alibi en béton à Streicher.

Martin secoua la tête.

– Ça aurait été trop beau si Streicher avait été absent de Nuremberg à toutes les dates que vous m'avez données. Mais ne vous découragez pas. Nous parviendrons peut-être à établir certaines coïncidences concernant Streicher et ses associés. Des coïncidences qui devraient nous satisfaire, vous et moi. Sans oublier ce Jung dont vous parliez.

12

Samedi 24 septembre

Steglitz est une coquette banlieue de classes moyennes au sud-ouest de Berlin. Les briques rouges de l'hôtel de ville marquent sa limite orientale, tandis qu'à l'ouest, elle bute sur le Jardin botanique. C'est de ce côté-ci, près du Musée botanique et de l'Institut physiologique Planzen, que vivaient Frau Hildegard Steininger et ses deux enfants, Emmeline, 14 ans, et Paul, 10 ans.

Herr Steininger, qui occupait une fonction importante au sein de la banque Privat Kommerz, était décédé dans un accident de voiture. Comme il avait pris soin de s'assurer jusqu'à la racine des cheveux, sa jeune veuve, à l'abri de tout souci financier, avait pu garder leur appartement de six pièces dans Lepsius Strasse.

Situé au troisième et dernier étage d'un bel immeuble, l'appartement comportait un grand balcon à balustrade en fer forgé, auquel on accédait par une porte-fenêtre au cadre peint en brun. Pas moins de trois tabatières inondaient de lumière le vaste salon, meublé et décoré avec goût, que parfumait l'odeur du café que Frau Steininger était en train de préparer.

– Je suis désolé de vous faire raconter à nouveau toute l'histoire, dis-je. Mais je veux être certain que rien ne nous a échappé.

Elle soupira en s'asseyant à la table de la cuisine, ouvrit son sac à main en crocodile et en sortit un étui à cigarettes de même matière. Je lui donnai du feu et vis son beau visage se tendre. Elle parla comme si elle avait répété trop souvent son texte pour jouer son rôle de manière convaincante.

– Chaque jeudi soir, Emmeline se rend à un cours de danse chez Herr Wiechert, à Potsdam. Dans Grosse Weinmeisterstrasse, si vous voulez l'adresse. Le cours commençant à 8 heures, elle part d'ici à 7 heures et va prendre le train à la gare de Steglitz. Le trajet en train dure une demi-heure. Il y a un changement, à Wannsee, je crois. Jeudi dernier à 8 h 10, ne la voyant pas arriver, Herr Wiechert m'a téléphoné pour savoir si Emmeline était malade.

J'emplis deux tasses de café et les posai sur la table avant de m'asseoir face à elle.

– Comme Emmeline n'est jamais en retard, j'ai demandé à Herr Wiechert de me rappeler quand elle arriverait. Il m'a rappelée à 8 heures et demie, et à nouveau à 9 heures. Emmeline n'était toujours pas là. J'ai attendu 9 heures et demie, puis j'ai prévenu la police.

Elle tenait sa tassc d'une main fenne mals elle était visiblement bouleversée. Ses yeux bleus étaient gonflés de larmes, et, glissé dans la manche de sa robe de crêpe bleue, j'aperçus un mouchoir de dentelle détrempé.

– Parlez-moi de votre fille. Est-elle heureuse ?

– Aussi heureuse que peut l'être une adolescente qui vient de perdre son père.

Elle écarta, pour la cinquantième fois peut-être depuis que j'étais là, ses cheveux blonds de son visage, avant de s'absorber dans la contemplation du fond de sa tasse.

– C'était une question stupide, dis-je. Excusez-moi. (Jc sortis mes cigarettes et comblai le silence embarrassé en grattant une allumette et en soufflant bruyamment la fumée.) Elle suit ses études au Paulsen Real Gymnasium, je crois ? Comment cela se passe-t-il ? A-t-elle des problèmes avec ses examens ? Les professeurs ? Pas de brutes qui la harcèlent ?

– Elle n'est peut-être pas la meilleure élève de sa classe, dit Frau Steininger, mais elle est très populaire. Emmeline a des tas d'amis.

– Et la BdM ?

– La quoi ?

– La Ligue des jeunes Allemandes ?

– Ah oui, c'est vrai. Aucun problème non plus de ce côté-là. (Elle haussa les épaules, puis secoua la tête d'un air désespéré.) C'est une enfant tout ce qu'il y a de normal, Kommissar. Emmeline n'est pas du genre à faire une fugue, si c'est à ça que vous pensez.

– Je vous répète que je suis désolé d'avoir à vous poser ces questions, Frau Steininger. Mais je dois vous les poser, je suis sûr que vous comprenez, n'est-ce pas ? Nous devons tout savoir. (Je finis ma tasse et examinai le marc déposé au fond. Il dessinait une coquille Saint-Jacques. Je me demandai ce que cela signifiait.) A-t-elle des amoureux ?

Frau Steininger fronça les sourcils.

– Bon sang, ma fille n'a que 14 ans, rétorqua-t-elle en écrasant sa cigarette.

– Les filles mûrissent plus vite que les garçons. Peut-être même plus vite que nous n'aimerions.

Seigneur, qu'en savais-je ? Ecoutez-le, pensai-je, écoutez l'homme à la nombreuse progéniture.

– Elle ne s'intéresse pas encore aux garçons.

Je haussai les épaules.

– Chère madame, dites-moi quand vous en aurez assez de mes questions, et je vous laisserai tranquille. Je suis sûr que vous avez des tas de choses plus intéressantes à faire que de m'aider à retrouver votre fille.

Elle me fixa pendant une longue minute, puis me présenta ses excuses.

– Puis-je voir la chambre d'Emmeline, je vous prie ?

C'était une chambre normale pour une adolescente de 14 ans, normale tout au moins pour une fille qui fait ses études dans une coûteuse école privée. Une grande affiche annonçant une représentation du *Lac des cygnes* à l'Opéra de Paris était suspendue au-dessus du lit dans un lourd cadre noir, et deux ours en peluche étaient assis côte à côte sur le couvre-lit rose. Je soulevai l'oreiller. Un livre y était dissimulé, un de ces romans à l'eau de rose à dix pfennigs qu'on trouvait à tous les coins de rues. Pas du tout le genre *Emile et les détectives.* Je tendis le livre à Frau Steininger.

– C'est bien ce que je disais : les filles mûrissent vite.

– Vous avez vu les gars du labo? (J'entrai dans mon bureau au moment où Becker en sortait.) Ont-ils découvert quelque chose sur la malle? Ou sur le bout de tissu?

Becker fit demi-tour et rentra.

– La malle vient de chez Turner & Glanz, commissaire. (Il sortit son calepin et ajouta :) Friedrichstrasse, numéro 193a.

– Ça doit être drôlement rupin. Est-ce qu'ils gardent un registre des ventes?

– Malheureusement non, commissaire. Il semble que ce soit un article très demandé, surtout en ce moment, avec tous les juifs qui partent en Amérique. D'après Herr Glanz, ils en vendent trois ou quatre par semaine.

– En voilà un qui ne peut pas se plaindre.

– Quant au rideau, c'est un tissu très courant qu'on trouve partout.

Il se mit à farfouiller dans ma corbeille de courrier.

– Poursuivez, je vous écoute.

– Vous n'avez donc pas lu mon rapport?

– Je vous donne l'impression de l'avoir lu?

– J'ai passé l'après-midi d'hier au lycée d'Emmeline Steininger, le Paulsen Real Gymnasium.

Il retrouva son rapport et l'agita sous mon nez.

– Vous avez dû passer un bon moment, dis-je. Avec toutes ces jeunes filles autour de vous.

– Vous feriez peut-être mieux de le lire, commissaire.

– Epargnez-moi cette corvée.

Becker fit la grimace et consulta sa montre.

– À vrai dire, commissaire, j'étais sur le point de partir. Je dois emmener mes enfants au Luna Park.

– Becker, vous allez devenir aussi impossible que Deubel. À propos, où est-il celui-là? En train de faire du jardinage? Ou des courses avec sa femme?

– Je crois qu'il est avec la mère de la fille disparue, commissaire.

– Je viens de la voir. Mais ça ne fait rien. Dites-moi ce que vous avez découvert, ensuite vous pourrez filer.

Il s'assit sur le rebord de mon bureau et croisa les bras.

– Excusez-moi, commissaire, j'allais oublier de vous dire une chose importante.

– Pas possible ? J'ai l'impression que ça devient une habitude à l'Alex ces temps-ci. Puis-je vous rappeler, au cas où vous l'auriez oublié, que nous menons une enquête criminelle ? Alors bon Dieu, descendez de mon bureau et dites-moi ce qui se passe.

Il sauta à terre et se mit au garde-à-vous.

– Gottfried Bautz est mort, chef. Assassiné, à ce qu'il paraît. Sa logeuse a trouvé son cadavre chez lui tôt ce matin. Korsch a été voir s'il y avait quelque chose d'intéressant pour nous.

Je hochai lentement la tête.

– Je vois. (Je lâchai un juron puis levai les yeux vers Becker. Debout devant mon bureau, raide comme un manche à balai, il était parfaitement ridicule.) Bon sang de bon sang, Becker, asseyez-vous avant que la *rigor mortis* vous gagne et résumez-moi votre rapport.

– Merci, commissaire.

Il tira à lui une chaise, la retourna et s'assit en croisant les bras sur le dossier.

– Deux choses, dit-il. D'abord, beaucoup de camarades de classe d'Emmeline Steininger se rappellent l'avoir entendu dire et répéter qu'elle voulait s'enfuir de chez elle. Il semble qu'elle et sa belle-mère ne s'entendaient pas très bien...

– Sa belle-mère ? J'ignorais ce détail.

– Sa vraie mère est morte il y a une douzaine d'années. Et elle a perdu son père récemment.

– Bon, ensuite ?

Becker fronça les sourcils.

– Vous avez dit qu'il y avait deux choses.

– Ah oui. Une des filles, une juive, s'est souvenue d'un incident survenu il y a deux ou trois mois. Un homme en uniforme, assis dans une voiture, l'a interpellée à la sortie de l'école. Il lui a promis que si elle répondait à quelques questions, il la raccompagnerait chez elle en voiture. Elle s'est approchée et l'homme lui a demandé son nom. Elle a répondu qu'elle s'appelait Sarah Hirsch. L'homme lui a alors demandé si elle était juive, et devant sa réponse affirmative, il a démarré et s'est éloigné sans un mot.

– Vous a-t-elle décrit cet homme ?

Il fit la moue en secouant la tête.

– Elle avait trop peur de parler. J'étais accompagné de deux flics en uniforme et je crois que ça l'a intimidée.

– Compréhensible, non ? Elle a dû penser que vous alliez l'embarquer pour racolage sur la voie publique ou quelque chose comme ça. Elle doit être très brillante pour avoir pu rester au Gymnasium. Pensez-vous qu'elle parlerait en présence de ses parents, et sans hommes en uniforme ?

– J'en suis sûr, chef.

– Alors, je m'en charge. Becker, trouvez-vous que j'ai l'air d'un gentil tonton ? Non, oubliez cette question, ça vaudra mieux.

Becker sourit avec amabilité.

– Bon, ce sera tout. Amusez-vous bien.

– Merci, commissaire.

Il se leva et gagna la porte.

– Euh, Becker...

– Oui, chef ?

– Vous avez fait du bon boulot.

Après son départ, je restai quelques instants le regard dans le vide, souhaitant pouvoir moi aussi aller chercher mes gosses à la maison pour les emmener passer le samedi après-midi à Luna Park. Il me restait pas mal de congés à prendre, mais quand on vit seul, ce genre de choses ne semble pas si important. J'oscillais au bord d'une piscine d'auto-apitoiement quand on frappa à la porte. C'était Korsch.

– Gottfried Bautz a été assassiné, commissaire, dit-il aussitôt.

– Oui, je sais. Becker m'a dit que vous étiez allé y faire un tour. Que s'est-il passé ?

Korsch s'assit sur la chaise que venait de quitter Becker. Il avait l'air plus agité que je ne l'avais jamais vu. Il s'était passé quelque chose qui l'avait mis dans tous ses états.

– Quelqu'un a dû penser que son cerveau manquait d'air, alors on lui a fait un joli trou d'aération. Du beau travail. Juste entre les deux yeux. Le toubib qui était sur place pense que c'était un petit calibre. Sans doute du six millimètres. (Il remua sur sa chaise.) Mais le plus intéressant, commissaire, c'est qu'avant de le tuer on l'a mis KO. Il avait la mâchoire cassée. Et une demi-cigarette dans la bouche. Comme s'il l'avait mordue. (Il se tut un instant pour me laisser le temps d'assimiler la scène.) On a retrouvé l'autre moitié par terre.

– L'uppercut du fumeur.

– On dirait bien, commissaire.

– Pensez-vous à la même chose que moi?

Korsch acquiesça.

– J'en ai bien peur. Mais il y a autre chose. Deubel a toujours un Tom Pouce à six coups dans la poche de sa veste. Il dit que c'est au cas où il perdrait son Walther. Or, un Tom Pouce tire des balles du même calibre que celle qui a tué le Tchèque.

– Vraiment? (Je haussai les sourcils.) Deubel a toujours été convaincu que même s'il n'avait rien à voir avec notre affaire, Bautz aurait dû être mis au trou.

– Il a essayé de persuader Becker de se mettre en cheville avec ses potes des Mœurs pour qu'ils lui collent une Fiche rouge sous un prétexte ou un autre et l'expédient en KZ. Mais Becker a refusé. Il disait qu'on n'avait rien contre lui, même avec le témoignage de la fille qu'il a essayé d'étrangler.

– Très heureux de l'apprendre. Comment se fait-il que personne ne m'ait mis au courant? (Korsch haussa les épaules.) En avez-vous parlé à l'équipe chargée d'enquêter sur la mort de Bautz? Je veux parler de l'uppercut du fumeur de Deubel et de son arme?

– Pas encore, commissaire.

– Alors c'est nous qui allons nous en occuper.

– Que comptez-vous faire?

– Tout dépend s'il a gardé son arme ou pas. Si c'est vous qui aviez refroidi Bautz, quelle aurait été votre premier réflexe ?

– J'aurais confié mon pétard à la première fonderie du coin.

– Exactement. Donc, s'il ne peut pas me montrer son arme, je l'exclus de l'enquête. Je n'ai pas de quoi le traîner devant un tribunal, mais ça sera déjà ça. Je ne veux pas d'assassins dans mon équipe.

Korsch se gratta le nez d'un air songeur, échappant de peu à la tentation d'y fourrer son doigt.

– Avez-vous une idée de l'endroit où se trouve l'inspecteur Deubel ? demandai-je.

– Quelqu'un me cherche ?

Deubel entra d'un pas nonchalant par la porte ouverte. Les écœurantes effluves de bière qui l'environnaient indiquaient sans équivoque d'où il venait. Une cigarette non allumée au coin de sa bouche tordue, il jeta un regard hostile à Korsch, et dégoûté à moi-même. Il était ivre.

– J'étais au café Kerkau, dit-il. (Ses lèvres semblaient refuser de lui obéir.) Mais ça va, ça va. C'est pas grave, je suis pas de service. Je reprends pas avant une heure. Ça ira mieux d'ici là. Vous inquiétez pas pour moi. Je suis assez grand pour m'occuper de moi.

– De quoi d'autre vous êtes-vous occupé ?

Il se redressa comme un pantin dont on aurait soudain tendu les fils.

– J'ai essayé de trouver des témoins à la gare où la fille Steininger a disparu.

– Je ne parlais pas de ça.

– Non ? Eh bien, de quoi vous parliez, Herr Kommissar ?

– Gottfried Bautz a été assassiné.

– Ah ouais ? Ce salaud de Tchèque ? éructa-t-il avec un rire à mi-chemin entre le rot et le crachat.

– On lui a cassé la mâchoire. Il avait une moitié de cigarette dans la bouche.

– Ouais ? Et qu'est-ce que j'ai à voir là-dedans ?

– C'est une de vos petites spécialités, non ? L'uppercut du fumeur. C'est vous-même qui me l'avez dit.

– Le truc est pas breveté, Gunther. (Il tira une longue bouffée de sa cigarette éteinte et étrécit ses yeux troubles.) Vous m'accusez de l'avoir buté ?

– Pouvez-vous me montrer votre arme, inspecteur Deubel ?

Pendant quelques secondes, Deubel me considéra avec un sourire sarcastique, puis glissa son bras vers son étui d'épaule. Derrière lui, Korsch remonta lentement la main vers sa propre arme et garda les doigts sur la crosse jusqu'à ce que Deubel eut posé son Walther PPK sur le bureau. Je le portai à mon nez et reniflai le canon, guettant sur le visage de Deubel un signe montrant qu'il savait que Bautz avait été tué avec une arme d'un calibre beaucoup plus petit.

– Il a arrêté un pruneau ? demanda-t-il.

– Disons plutôt qu'il a été exécuté, dis-je. On lui a tiré une balle entre les deux yeux pendant qu'il était sonné.

– J'en suis navré, fit Deubel en secouant lentement la tête.

– Je ne pense pas.

– Vous pissez contre un mur, Gunther, et vous espérez que ça rejaillira sur mon putain de fute. Bien sûr que j'aimais pas le petit Tchèque, parce que j'aime pas les pervers qui tripotent les gosses ou charcutent des bonnes femmes. Mais ça veut pas dire que je sois mouillé dans cette histoire.

– Il y a un moyen très simple de m'en convaincre.

– Ouais ? Lequel ?

– Montrez-moi le flingue de femme que vous trimbalez toujours sur vous. Le Tom Pouce.

Deubel leva les mains d'un air innocent.

– Quel flingue de femme ? Je trimbale rien de ce genre. Le seul feu que j'ai, c'est celui qui est devant vous.

– Tous ceux qui ont travaillé avec vous savent que vous en avez un autre. Vous vous en êtes assez souvent vanté. Montrez-le moi et l'incident sera clos. En revanche, si vous ne l'avez pas, j'en concluerai que c'est parce que vous vous en êtes débarrassé.

– De quoi vous parlez ? Je vous ai dit que j'avais pas d...

Korsch se leva.

– Allons, Eb. Vous m'avez montré cette arme il y a deux jours à peine. Vous m'avez même dit que vous ne circuliez jamais sans elle.

– Espèce de fumier. Tu prends son parti contre un collègue, hein ? Tu comprends donc pas ? Il est pas des nôtres. C'est un putain d'espion d'Heydrich. Pour lui la Kripo vaut pas un pet de lapin.

– Je ne vois pas les choses de cette façon, rétorqua Korsch avec calme. Alors ? On peut voir cette arme, oui ou non ?

Deubel secoua la tête, puis sourit et braqua son index sur moi.

– Vous pouvez rien prouver. Rien du tout. Vous le savez, pas vrai ?

Je repoussai ma chaise d'un coup de pied et me levai. Je voulais être debout pour dire ce que j'allais dire.

– Peut-être bien. Ça n'empêche que vous êtes déchargé de cette enquête. Je me contrefous de ce qui vous arrive, Deubel, mais pour moi, vous pouvez retourner dans le trou merdeux d'où vous êtes sorti. Je suis difficile dans le choix de mes partenaires. Je n'aime pas les tueurs.

Deubel découvrit un peu plus ses dents jaunâtres. Son sourire ressemblait au clavier d'un très vieux piano désaccordé. Il remonta son pantalon de flanelle, redressa les épaules et avança sa bedaine dans ma direction. Je réprimai à grand peine l'envie de lui expédier mon poing dans l'estomac, mais provoquer une bagarre était sans doute ce qu'il cherchait.

– Vous devriez ouvrir les yeux, Gunther. Descendez donc dans les cellules et les salles d'interrogatoire et voyez ce qui se passe dans ces locaux. Difficile dans le choix de vos partenaires ? Pauvre abruti. Il y a des gens qui sont tabassés à mort là en bas. Sans doute en ce moment même. Vous pensez que quelqu'un va lever le petit doigt pour se préoccuper d'un sale petit pervers ? La morgue en est pleine.

– Quelqu'un doit bien lever le petit doigt, m'entendis-je répondre avec ce qui, même à mes propres yeux, me parut d'une naïveté désespérée. Sinon, ça voudrait dire que nous ne valons pas mieux que les criminels. Je ne peux pas empêcher les autres de porter des chaussures sales, mais je veux que les miennes soient impeccables. Vous savez depuis le début que c'est comme ça que j'entends travailler. Vous avez voulu travailler suivant vos méthodes, les mêmes que celles de la Gestapo : une femme est coupable de sorcellerie si elle flotte à la surface, innocente si elle se noie. Maintenant, disparaissez de ma vue avant que je sois tenté de vérifier si j'ai assez d'influence sur Heydrich pour vous faire virer de la Kripo.

Deubel ricana.

– Pauvre minable, fit-il.

Sur ce, il fusilla Korsch du regard jusqu'à ce que son haleine fétide oblige ce dernier à s'écarter, puis il sortit en titubant.

Korsch secoua la tête.

– Je n'ai jamais aimé ce salaud, fit-il, mais je n'aurais jamais pensé qu'il était capable de...

Il s'interrompit et secoua une nouvelle fois la tête.

Je me laissai retomber sur mon siège et ouvris le tiroir dans lequel je gardais une bouteille.

– Il a malheureusement raison, dis-je en emplissant deux verres. (Je croisai le regard de Korsch et souris avec amertume.) Accuser un flic berlinois de meurtre... (Je ris.) Merde, autant essayer d'arrêter un ivrogne en pleine Fête de la bière à Munich !

13

Dimanche 25 septembre

– Herr Hirsch est-il là ?

Le vieil homme qui m'avait ouvert redressa le torse et acquiesça.

– C'est moi, dit-il.

– Vous êtes le père de Sarah Hirsch ?

– Oui. Et vous, qui êtes-vous ?

Il devait avoir soixante-dix ans passés et était presque chauve, à l'exception d'une collerette de longs cheveux blancs sur la nuque. Pas très grand, voûté, il était difficile d'imaginer que cet homme était le père d'une fille de quinze ans. Je lui montrai ma plaque.

– Police, dis-je. Mais n'ayez aucune crainte. Je ne suis pas là pour vous créer des ennuis. Je veux simplement interroger votre fille. Elle peut peut-être nous aider à identifier un criminel.

Reprenant un peu de ses couleurs, qu'il avait perdues en voyant ma plaque, Herr Hirsch s'effaça et me fit entrer dans un vestibule empli de vases chinois, de bronzes, d'assiettes à motifs bleus et de petites sculptures compliquées en balsa disposées dans des vitrines. J'admirai ces dernières tandis qu'il refermait et verrouillait la porte d'entrée tout en me racontant qu'il avait été marin dans sa jeunesse et avait voyagé dans tout l'Extrême-Orient. Prenant alors conscience de l'odeur appétissante qui flottait dans la maison, je m'excusai et demandai si je ne dérangeais pas la famille en plein repas.

– Nous ne mangerons pas avant un bon moment, répondit le vieil homme. Ma femme et ma fille sont encore à la cuisine.

Il eut un sourire nerveux, sans doute peu habitué à tant de déférence de la part de fonctionnaires officiels, et me conduisit au salon.

– Ainsi, vous voulez parler à ma fille Sarah. Vous dites qu'elle pourrait identifier un criminel.

– C'est exact, répliquai-je. Une condisciple de votre fille a disparu. Il est très possible qu'elle ait été enlevée. En interrogeant ses camarades de classe, un de mes hommes a appris qu'il y a quelques semaines, Sarah avait été abordée par un étrange individu. Je voudrais lui demander de me le décrire. Avec votre permission.

– Mais bien sûr. Je vais la chercher, dit-il avant de quitter la pièce.

De toute évidence, les Hirsch formaient une famille de musiciens. Plusieurs étuis à instruments et quelques pupitres côtoyaient un piano à queue Bechstein d'un noir brillant. Une harpe trônait près de la fenêtre ouvrant sur un vaste jardin, et la plupart des photos de famille exposées sur le buffet comprenaient une jeune fille jouant du violon. Même le tableau accroché au-dessus de la cheminée représentait une scène musicale – un récital de piano, apparemment. J'étais en train de le contempler en essayant de deviner le morceau qu'on y interprétait lorsque Herr Hirsch revint, accompagné de sa femme et de sa fille.

Frau Hirsch était beaucoup plus grande et plus jeune que son mari. Je lui donnai une cinquantaine d'années. C'était une femme mince, élégante, le cou orné d'un collier de perles. Après s'être essuyé les mains sur son tablier, elle saisit sa fille aux épaules comme pour souligner ses droits de mère face aux éventuels abus d'un Etat si ouvertement hostile à sa race.

– Mon mari me dit qu'une des camarades de classe de Sarah a disparu, dit-elle. De qui s'agit-il ?

– D'Emmeline Steininger, dis-je.

Frau Hirsch fit pivoter sa fille vers elle.

– Sarah, fit-elle d'un air de réprimande, pourquoi ne nous en as-tu pas parlé ?

Sarah était une adolescente boulotte mais attirante et pleine de vie, aussi éloignée que possible du stéréotype raciste du juif selon Streicher puisqu'elle était blonde aux yeux bleus. Comme un poney têtu, elle eut un hochement impatient de la tête.

– Elle a fait une fugue, c'est tout. Elle disait toujours qu'elle voulait partir. Et puis de toute façon, ça m'est égal, ce qui lui arrive. Emmeline n'est pas une de mes amies. Elle n'arrête pas de déblatérer sur les juifs. Je la déteste, et je me fiche que son père soit mort.

– Ça suffit ! lui intima Herr Hirsch qui ne devait pas avoir envie d'en entendre plus sur les pères décédés. Peu importe ce que cette fille raconte. Si tu sais quelque chose susceptible d'aider le Kommissar, dis-le-lui. C'est compris ?

Sarah fit la moue.

– Oui, papa, rétorqua-t-elle en étouffant un bâillement.

Elle se laissa tomber dans un fauteuil.

– Voyons, Sarah, fit sa mère. (Elle m'adressa un sourire nerveux.) Excusez-moi, Kommissar, elle n'est pas comme ça d'habitude.

– Ne vous inquiétez pas, fis-je en m'asseyant sur le repose-pieds devant le fauteuil. Sarah, vendredi dernier, un de mes collaborateurs t'a interrogée et tu lui as dit que tu avais vu un homme rôder autour de l'école il y a environ deux mois, c'est bien ça ? (Elle acquiesça.) J'aimerais que tu me dises tout ce dont tu te souviens.

Elle mordilla un moment son ongle, puis l'examina avec soin.

– Ça fait un bout de temps, dit-elle enfin.

– Le moindre détail pourrait nous aider. L'heure qu'il était, par exemple.

Je sortis mon calepin et le posai sur ma cuisse.

– C'était après les cours. À la sortie. (Elle releva le menton.) C'est là que j'ai vu cette voiture arrêtée devant l'école.

– Quel genre de voiture ?

Elle haussa les épaules.

– Je ne connais pas les marques ni les modèles, mais c'était une grosse voiture noire avec un chauffeur.

– Est-ce lui qui t'a adressé la parole ?

– Non, il y avait un autre homme assis à l'arrière. J'ai cru que c'étaient des policiers. L'homme assis derrière m'a appelée par la vitre ouverte au moment où je franchissais la grille. J'étais seule, comme d'habitude. Presque toutes les autres filles étaient déjà sorties. Il m'a dit d'approcher, et quand j'ai été près de la voiture, il m'a dit que j'étais...

Elle se tut et rougit.

– Continue, dis-je.

– ... que j'étais très jolie et qu'il était sûr que mon père et ma mère étaient très fiers d'avoir une fille comme moi. (Elle jeta un regard embarrassé à ses parents.) Je n'invente rien, dit-elle d'un air presque amusé. Je vous jure que c'est ce qu'il a dit.

– Je te crois, Sarah, dis-je. Qu'a-t-il dit d'autre ?

– Il a demandé à son chauffeur s'il ne trouvait pas que j'étais un bel exemple de jeunesse allemande ou une idiotie de ce genre. (Elle rit.) C'était très drôle. (Sur un regard de son père qui m'échappa, elle reprit son sérieux.) Enfin, c'était quelque chose comme ça. Je ne me souviens pas exactement.

– Le chauffeur lui a-t-il répondu ?

– Il a dit à son patron qu'ils pourraient me raccompagner chez moi. Celui à l'arrière m'a demandé si ça me ferait plaisir. J'ai répondu que je n'étais jamais montée dans une aussi grosse voiture et que ça me plairait bien...

Le père de Sarah émit un bruyant soupir.

– Combien de fois t'ai-je répété, Sarah, de ne jamais...

– Si ça ne vous fait rien, monsieur, l'interrompis-je d'un ton ferme, vous réglerez ça plus tard. (Je me retournai vers Sarah.) Et ensuite, que s'est-il passé ?

– L'homme a dit que si je répondais correctement à quelques questions, il me ramènerait chez moi, comme une vraie star de cinéma. Il m'a d'abord demandé comment je m'appelais, et quand je lui ai dit mon nom, il m'a regardé d'un drôle d'air, comme s'il était choqué. Il m'a demandé si j'étais juive. J'ai failli lui dire que non, juste pour m'amuser. Mais j'ai eu peur qu'il apprenne la vérité et me fasse des ennuis, alors je lui ai dit que oui. Il s'est appuyé contre son dossier et il a dit à son chauffeur de démarrer. Sans m'adresser un seul mot de plus. C'était très étrange. J'ai eu l'impression qu'il disparaissait comme par enchantement.

– C'est très bien, Sarah. Maintenant dis-moi : tout-à-l'heure tu as dit que tu avais pris ces deux hommes pour des policiers. Etaient-ils en uniforme ?

Elle acquiesça d'un air hésitant.

– Commençons par la couleur de ces uniformes.

– Ils étaient verts. Comme ceux des policiers, mais plus sombres.

– Et leurs casquettes ? Est-ce qu'elles ressemblaient à celles des policiers ?

– Non, c'étaient des casquettes à visière, comme celles des officiers. Papa a été officier dans la marine.

– Tu te rappelles autre chose ? Des médailles, des décorations, des insignes de col ? Rien de tout ça ? (Elle continua de secouer la tête.) Bon. Revenons à l'homme qui t'a parlé. À quoi ressemblait-il ?

Sarah plissa les lèvres, tortilla une mèche de cheveux puis jeta un regard à son père.

– Il était plus âgé que le chauffeur, dit-elle. Entre 55 et 60 ans, je dirais. Gros, pas beaucoup de cheveux, ou alors coupés très court, et une petite moustache.

– Et l'autre ?

Elle haussa les épaules.

– Plus jeune. Le teint pâle. Blond. Je ne me rappelle pas bien de lui.

– Décris-moi la voix de l'homme assis à l'arrière.

– Son accent, vous voulez dire ?

– Oui, si tu t'en souviens.

– Je ne suis pas très sûre, dit-elle. C'est difficile de reconnaître un accent. Je remarque un accent mais je n'arrive pas toujours à dire d'où vient la personne. (Elle soupira et fronça les sourcils en se concentrant.) Ça pourrait être un accent autrichien. Ou bavarois. Vous savez, un peu vieillot.

– Autrichien ou bavarois, répétai-je en inscrivant les deux mots dans mon calepin.

Je faillis souligner le second mais me ravisai. Il était inutile de le privilégier, même si « bavarois » me convenait mieux. Je me tus et attendis, pour poser ma dernière question, d'être sûr qu'elle n'avait plus rien à ajouter.

– À présent, Sarah, je vais te demander de bien réfléchir. Tu es debout près de la voiture. Par la vitre ouverte, tu vois l'intérieur de l'habitacle. En dehors de l'homme à la moustache, que vois-tu d'autre ?

Elle ferma les yeux en se passant la langue sur la lèvre inférieure et parvint à se remémorer un dernier détail.

– Des cigarettes, dit-elle au bout d'une minute. Pas comme celles de Papa. (Elle ouvrit les yeux et me regarda.) Elles avaient une drôle d'odeur. Forte et sucrée. Comme du laurier ou de la marjolaine.

Je relus mes notes et, quand je sentis qu'elle n'avait plus rien à dire, je me levai.

– Merci Sarah. Tu m'as été très utile.

– C'est vrai ? fit-elle avec un plaisir évident. Je vous ai vraiment aidé ?

– Je t'assure que oui.

Nous sourîmes tous les quatre, oubliant pendant quelques instants qui et quoi nous étions.

En repartant en voiture de chez les Hirsch, je me demandai s'ils avaient compris que pour une fois la race de Sarah avait joué en sa faveur – qu'être juive lui avait sans doute sauvé la vie.

J'étais satisfait de ce que j'avais appris. Sa description de l'inconnu qui l'avait abordée était le premier indice concret à nous mettre sous la dent. D'autre part, ce qu'elle avait dit de son accent recoupait ce qu'en avait dit Tanker, le sergent de permanence qui avait reçu l'appel anonyme à propos de la malle. Mais surtout, ces informations m'obligeaient à recontacter le général Martin à Nuremberg pour lui demander les dates auxquelles Streicher s'était rendu à Berlin.

14

Lundi 26 septembre

Par la fenêtre de mon appartement donnant sur l'arrière des immeubles voisins, j'aperçus plusieurs familles rassemblées dans leur salon autour d'un poste de radio. Par la fenêtre de façade, je constatai que Fasanenstrasse était déserte. Je regagnai le salon et me servis un verre. À travers le plancher me parvenait le son de la musique classique diffusée par la radio de la pension occupant l'étage inférieur. Les discours des responsables du Parti étaient toujours précédés et suivis d'un petit morceau de Beethoven. Comme je dis souvent, plus le tableau est moche, plus le cadre est somptueux.

D'habitude, je n'écoute pas les émissions du Parti. Je leur préfère le son de mes pets. Mais celle de ce soir-là était spéciale. Le Führer devait prononcer un discours au Sportpalast de Potsdamerstrasse, et l'on disait qu'il allait dévoiler ses intentions réelles à l'égard de la Tchécoslovaquie et des territoires sudètes.

Personnellement, j'en étais arrivé depuis longtemps à la conclusion qu'Hitler trompait tout le monde depuis des années avec ses déclarations pacifistes. Et j'avais vu assez de westerns pour savoir que lorsque le type au chapeau noir cherche querelle au petit malingre debout au bar à côté de lui, c'est en réalité le shériff qu'il veut provoquer. Dans ce cas particulier, le shériff était français, et il était évident qu'il n'avait pas la moindre intention de faire quoi que ce soit, hormis s'enfermer dans son bureau en se répétant que les détonations qu'il entendait dehors n'étaient que des explosions de pétards.

Espérant me tromper, j'allumai la radio et, comme 75 millions d'autres Allemands, j'attendis de savoir quel sort on me réservait.

Beaucoup de femmes disent que si Goebbels ne fait que séduire, Hitler, lui, fascine. Il m'est difficile de juger, mais il est impossible de nier l'effet hypnotique que semblent avoir les discours du Führer sur la population. En tout cas, la foule rassemblée au Sportspalast avait l'air d'apprécier. Mais il aurait fallu être sur place pour apprécier pleinement l'ambiance. Comme pour visiter un champ d'épandage.

Mais pour ceux qui, comme moi, écoutaient chez eux la retransmission du discours, il n'y avait rien à apprécier, aucun espoir auquel se raccrocher dans ce que disait le champion des rongeurs de tapis[1]. Hormis le terrible sentiment que nous étions encore plus proches de la guerre que la veille.

Mardi 27 septembre

Dans l'après-midi eut lieu un défilé militaire sur Unter den Linden, avec des troupes plus prêtes à la guerre que tout ce qu'on avait pu voir jusqu'alors dans les rues de Berlin. Il s'agissait d'une division motorisée en tenue de campagne[2]. Pourtant, à ma stupéfaction, il n'y eut ni vivats, ni saluts, ni drapeaux brandis. La volonté belliqueuse d'Hitler était dans toutes les têtes, et en voyant passer les troupes, les gens détournaient les yeux et s'éloignaient.

Plus tard ce même jour, lors de ma rencontre avec Arthur Nebe, qui eut lieu à ma demande en dehors de l'Alex, dans les bureaux de Gunther & Stahlecker, Détectives privés – le peintre en lettres n'avait pas encore redonné à la plaque son énoncé originel –, je rapportai à Nebe ce que j'avais vu du défilé. Il éclata de rire.

– Que diriez-vous, déclara-t-il, si je vous confiais que la division que vous avez vue sera peut-être celle qui libérera ce pays ?

– Vous voulez dire que l'armée prépare un putsch ?

– Tout ce que je peux vous dire, c'est que des officiers supérieurs de la Wehrmacht ont pris des contacts avec le Premier ministre britannique. Dès que les Anglais en donneront l'ordre, l'armée investira Berlin et Hitler sera traîné devant les tribunaux.

1. Le 21 septembre, lors d'une rencontre à Bad Godesberg avec Chamberlain, organisée pour tenter de régler la crise des Sudètes, qui atteignait alors son paroxysme, Hitler se livra lors des négociations à des crises de colère si pathologiques que Chamberlain lui-même commença à douter de sa santé mentale. Un des proches collaborateurs d'Hitler confia que le Führer était si furieux qu'il en «rongeait le tapis». Cette expression allemande fut comprise au pied de la lettre et reprise telle quelle par les correspondants de presse occidentaux. (NdT, d'après John Toland, *Adolf Hitler*, T. 1, p. 491, éd. Pygmalion, Paris, 1978)

2. En réalité, cette division traversa Berlin le mercredi 28 septembre en fin d'après-midi. (NdT)

– Pour quand l'opération est-elle prévue ?

– Dès qu'Hitler envahira la Tchécoslovaquie, l'Angleterre lui déclarera la guerre. C'est alors que notre heure sonnera, Bernie. Ne vous avais-je pas dit que la Kripo aurait un jour besoin de gens comme vous ?

Je hochai lentement la tête.

– Chamberlain a pourtant négocié avec Hitler, non ?

– C'est la manière anglaise, discuter, faire preuve de diplomatie. Ils auraient le sentiment de ne pas jouer le jeu s'ils ne négociaient pas.

– Tout de même, c'est bien qu'il pense qu'Hitler signera un traité. Et surtout, que Chamberlain et Daladier eux-mêmes sont prêts à signer.

– Hitler ne lâchera pas les territoires sudètes, Bernie. Et les Britanniques ne pourront faire autrement que de respecter leur alliance avec les Tchèques.

Je me dirigeai vers le bar et nous servis deux verres.

– Si les Français et les Anglais avaient vraiment l'intention de respecter leurs alliances, il n'y aurait rien à discuter, dis-je en tendant son verre à Nebe. Si vous voulez mon avis, ils font le boulot d'Hitler à sa place.

– Mon Dieu, que vous êtes pessimiste !

– Peut-être, mais laissez-moi vous poser une question. Avez-vous déjà été placé dans la situation d'avoir à affronter quelqu'un avec lequel vous n'aviez pas envie de vous battre ? Quelqu'un de plus fort que vous, par exemple. Vous ne voulez pas vous battre soit parce que vous être sûr de prendre une raclée, soit parce que vous manquez d'estomac. Dans les deux cas vous allez essayer de discuter pour vous sortir de la situation. Croyez-moi, celui qui parle beaucoup n'a aucune intention de se battre.

– Sauf que nous ne sommes pas plus forts que les Anglais et les Français.

– Peut-être, mais ils manquent d'estomac.

Nebe leva son verre.

– Alors, buvons à l'estomac anglais.

– À l'estomac anglais.

Mercredi 28 septembre

– Le général Martin nous envoie les renseignements demandés à propos de Streicher, commissaire, dit Korsch en parcourant la dépêche qu'il tenait. Streicher aurait été présent à Berlin au moins deux fois sur les cinq dates en question. Sur les trois restantes, il y en a deux pour lesquelles Martin n'a aucune idée de l'endroit où se trouvait Streicher.

– Voilà qui devrait lui rabattre le caquet sur ses espions.

– Il précise aussi qu'un des jours indiqués, on a vu Streicher revenir de l'aérodrome Furth de Nuremberg.

– Combien dure le vol Berlin-Nuremberg?

– Deux heures tout au plus. Voulez-vous que je me renseigne à l'aéroport de Tempelhof?

– J'ai une meilleure idée. Allez voir les types de la propagande au Muratti. Demandez-leur de vous donner une photo de Streicher. Ou plutôt, demandez la photo de tous les Gauleiter, ça sera plus discret. Dites que c'est pour les services de sécurité de la Chancellerie du Reich, ça fait toujours bon effet. Ensuite vous irez montrer la photo de Streicher à la fille Hirsch, pour voir si elle reconnaît en lui le type à la voiture noire.

– Et si c'est le cas?

– Si c'est le cas, vous et moi n'allons pas tarder à découvrir que nous nous sommes fait des tas d'amis. À une exception notable près.

– C'est bien ce que je craignais.

Jeudi 29 septembre

Chamberlain retourna à Munich. Il voulait discuter. Le shériff vint aussi, mais il semblait bien décidé à détourner les yeux quand on commencerait à tirer. Mussolini fit reluire sa ceinture et son crâne et accourut pour offrir son soutien à son allié spirituel.

Pendant que ces importants personnages effectuaient leurs allées et venues, une jeune fille, pion dérisoire dans la stratégie générale, disparut alors qu'elle faisait les courses pour sa famille.

Le marché Moabit était installé au coin de Bremerstrasse et d'Arminius Strasse, dans un vaste bâtiment de brique rouge de la taille d'un entrepôt. C'est là que la classe ouvrière de Moabit – c'est-à-dire la quasi totalité de la population du quartier – achetait son fromage, son poisson, sa charcuterie et ses légumes frais. Il y avait même quelques comptoirs où l'on pouvait boire une bière en mangeant une saucisse. L'endroit, pourvu d'au moins six entrées et sorties, était toujours très animé. On n'y flânait guère. Toujours pressés, les gens n'avaient pas le temps de reluquer des choses qu'ils ne pouvaient s'offrir; et puis de toute façon, ce genre de marchandises n'existait pas à Moabit. C'est pourquoi mes vêtements et ma démarche posée tranchaient sur le décor.

Nous savions que Liza Ganz avait disparu dans ce marché parce qu'un poissonnier avait trouvé un sac à provisions que la mère de Liza avait reconnu comme sien.

À part ça, personne n'avait rien vu. À Moabit, on ne vous prête aucune attention, sauf si vous êtes un policier à la recherche d'une fille disparue, et encore, ça n'est que par simple curiosité.

Vendredi 30 septembre

L'après-midi, je fus convoqué au siège de la Gestapo dans Prinz Albrecht Strasse.

Au-dessus de l'entrée principale, j'examinai, juchée sur une volute de la taille d'une roue de camion, la statue d'une femme brodant. Deux chérubins voletaient autour de sa tête, l'un se grattant le crâne, l'autre arborant une expression de profonde perplexité. Pour moi, ils devaient se demander pour quelle raison la Gestapo avait choisi de s'installer dans ce bâtiment. Car à bien y regarder, l'école d'art auparavant installée au numéro 8 de la Prinz Albrecht Strasse et la Gestapo, qui l'occupait à présent, n'avaient pas grand-chose de commun si ce n'est, comme le disait une plaisanterie fort répandue, qu'on savait vous y arranger le portrait. Ce jour-là, pourtant, je me demandais surtout pourquoi Heydrich m'avait fait venir là au lieu de me convoquer au Prinz Albrecht Palais, dans la Wilhelmstrasse voisine. J'étais persuadé qu'il avait ses raisons. Heydrich ne faisait jamais rien sans raison, et j'étais sûr que celle qu'il invoquerait me déplairait autant que toutes celles dont j'avais entendu parler.

Après la porte principale, il fallait se soumettre à un contrôle de sécurité, après quoi vous vous retrouviez au pied d'un escalier de la taille d'un aqueduc, qui donnait accès à un long couloir voûté faisant office de salle d'attente et doté de trois fenêtres en ogive au travers desquelles aurait pu passer une locomotive. En dessous de chaque fenêtre était installé un banc en bois semblable à ceux des églises, et c'est là que, comme on me l'ordonna, j'attendis.

Les bustes d'Hitler et de Goering étaient posés sur des socles disposés entre les fenêtres. Je fus surpris de constater qu'Himmler tolérait la tête du Gros Hermann dans ces locaux, sachant à quel point les deux hommes se haïssaient. Etait-ce par pur amour de l'art ? Autant parier que sa femme était la fille du Grand Rabbin.

Au bout d'une heure, Heydrich émergea de la double porte qui me faisait face. Il portait une serviette et congédia le capitaine SS qui l'accompagnait dès qu'il m'aperçut.

– Kommissar Gunther, dit-il en semblant trouver amusant l'énoncé de mon grade. (Il m'entraîna le long de la galerie.) Allons dans le jardin, comme l'autre fois. Cela ne vous ennuie pas de me raccompagner à la Wilhelmstrasse ?

Nous franchîmes une porte voûtée puis gagnâmes, par un autre escalier monumental, la fameuse aile sud dont les anciens ateliers de sculpteurs servaient aujourd'hui de cellules à la Gestapo. Je les connaissais fort bien pour y avoir été brièvement détenu autrefois, et ne pus réprimer un soupir de soulagement lorsque, après avoir franchi une dernière porte, nous nous retrouvâmes à l'air libre. Avec Heydrich, il fallait s'attendre à tout.

Une fois dehors, il s'immobilisa et consulta sa Rolex. Je voulus dire quelque chose, mais il leva l'index et, d'un air de conspirateur, l'appliqua sur ses lèvres fines. Nous restâmes ainsi quelques instants, attendant je ne savais quoi.

Au bout d'environ une minute, une volée de coups de feu retentit, dont l'écho se perdit dans les jardins. Puis il y eut une deuxième volée ; puis une troisième. Heydrich consulta de nouveau sa montre, hocha la tête et sourit.

– Nous pouvons y aller, dit-il en faisant crisser le gravier sous ses pas.

– Etait-ce une leçon à mon intention ? m'enquis-je en sachant bien que c'était le cas.

– Le peloton d'exécution ? fit-il en souriant. Non, non, Kommissar Gunther. Vous avez trop d'imagination. Et puis je crois que vous n'avez besoin d'aucune leçon sur le pouvoir. Non, c'est juste que je suis très strict sur la ponctualité. Des rois, on dit que la ponctualité est une vertu, mais quand il s'agit d'un policier, c'est simplement le signe de son efficacité administrative. Après tout, si le Führer est capable de faire partir les trains à l'heure, le moins que je puisse faire est de m'assurer que quelques prêtres sont liquidés à l'heure prévue.

C'était bien une leçon, après tout. La manière particulière d'Heydrich de me faire comprendre qu'il était au courant de mes divergences de vues avec le Sturmbahnführer Roth du IV B1.

– On ne fusille donc plus à l'aube ?

– Les voisins se sont plaints.

– Vous avez dit qu'il s'agissait de prêtres ?

– L'église catholique représente une menace de complot international aussi dangereuse que le bolchévisme ou le judaïsme, Gunther. Martin Luther a entrepris une Réforme, le Führer en réalisera une autre. Il mettra fin à l'autorité du pape sur les catholiques allemands, que les prêtres soient d'accord ou pas. Mais ceci est une autre histoire. Laissons-la à ceux qui sont chargés de sa mise en œuvre.

» Pour en venir au problème qui me préoccupe, sachez que Goebbels et ses gratte-papier du Muratti font pression pour qu'on rende publique l'enquête dont vous avez la charge. Je ne sais combien de temps encore je pourrai les faire tenir tranquille.

– Général, dis-je en allumant une cigarette, lorsqu'on m'a confié cette enquête, je n'étais pas favorable à un black-out dans la presse. Mais aujourd'hui, je suis convaincu que depuis le début, la publicité est exactement ce que recherche l'assassin.

– Oui, Nebe m'a dit que selon vous, il pourrait s'agir d'une machination organisée par Streicher et ses acolytes dans le but de déclencher un pogrom contre la population juive de Berlin.

– Général, l'idée peut paraître farfelue quand on ne connaît pas Streicher.

Heydrich s'immobilisa, enfonça les mains dans ses poches et secoua la tête.

– Rien ne pourrait me surprendre de la part de ce porc bavarois, déclara-t-il. (Il voulut frapper un pigeon du bout de sa botte et le manqua.) Dites-m'en un peu plus.

– Une adolescente a reconnu Streicher sur photo comme pouvant être l'homme qui l'a abordée devant l'école où une autre fille a disparu la semaine dernière. Elle dit que l'accent de l'inconnu pourrait être bavarois. Or le sergent de permanence qui a reçu l'appel anonyme nous indiquant où trouver la malle contenant le cadavre d'une autre adolescente a déclaré que son correspondant avait un accent bavarois.

» Ensuite, il y a le mobile. Le mois dernier, les habitants de Nuremberg ont brûlé la synagogue de la ville. Mais ici à Berlin il n'y a eu que quelques bris de glace et agressions de juifs. Streicher aimerait bien qu'il arrive aux juifs de Berlin la même chose qu'à Nuremberg.

» Par ailleurs, l'obsession que manifeste le *Stürmer* à l'égard des meurtres rituels m'a amené à effectuer certains rapprochements avec le *modus operandi* de l'assassin. Quand vous ajoutez tous ces éléments à la réputation de Streicher, l'hypothèse devient plausible.

Accélérant le pas, Heydrich me devança, les bras tendus le long du corps comme s'il faisait une démonstration à l'école d'équitation de Vienne, puis il pivota sur les talons et me fit face. Il arborait un sourire enthousiaste.

– Je connais quelqu'un qui serait ravi d'assister à la chute de Streicher, dit-il. Ce bâtard a prononcé des discours où il accusait presque ouvertement le Premier ministre d'être impuissant. Vous imaginez la fureur de Goering. Mais pour l'instant, vous n'avez rien de solide, n'est-ce pas?

– Non. D'abord, parce que la fille qui pourrait témoigner est juive. (Heydrich grogna.) Quant au reste, il ne s'agit encore que de conjectures.

– Peut-être, mais votre hypothèse me plaît, Gunther. Elle me plaît beaucoup.

– Puis-je me permettre de vous rappeler, général, qu'il m'a fallu six mois pour arrêter Gormann l'Etrangleur et que cela ne fait pas un mois que je travaille sur cette affaire?

– Malheureusement, nous n'avons pas six mois devant nous. Donnez-moi très vite un début de preuve, si minime soit-il. Cela me permettra de calmer Goebbels. Mais il me faut quelque chose, Gunther, et vite. Vous avez encore un mois, six semaines au maximum. Me fais-je bien comprendre?

– Oui, général.

– Que puis-je pour vous aider?

– Faire surveiller Julius Streicher par la Gestapo vingt-quatre heures sur vingt-quatre, dis-je. Et enquêter avec discrétion, mais de manière approfondie, sur ses activités financières et ses associés.

Heydrich croisa les bras et prit son long menton entre ses doigts.

– Il faudra que j'en parle à Himmler. Mais il ne devrait pas y avoir de problème. Le Reichsführer déteste presque autant la corruption que les juifs.

– Voilà qui est réconfortant, mon général.

Nous poursuivîmes notre chemin en direction de Prinz Albrecht Palais.

– À propos, reprit-il alors que nous approchions de ses quartiers, je viens de recevoir une nouvelle importante pour nous tous. Les Français et les Britanniques ont signé un accord à Munich. Le Führer a obtenù les territoires sudètes. (Il secoua la tête.) Un vrai miracle, n'est-ce pas ?

– Oui, en effet, marmonnai-je.

– Quoi, vous ne comprenez donc pas ? Ça veut dire qu'il n'y aura pas de guerre. En tout cas, pas pour l'instant.

J'eus un sourire embarrassé.

– Oui, c'est une très bonne nouvelle, dis-je.

J'avais trop bien compris, au contraire. S'il n'y avait pas de guerre, il n'y aurait pas de signal de la part des Anglais. Et sans signal, il n'y aurait pas de putsch militaire en Allemagne.

SECONDE PARTIE

15

Lundi 17 octobre

La famille Ganz, ou plutôt ce qu'il en restait après qu'un nouvel appel anonyme à l'Alex nous eût informés de l'endroit où nous trouverions le corps de Liza Ganz, la famille, donc, vivait au sud de Wittenau, dans un petit appartement de Birkenstrasse, juste derrière l'hôpital Robert Koch, où Frau Ganz était infirmière. Herr Ganz, greffier au tribunal du district de Moabit, travaillait lui aussi non loin du foyer familial.

Selon Becker, les deux époux, proches de la quarantaine, consacraient le plus clair de leur temps à leur travail, de sorte que Liza Ganz se retrouvait souvent seule. Elle n'avait pourtant jamais été abandonnée dans les conditions où je venais de la voir, allongée nue sur une plaque de marbre de l'Alex, aux mains d'un homme qui recousait les parties de son corps qu'il avait jugé bon d'ouvrir afin de tout savoir d'elle, depuis l'état de sa virginité jusqu'à la composition de son contenu gastrique. C'est pourtant ce qu'on avait retrouvé dans sa bouche, plus facile d'accès, qui avait confirmé ce que je commençais à soupçonner.

– Qu'est-ce qui vous y a fait penser? m'avait demandé Illmann.

– Tout le monde n'est pas aussi habile que vous à rouler ses cigarettes, Professor. Il reste souvent un brin de tabac sur la langue ou derrière la lèvre. Quand la petite juive qui a vu notre homme m'a dit qu'il fumait des cigarettes au goût de laurier ou de marjolaine, j'ai aussitôt pensé au haschich. C'est sans doute comme ça qu'il peut les embarquer si facilement. Il fait mine de les traiter comme des adultes en leur offrant une cigarette, sauf que ce sont des cigarettes spéciales.

Illmann avait secoué la tête avec une mimique étonnée.

– Et dire que je n'y avais pas pensé. Je dois vieillir.

Becker claqua la portière de la voiture et me rejoignit sur le trottoir. L'appartement était situé au-dessus d'une pharmacie. Je pressentis que j'en aurais besoin.

Nous gravîmes l'escalier et frappâmes. L'homme qui ouvrit la porte avait le teint sombre et l'air peu commode. Lorsqu'il reconnut Becker, il soupira et appela sa femme. Puis il jeta un coup d'œil derrière lui et hocha la tête d'un air lugubre.

– Entrez donc, dit-il.

Je l'observai avec attention. Il avait le visage empourpré et, en le frôlant pour entrer, je remarquai de petites gouttes de transpiration sur son front. Une fois à l'intérieur, je sentis une odeur de savon et compris qu'il sortait du bain.

Herr Ganz referma la porte puis nous précéda dans un petit salon où sa femme, debout, nous attendait. Elle était grande et avait le teint pâle de quelqu'un qui ne prend pas beaucoup l'air. Il était évident qu'elle avait pleuré récemment. Elle serrait encore un mouchoir humide dans sa main. Herr Ganz, qui était plus petit que sa femme, passa le bras autour de ses larges épaules.

– Voici le Kommissar Gunther, de l'Alex, annonça Becker.

– Herr et Frau Ganz, dis-je. J'ai peur d'avoir à vous annoncer une très mauvaise nouvelle. Nous avons retrouvé tôt ce matin le corps de votre fille Liza. Je suis navré.

Becker hocha la tête d'un air solennel.

– Je le savais, fit Ganz. Je m'y attendais.

– Il faudra bien sûr procéder à une identification formelle, lui dis-je. Mais rien ne presse. Nous verrons ça plus tard, quand vous serez remis. (Je m'attendais à voir Frau Ganz s'effondrer, mais pour l'instant elle semblait tenir le coup. Une infirmière en arrive-t-elle à être immunisée contre la douleur et la souffrance ? Même quand celles-ci la touchent d'aussi près ?) Pouvons-nous nous asseoir ?

– Oui, bien sûr, je vous en prie, dit Herr Ganz.

Je demandai à Becker d'aller préparer du café pour tout le monde. Il obtempéra avec empressement, heureux d'échapper quelques instant à la pesante ambiance.

– Où l'avez-vous retrouvée ? demanda Ganz.

Je n'aime pas beaucoup répondre à ce genre de question. Comment annoncer à des parents que le cadavre de leur fille a été retrouvé sous une pile de vieux pneus, dans un garage de Kaiser Wilhelm Strasse ? Je lui donnai donc la version expurgée, qui ne comportait que la localisation du garage. Cette information provoqua un échange de regards entendus entre les deux parents.

Ganz était assis, la main sur le genou de sa femme. Celle-ci paraissait calme, presque absente, et avait sans doute moins besoin que moi du café de Becker.

– Avez-vous une idée de l'identité de l'assassin ? me demanda Ganz.

– Nous travaillons sur plusieurs hypothèses, répondis-je en retrouvant d'instinct les vieilles platitudes policières. Nous faisons tout notre possible, croyez-moi.

Ganz accentua son froncement de sourcils et secoua la tête avec colère.

– Ce que je ne comprends pas, dit-il, c'est pourquoi on n'en parle pas dans les journaux.

– Il est important d'éviter la contagion, expliquai-je. Il arrive souvent que dans une affaire comme celle-ci, certains déséquilibrés commettent des meurtres identiques à ceux qu'ils voient décrits dans la presse.

– Mais n'est-ce pas aussi important d'empêcher d'autres jeunes filles de se faire assassiner ? intervint Frau Ganz d'un air exaspéré. Parce que c'est la vérité, n'est-ce pas ? D'autres filles se sont fait tuer. Tout le monde le dit. Vous pouvez peut-être empêcher les journaux d'en parler, mais pas les gens.

– Les services de la propagande ont fait des campagnes recommandant aux adolescentes d'être sur leurs gardes, dis-je.

– Eh bien, ça n'a pas l'air très efficace, n'est-ce pas ? fit Ganz. Liza était une fille intelligente, Kommissar. Pas le genre à faire des bêtises. C'est donc que l'assassin aussi est intelligent. Et d'après moi, la seule façon de mettre en garde les jeunes filles, c'est de faire paraître des articles racontant les meurtres dans toute leur horreur. Pour les effrayer.

– Vous avez peut-être raison, Herr Ganz, fis-je avec embarras, mais ça n'est pas de mon ressort. Je ne fais qu'obéir aux ordres.

C'était, à l'époque, la principale excuse en Allemagne pour à peu près tout, et je me sentis honteux d'y avoir recours.

Le visage de Becker pointa à la porte de la cuisine.

– Puis-je vous dire deux mots, chef?

Ce fut à mon tour d'être soulagé de quitter la pièce.

– Qu'est-ce qui se passe? lui demandai-je. Vous ne savez plus vous servir d'une bouilloire?

Il me montra une coupure de presse provenant du *Beobachter*.

– Regardez ça, patron. Je viens de le trouver dans le tiroir.

C'était une annonce publicitaire d'un certain «Rolf Vogelmann, détective privé. Spécialisé dans la recherche de personnes disparues», la même annonce à propos de laquelle Bruno Stahlecker m'avait cassé les pieds.

Becker pointa le doigt sur la date figurant en haut de la coupure.

– Le 3 octobre, fit-il. Quatre jours après la disparition de Liza Ganz.

– Ça ne serait pas la première fois que des gens se lassent d'attendre que la police découvre quelque chose. Après tout, c'est comme ça que je gagnais ma vie.

Becker rassembla tasses et soucoupes, qu'il posa sur le plateau avec la cafetière.

– Vous pensez qu'ils ont eu recours à ses services? demanda-t-il.

– On peut toujours le leur demander.

Ganz ne manifesta pas la moindre gêne. C'était le genre de client pour lequel j'aurais volontiers travaillé.

– Comme je vous ai expliqué, Kommissar, les journaux ne parlaient pas de notre fille, et nous n'avons vu que deux fois votre collègue ici présent. Alors, voyant que le temps passait et que nous n'avions aucune nouvelle, nous nous sommes demandé si la police faisait vraiment quelque chose pour retrouver Liza. C'est de ne rien savoir qui vous mine le plus. Nous nous sommes dit qu'en engageant Herr Vogelmann, nous saurions au moins que quelqu'un faisait son possible pour la retrouver. Je ne veux pas vous blesser, Kommissar, mais c'est comme ça que ça s'est passé.

Je bus une gorgée de café et secouai la tête.

– Je vous comprends très bien, dis-je. J'aurais sans doute fait la même chose à votre place, et j'aurais préféré que ce Vogelmann la retrouve.

Ces gens sont admirables, pensai-je. Ils n'avaient probablement guère les moyens de s'offrir les services d'un détective privé, et pourtant ils l'avaient fait. Ça avait dû leur coûter toutes leurs économies.

Au moment de partir, lorsque nous eûmes fini notre café, je proposai à Herr Ganz qu'une voiture de police passe le chercher tôt le lendemain matin pour l'amener à l'Alex afin de procéder à l'identification du corps.

– Merci de votre gentillesse, Herr Kommissar, dit Frau Ganz avec un pâle sourire. Tout le monde a été si gentil avec nous.

Son mari approuva d'un hochement de tête. Debout à la porte, il était clair qu'il avait hâte de nous voir déguerpir.

– D'abord Herr Vogelmann, qui a refusé de se faire payer, et à présent, vous, qui proposez une voiture à mon mari. Je ne peux pas vous dire à quel point nous apprécions.

Je lui serrai la main avec sympathie, puis nous partîmes.

J'achetai des cachets à la pharmacie du rez-de-chaussée et en avalai un dans la voiture. Becker me jeta un regard dégoûté.

– Seigneur, je ne comprends pas comment vous faites pour avaler ça sans eau, dit-il.

– Ça agit plus vite comme ça. Et après ce que nous venons d'endurer, je n'ai même pas senti le goût. Je déteste annoncer de mauvaises nouvelles. (Je tournai la langue dans ma bouche pour la débarrasser des résidus de cachet.) Alors, qu'en pensez-vous ? Toujours la même intuition que l'autre jour ?

– Oui. Ganz n'a pas arrêté de jeter des regards entendus à sa femme.

– Vous aussi, à ce qu'il m'a semblé, fis-je.

– Elle est pas mal, non ? rétorqua Becker avec un grand sourire.

– Je suppose que vous allez m'apprendre ce qu'elle doit valoir au lit, n'est-ce pas ?

– Je pensais qu'elle vous plairait, commissaire.

– Oh ? Et pourquoi ?

– Bah, c'est le genre de femme qui apprécie la gentillesse.

Malgré mon mal de tête, j'éclatai de rire.

– En tout cas, elle a l'air plus sensible à ça qu'aux mauvaises nouvelles. On était là avec nos gros sabots et nos gueules de six pieds de long, et elle, elle n'avait pas l'air plus contrariée que si elle avait ses règles.

– C'est une infirmière. Elles sont habituées aux mauvaises nouvelles.

– J'y ai pensé, mais je crois plutôt qu'elle avait pleuré tout son saoul avant qu'on arrive. Et la mère d'Irma Hanke ? Est-ce qu'elle a pleuré ?

– Pas une larme. Aussi insensible que le juif Süss, celle-là. Elle a bien reniflé deux ou trois fois quand j'ai été la voir, mais elle et son mari m'ont fait la même impression que les Ganz.

Je consultai ma montre.

– Je boirais bien un verre, pas vous ? dis-je.

Nous nous arrêtâmes au café Kerkau, dans Alexanderstrasse. Équipé de soixante tables de billards, c'est là que beaucoup de flics de l'Alex allaient se détendre en sortant du travail.

Je commandai deux bières et les portai à une table où Becker poussait quelques billes.

– Vous savez jouer ? fit-il.

– Vous plaisantez ? rétorquai-je. Il fut un temps où j'étais plus souvent ici qu'à la maison.

Je décrochai une queue et regardai Becker frapper une bille blanche. Elle alla percuter la rouge, rebondit contre la bande et alla frapper l'autre blanche en tête.

– Vous voulez miser ?

– Pas après ce coup-là, dis-je. Vous avez encore beaucoup à apprendre sur les carambolages. Si vous aviez manqué, j'aurais peut-être...

– J'ai eu de la chance, c'est tout, insista Becker.

Sur quoi, il se pencha et tira un peu au hasard. La bille manqua son objectif de cinquante centimètres.

Je fis claquer ma langue.

– C'est une queue de billard que vous avez en main, Becker, pas une matraque. Arrêtez de m'asticoter, voulez-vous ? Si ça peut vous faire plaisir, jouons à cinq marks la partie, d'accord ?

Il eut un petit sourire et redressa les épaules.

– En vingt points, ça vous va ?

Je ratai le coup d'envoi. Après ça, j'aurais aussi bien pu faire du baby-sitting. Une chose était sûre, Becker n'avait pas passé sa jeunesse chez les boy-scouts. Après quatre parties, je balançai un billet de vingt marks sur le tapis vert et demandai grâce. Becker le rejeta dans ma direction.

– Pas la peine, dit-il. C'est moi qui vous ai poussé à jouer.

– Encore une chose qu'il faut que vous appreniez. Un pari est un pari. Il ne faut jamais jouer pour de l'argent si on n'a pas l'intention de ramasser le fric. Un type qui vous fait des cadeaux s'attend à ce que vous lui en fassiez. Ça ne fait que rendre les gens nerveux, c'est tout.

– Ça me paraît un conseil judicieux, fit-il en empochant le billet.

– C'est comme dans le boulot, poursuivis-je. Il ne faut jamais travailler gratis. Si vous n'acceptez pas d'argent pour votre travail, c'est que peut-être votre travail ne vaut rien. (Je rangeai ma queue dans le râtelier et terminai ma bière.) Il ne faut jamais faire confiance à un type qui travaille pour rien.

– C'est ce que votre boulot de détective vous a appris ?

– Non, c'est ce que j'ai appris en tant que chef d'entreprise. Mais puisque vous en parlez, un détective qui essaie de retrouver une lycéenne disparue et refuse d'être payé ne me dit rien qui vaille.

– Rolf Vogelmann ? Mais c'est parce qu'il ne l'a pas retrouvée.

– Je vais vous dire une chose. En ce moment, il y a des tas de gens qui disparaissent dans cette ville, et pour des tas de raisons différentes. En retrouver une est l'exception, pas la règle. Si j'avais mis au panier la facture de tous les clients que j'ai déçus, je serais plongeur à l'heure qu'il est. Quand vous faites ce boulot, il n'y pas place pour les sentiments. Si vous ne vous faites pas payer, vous n'aurez rien dans votre assiette.

– Peut-être que ce Vogelmann est plus généreux que vous, commissaire.

Je secouai la tête.

– Je ne vois pas comment il pourrait se le permettre, fis-je en dépliant l'annonce du détective pour la relire. Ce genre de publicité coûte la peau du dos.

16

Mardi 18 octobre

Pas de doute, c'était elle. J'aurais reconnu entre mille cette chevelure blonde et ces longues jambes fines. Je la regardai s'extirper des portes tournantes du Ka-De-We, chargée de sacs et de paquets, comme si elle faisait ses courses de Noël. Elle héla un taxi, fit tomber un paquet, se pencha pour le ramasser et, lorsqu'elle releva la tête, constata que le taxi ne l'avait pas vue. C'était pourtant difficile de ne pas la remarquer. Même la tête dans un sac, vous auriez remarqué Hildegard Steininger. On aurait dit qu'elle habitait un salon de beauté.

L'entendant jurer depuis ma voiture, je me rangeai contre le trottoir et abaissai la vitre passager.

– Je peux vous déposer quelque part ?

Cherchant des yeux un autre taxi, elle répondit sans me regarder.

– Non, ça va, fit-elle. (C'était comme si je l'avais coincée dans une soirée et qu'elle cherchait à apercevoir par-dessus mon épaule quelqu'un de plus intéressant. Ne voyant personne, elle daigna sourire, brièvement, avant d'ajouter :) Enfin, si vous êtes sûr que ça ne vous dérange pas.

D'un bond, je fus dehors et l'aidai à rassembler son chargement. Chapelier, chausseur, parfumeur, un tailleur chic de Friedrichstrasse, et la fameuse épicerie fine du Ka-De-We : j'en conclus qu'elle était le genre de femme pour qui un carnet de chèques est la panacée à tous les maux. Mais il est vrai que nombre de femmes sont comme ça.

– Ça ne me dérange pas du tout, répliquai-je en lorgnant ses jambes lorsqu'elle monta à côté de moi.

J'entrevis le haut de son bas et une jarretelle. N'y pense pas, me dis-je. Elle est trop chère pour toi. Et puis elle a d'autres choses en tête. Comme de savoir si ses chaussures vont bien avec son sac à main, ou ce qui est arrivé à sa fille disparue.

– Où je vous emmène ? Chez vous ?

Elle soupira comme si je lui proposais de la conduire à l'asile de nuit Palme de Frobelstrasse puis, avec un petit sourire courageux, elle acquiesça. Nous partîmes en direction de Bülowstrasse.

– Je regrette, mais je n'ai rien de nouveau à vous annoncer, dis-je en me composant un visage grave et en m'efforçant de me concentrer sur ma conduite et non sur l'image de ses cuisses.

– Je ne m'y attendais pas, dit-elle d'un air morne. Cela fait presque un mois maintenant, n'est-ce pas ?

– Ne perdez pas espoir.

Nouveau soupir, plus impatient.

– Vous ne la retrouverez jamais. Elle est morte, n'est-ce pas ? Pourquoi personne ne veut-il l'admettre ?

– Pour moi, elle est vivante, Frau Steininger. Jusqu'à ce que j'aie la preuve du contraire.

Je pris Potsdamerstrasse et, pendant quelques instants, nous restâmes silencieux. Puis je remarquai qu'elle secouait la tête, avec la respiration profonde de quelqu'un qui vient de gravir un escalier.

– Que devez-vous penser de moi, Kommissar? dit-elle. Ma fille a sans doute été assassinée et moi, je dépense de l'argent comme si je n'avais aucun souci au monde. Vous devez me prendre pour une femme sans cœur.

Je lui dis que je ne pensais rien de tel, puis lui expliquai que les gens faisaient face chacun à leur manière à ce genre de situation, et que si quelques courses l'aidaient à oublier pendant une heure ou deux la disparition de sa fille, il n'y avait là aucun mal et personne ne pouvait le lui reprocher. J'étais plutôt satisfait de ma tirade, mais lorsque nous arrivâmes à son appartement de Stieglitz, Hildegard Steininger était en larmes.

Je lui serrai l'épaule puis relâchai mon étreinte.

– Je vous proposerais bien mon mouchoir, dis-je, mais je m'en suis servi pour envelopper mon sandwich.

Elle sourit à travers ses larmes.

– J'en ai un, répliqua-t-elle en tirant un carré de dentelle de sa manche. (Apercevant alors le mouchoir que j'avais sorti, elle rit.) C'est vrai qu'on dirait que vous avez enveloppé un sandwich dedans.

Je l'aidai à monter ses sacs chez elle puis restai debout sur le palier pendant qu'elle cherchait sa clé. Elle ouvrit sa porte, puis se retourna et me sourit.

– Merci de votre aide, Kommissar, dit-elle. C'était très gentil à vous.

– Ce n'est rien, fis-je en pensant à tout autre chose.

Pas même une invitation à boire un café, pensai-je lorsque j'eus regagné ma voiture. Elle me fait faire tout ce chemin et ne me fait même pas entrer.

Il est vrai que des tas de femmes sont comme ça, pour lesquelles les hommes ne sont que des chauffeurs de taxi à qui elles n'ont pas à donner de pourboire.

L'odeur tenace de son parfum Bajadi m'agaçait les narines. Chez certains hommes, le parfum d'une femme ne produit aucun effet, mais moi il me rend à moitié fou. Lorsque j'arrivai à l'Alex vingt minutes plus tard, j'en avais reniflé, comme un aspirateur, jusqu'à la dernière molécule.

J'appelai un ami qui travaillait à l'agence de publicité Dorlands. J'avais connu Alex Sievers pendant la guerre.

– Alex ? Est-ce que vous achetez toujours des espaces publicitaires ?

– Oui, à condition que ça ne demande aucun effort intellectuel.

– C'est agréable de parler à quelqu'un qui aime son boulot.

– Je lui préfère l'argent et je ne m'en porte pas plus mal.

La conversation se poursuivit quelques minutes sur ce ton, puis je demandai à Alex d'ouvrir le *Beobachter* du jour et lui indiquai la page comportant l'annonce de Vogelmann.

– Quoi ? fit-il. Tu veux dire que des collègues à toi se seraient décidés à vivre au XXe siècle ?

– Cette annonce a paru au moins deux fois par semaine depuis plus d'un mois, expliquai-je. Combien coûte une campagne comme ça ?

– Avec un tel nombre de parutions, on a dû lui faire une remise. Écoute, je vais m'en occuper. Je connais des gens au *Beobachter*. Je vais me renseigner.

– Ça m'arrangerait beaucoup.

– C'est peut-être que tu veux passer une annonce ?

– Désolé, Alex, mais c'est pour une enquête.

– Ah, je vois. On espionne la concurrence ?

– C'est un peu ça.

Je passai le reste de l'après-midi à lire les rapports de la Gestapo sur Streicher et ses collaborateurs du *Stürmer*. L'un de ces rapports concernait les liaisons du Gauleiter avec une certaine Anni Seitz et d'autres femmes, liaisons qu'il dissimulait soigneusement à son épouse Kunigunde ; un autre faisait état de la liaison de son fils Lothar avec une Anglaise d'origine aristocratique nommée Mitford ; un autre encore établissait l'homosexualité d'Ernst Hiemer, journaliste au *Stürmer* ; un autre rappelait les activités illégales qu'un dessinateur de ce même journal, Philippe Rupprecht, avait menées en Argentine après la guerre ; un autre enfin précisait qu'un des journalistes du *Stürmer*, un certain Fritz Brand, était en réalité un juif du nom de Jonas Wolk.

Ces rapports, dont la teneur salace aurait fait les délices des lecteurs du *Stürmer*, ne me permirent pourtant pas d'établir le moindre début de preuve d'un quelconque rapport entre Streicher et les meurtres.

Sievers me rappela aux alentours de 17 heures pour m'annoncer que les publicités de Vogelmann lui coûtaient entre trois et quatre cents marks par mois.

– Depuis quand claque-t-il tout ce fric ?

– Depuis début juillet. Sauf que ça ne lui coûte pas un rond, Bernie.

– Tu ne vas pas me dire qu'on lui fait ça à l'œil.

– Non. Quelqu'un d'autre règle la note.

– Tiens ? Qui ça ?

– Eh bien, c'est le côté marrant de l'affaire, Bernie. Est-ce que tu vois une seule raison au monde pour que la maison d'édition Lange paie la campagne publicitaire d'un détective privé ?

– Tu en es sûr ?

– Absolument.

– C'est très intéressant, Alex. Je te revaudrai ça.

– Tout ce que je te demande, si un jour tu veux faire de la pub, c'est de t'adresser à moi, d'accord ?

– Promis.

Je raccrochai et ouvris mon agenda. Cela faisait déjà plus d'une semaine que Frau Gertrude Lange aurait dû me régler ma note. Je jetai un coup d'œil à ma montre. Je pouvais encore arriver chez elle avant la ruée de l'heure de pointe.

On procédait à des travaux de peinture dans la maison d'Herbertstrasse, et la servante noiraude de Frau Lange se plaignait des incessantes allées et venues qui, prétendait-elle, la tuaient. On n'aurait pas dit, à la regarder. Elle me parut encore plus grosse que la dernière fois.

– Attendez dans le hall, m'intima-t-elle. Je vais voir si elle est disponible. Toute la maison est en travaux. Et ne touchez à rien, surtout.

Elle rentra la tête dans les épaules lorsqu'un énorme fracas se fit entendre quelque part dans la maison et, tout en grommelant à propos de ces types en salopettes crasseuses qui démolissaient tout, partit en quête de sa maîtresse, me laissant à poireauter dans le hall dallé de marbre.

Je ne m'étonnai guère qu'on redécorât la maison. On devait le faire chaque année, au lieu de l'habituel nettoyage de printemps. Je fis courir ma paume sur le bronze art-déco d'un saumon saisi en plein saut posé au centre d'une grande table ronde. J'aurais pu en apprécier la douceur lisse s'il n'avait pas été couvert de poussière. Je fis la moue et pivotai sur mes talons en entendant revenir le Chaudron noir. Elle me rendit ma grimace et baissa les yeux sur mes chaussures.

– Vous voyez pas que vos bottines ont salopé mon carrelage ? fit-elle en désignant les marques noirâtres qu'avaient laissées ici et là mes semelles.

J'écartai le reproche avec un théâtral manque de sincérité.

– Bah, elle n'aura qu'à vous offrir un nouveau carrelage, pas vrai ? fis-je.

Je suis certain qu'elle jura entre ses dents avant de me dire de la suivre.

Nous suivîmes le couloir que je connaissais, et que les couches de peinture successives empêchaient d'être totalement lugubre, puis arrivâmes à la double porte du salon-bureau. Frau Lange m'attendait avec ses mentons et son chien sur la même chaise longue que la dernière fois, à part qu'elle avait été retapissée avec un tissu que le regard pouvait soutenir à condition d'avoir une poussière dans l'œil sur laquelle pouvoir se concentrer. L'argent n'est jamais une garantie de bon goût, mais il peut rendre son absence encore plus cruellement évidente.

– Vous n'avez donc pas le téléphone ? tonna-t-elle comme une corne de brume à travers le nuage de fumée de sa cigarette. (Je l'entendis glousser, puis elle ajouta :) Je parie que vous avez dû travailler comme recouvreur de dettes ou quelque chose dans ce genre, non ? (Mais, réalisant ce qu'elle venait de dire, elle pinça une de ses lourdes bajoues.) Oh, mon Dieu, je ne vous ai pas réglé vos honoraires, n'est-ce pas ? (Elle rit de nouveau puis se leva.) Je suis terriblement désolée.

– Ce n'est rien, dis-je en la regardant se diriger vers le bureau et sortir son carnet de chèques.

– Et puis je ne vous ai pas encore remercié pour la rapidité de votre travail. J'ai vanté vos mérites auprès de tous mes amis. (Elle me tendit le chèque.) J'ai ajouté une petite prime. Je ne peux pas vous dire à quel point je suis soulagée d'en avoir fini avec ce monstre. Dans votre lettre, Herr Gunther, vous dites qu'il s'est pendu. Comme ça, le bourreau n'aura pas à le faire, pas vrai ?

Elle rit une nouvelle fois, très fort, comme une actrice débutante qui en fait trop pour être crédible. Jusqu'à ses dents qui étaient fausses.

– C'est une manière de voir les choses, dis-je.

Pourquoi aller lui expliquer qu'Heydrich avait fait assassiner Klaus Hering afin de me voir rejoindre plus vite les rangs de la Kripo ? Les clients n'aiment guère les aspects troubles d'une affaire. Moi non plus, à vrai dire.

Elle se souvint alors que l'enquête qu'elle m'avait confiée avait coûté la vie à Bruno Stahlecker. Son rire mourut peu à peu et, adoptant une expression plus grave, elle entreprit de me présenter ses condoléances, qu'elle matérialisa sur son carnet de chèques. Pendant un instant, je faillis énoncer une noble phrase sur les risques du métier mais, songeant à la veuve de Bruno, je la laissai remplir le chèque.

– Très généreux de votre part, fis-je en lisant la somme inscrite. Je le remettrai à sa femme.

– Oui, s'il vous plaît, dit-elle. Et si je peux faire autre chose pour elle, faites-le-moi savoir, entendu ?

Je lui dis que je n'y manquerais pas.

– En attendant, vous pourriez faire quelque chose pour moi, Herr Gunther, reprit-elle. Concernant les lettres que je vous ai remises. Mon fils voudrait récupérer les quelques-unes qui restent.

– Oui, c'est vrai. J'avais oublié.

Mais de quelles lettres parlait-elle ? Voulait-elle dire que les lettres figurant dans le dossier que j'avais au bureau étaient les seules lettres restantes ? Ou bien que Reinhard Lange était déjà rentré en possession des autres ? Et dans ce cas, comment les avait-il récupérées ? Je n'avais trouvé aucune lettre en fouillant l'appartement d'Hering. Alors, qu'étaient-elles devenues ?

– Je vous rapporterai celles que j'ai encore, dis-je. Enfin, l'important est qu'il ait retrouvé les autres.

– Oui, n'est-ce pas ?

Ainsi, c'était vrai. Il les avait bien récupérées.

Je me dirigeai vers la porte.

– Bon, je vous laisse, Frau Lange, dis-je. (Je brandis les deux chèques avant de les glisser dans mon portefeuille.) Et encore merci pour votre générosité.

– Ce n'est rien, je vous assure.

Je fronçai alors les sourcils comme si je venais de me souvenir de quelque chose.

– Oh, il y a encore un point qui m'intrigue, dis-je. Un détail dont je voulais vous parler. La maison d'édition Lange a-t-elle des intérêts dans l'agence du détective Rolf Vogelmann ?

– Rolf Vogelmann ? répéta-t-elle d'un air embarrassé.

– Oui. J'ai appris par hasard que les éditions Lange finançaient depuis le mois de juillet une campagne publicitaire pour le compte de Rolf Vogelmann. Je me demandais pourquoi vous m'aviez engagé alors que vous auriez pu faire appel à lui ?

Frau Lange fit clignoter ses paupières et secoua la tête.

– À vrai dire, je n'en ai aucune idée, dit-elle.

Je haussai les épaules avec un petit sourire.

– Bah, comme je vous disais, c'est juste de la curiosité. Rien de plus. Est-ce vous qui signez tous les chèques de la maison d'édition, Frau Lange ? Je vous pose la question, voyez-vous, parce que je me suis dit que c'était peut-être votre fils qui finançait cette campagne sans vous en informer. Comme quand il a racheté le magazine dont vous m'avez parlé. Quel est son titre, déjà ? *Urania*, n'est-ce pas ?

Au comble de l'embarras, Frau Lange commençait à s'empourprer. Elle déglutit avant de répondre.

– Reinhard a droit de signature sur un compte bancaire spécial destiné à couvrir ses frais de chef d'entreprise. Mais j'avoue que je ne sais pas du tout à quoi il emploie cet argent, Herr Gunther.

– Ma foi, il en a peut-être assez de l'astrologie et aura décidé de devenir détective privé. Pour vous dire la vérité, Frau Lange, il peut arriver qu'un horoscope soit un aussi bon moyen qu'un autre de découvrir ce que l'on cherche.

– Je demanderai des explications à Reinhard dès que je le verrai. En tout cas, je vous remercie pour cette information. Cela vous ennuierait-il de me dire d'où vous la tenez ?

– Désolé, mais je me fais une obligation de ne jamais révéler mes sources. Je suis sûr que vous comprenez.

Elle hocha la tête et me souhaita le bonsoir.

Dans le hall, le Chaudron noir bouillait encore à propos de son sol.

– Vous savez ce que je vous recommande ? fis-je.

– Non, dit-elle d'un air renfrogné.

– Vous devriez appeler le fils de Frau Lange à son journal. Une petite incantation et ces taches disparaîtront toutes seules.

17

Vendredi 21 octobre

Lorsque j'avais soumis l'idée à Hildegard Steininger, elle n'avait pas montré beaucoup d'enthousiasme.

– Attendez un peu. Vous voulez vous faire passer pour mon mari ?

– Tout juste.

– Laissez-moi vous dire tout d'abord que mon mari est mort. Et ensuite, que vous ne lui ressemblez pas du tout, Herr Kommissar.

– Tout d'abord, je mise sur le fait que cet homme ne sait pas que le vrai Herr Steininger est décédé ; et en second lieu, il n'y a pas de raison pour qu'il sache mieux que moi à quoi ressemblait feu votre mari.

– Qui est exactement ce Rolf Vogelmann ?

– Dans une enquête comme celle-ci, il s'agit de rechercher un schéma directeur, un dénominateur commun. Or, ici, le dénominateur commun, nous le savons à présent, est que Vogelmann a été engagé par les parents de deux autres jeunes filles.

– Deux autres victimes, vous voulez dire, rectifia-t-elle. Je sais très bien que d'autres adolescentes ont disparu et qu'on les a retrouvées assassinées. Les journaux ont beau n'en souffler mot, on apprend des tas de choses par ailleurs.

– Alors, disons deux autres victimes, admis-je.

– C'est sans doute une simple coïncidence. Je vous avoue que j'ai moi-même pensé à engager quelqu'un pour rechercher ma fille. Après tout, vous n'avez pas retrouvé la moindre trace d'elle, n'est-ce pas ?

– C'est vrai. Mais c'est peut-être plus qu'une coïncidence. C'est en tout cas ce que je voudrais savoir.

– Admettons qu'il ait quelque chose à voir là-dedans. Que peut-il espérer y gagner ?

– Nous n'avons peut-être pas affaire à quelqu'un de rationnel, c'est pourquoi je doute que l'intérêt financier entre dans ses calculs.

– Ma foi, tout ceci me paraît très douteux, dit-elle. Et pour commencer, comment est-il entré en contact avec ces deux familles ?

– Ce n'est pas lui qui les a contactées. Ce sont les parents qui ont fait appel à lui après avoir vu son annonce dans le journal.

– Est-ce que ça ne prouve pas que s'il est un dénominateur commun, ça n'est pas de son fait ?

– À moins qu'il ne veuille donner l'impression que ça n'est pas de son fait. Je ne sais pas. En tout cas j'aimerais en savoir plus, ne serait-ce que pour l'éliminer comme suspect.

Elle croisa ses longues jambes et alluma une cigarette.

– Alors, vous marchez ?

– Une dernière question, Kommissar. Et j'attends une réponse honnête. Je suis lasse des faux-fuyants. Pensez-vous qu'Emmeline soit encore vivante ?

Je soupirai et secouai la tête.

– Je pense qu'elle est morte.

– Je vous remercie. (Après un moment de silence, elle ajouta :) Ce que vous me demandez de faire est-il dangereux ?

– Non, je ne pense pas.

– Alors, c'est d'accord, avait-elle fini par dire.

Et à présent, assis tous deux dans la salle d'attente du bureau de Vogelmann dans Nürnburgerstrasse, sous les yeux d'une grosse matrone de secrétaire, Hildegard Steininger, tenant ma main et m'adressant de temps à autre des sourires auxquels n'a habituellement droit que l'être aimé, jouait à la perfection le rôle de l'épouse éplorée. Elle avait même remis son alliance. Moi aussi. La bague emprisonnant mon doigt me faisait un drôle d'effet après toutes ces années. Il avait fallu que je me savonne la peau pour pouvoir l'enfiler.

À travers le mur nous parvenaient des accords de piano.

– Il y a une école de musique à côté, nous expliqua la secrétaire de Vogelmann. (Elle eut un sourire aimable avant d'ajouter :) Il ne vous fera pas attendre longtemps.

Et de fait, cinq minutes plus tard, nous entrions dans son bureau.

Je sais par expérience que le détective privé est sujet à certains maux courants : pieds plats, varices, douleurs aux reins, alcoolisme et, Dieu me pardonne, maladies vénériennes ; aucun de ces maux, à l'exception peut-être de la vérole, n'est susceptible de faire mauvaise impression sur un client potentiel. Il existe pourtant une invalidité qui, quoique mineure, risque de faire réfléchir à deux fois le client qui la découvre chez un détective : c'est la myopie. Si vous êtes prêt à payer cinquante marks à un inconnu pour rechercher votre grand-mère disparue, le moins que vous puissiez attendre de cet homme est d'avoir la vue assez acérée pour retrouver ses propres boutons de manchette. C'est pourquoi des lunettes épaisses comme des culs de bouteille, telles qu'en portait Rolf Vogelmann, ne sont en aucun cas un bon argument commercial.

Quant à la laideur, dans la mesure où elle ne résulte pas d'une grave difformité physique, elle ne constitue pas un désavantage professionnel, et Vogelmann, dont l'aspect déplaisant était de nature plus générale, était donc sans doute capable de picorer ici et là quelques miettes de travail. Je n'emploie pas par hasard le mot « picorer », car avec sa chevelure rousse en désordre, son large nez en forme de bec et sa poitrine bombée comme un plastron, Vogelmann ressemblait à quelque coq préhistorique attendant avec soulagement sa propre extinction.

Remontant son pantalon à hauteur de la poitrine, Vogelmann contourna le bureau de son lourd pas de flic pour venir nous serrer la main. Il marchait comme quelqu'un qui vient de faire un long trajet en bicyclette.

– Rolf Vogelmann, enchanté de faire votre connaissance, déclara-t-il.

Il parlait d'une voix aiguë, presque étranglée, avec un fort accent berlinois.

– Steininger, dis-je. Et voici ma femme Hildegard.

Vogelmann désigna deux fauteuils placés devant la grande table faisant office de bureau, et j'entendis ses chaussures grincer sur le tapis lorsqu'il regagna sa place. La pièce était meublée avec parcimonie. Un perroquet, un plateau roulant chargé de boissons, un long sofa élimé avec, derrière, une table sur laquelle reposaient une lampe et des piles de livres.

– Vous êtes bien aimable de nous recevoir si vite, fit Hildegard avec un sourire charmant.

Vogelmann s'assit et nous regarda. Malgré le bon mètre de bureau qui nous séparait, l'odeur de yaourt caillé que dégageait son haleine me prit à la gorge.

– Quand votre mari m'a annoncé que votre fille avait disparu, j'ai compris qu'il s'agissait d'une affaire urgente. (Il lissa une feuille de papier de la paume de la main et prit un crayon.) Quand a-t-elle disparu exactement?

– Le jeudi 22 septembre, dis-je. Elle devait se rendre à son cours de danse à Potsdam et, comme nous vivons à Steglitz, elle a quitté la maison vers 19 h 30. Son cours commençait à 8 heures, mais elle n'y est jamais arrivée.

Hildegard tendit sa main vers la mienne et je la serrai pour la réconforter.

Vogelmann hocha la tête.

– Cela fait presque un mois, dit-il d'un air songeur. Et la police... ?

– La police? le coupai-je d'une voix pleine d'amertume. La police ne fait rien du tout. Nous ne sommes au courant de rien. Il n'y a rien dans les journaux. Et en plus, on a entendu dire que plusieurs autres filles de l'âge d'Emmeline ont également disparu. (Je m'interrompis un instant.) Et qu'elles ont été assassinées.

– C'est presque certainement le cas, dit-il en resserrant le nœud de sa minable cravate de laine. La raison officielle du silence de la presse sur ces meurtres et disparitions est que la police veut éviter toute panique. Ils disent également vouloir décourager les imitateurs qu'une affaire comme celle-ci suscite presque toujours. Mais la vraie raison, c'est qu'ils ont honte de leur propre incapacité à arrêter l'assassin.

Je sentis la main d'Hildegard resserrer son étreinte autour de la mienne.

– Herr Vogelmann, dit-elle, le plus dur est de ne pas savoir ce qui lui est arrivé. Si, au moins, nous pouvions être sûrs que...

– Je comprends, Frau Steininger. (Il tourna son regard vers moi.) Dois-je en conclure que vous désirez que j'essaie de la retrouver?

– Accepteriez-vous, Herr Vogelmann? dis-je. Nous avons vu votre annonce dans le *Beobachter* et vous êtes notre seul espoir. Nous en avons assez d'attendre. N'est-ce pas, chérie?

– Oh oui, nous en avons assez. Plus qu'assez.

– Avez-vous apporté une photo de votre fille?

Hildegard ouvrit son sac à main et lui tendit un tirage de la photo qu'elle avait déjà remise à Deubel.

Vogelmann l'examina sans émotion apparente.

– Jolie fille. Comment est-elle allée à Potsdam?

– En train.

– Et vous supposez qu'elle a disparu quelque part entre votre domicile de Steglitz et l'école de danse, c'est ça? (J'acquiesçai.) Avez-vous des problèmes avec elle à la maison?

– Aucun, répondit Hildegard avec fermeté.

– À l'école, peut-être?

Nous secouâmes la tête de concert et Vogelmann griffonna quelques notes.

– Des amoureux?

Je tournai la tête vers Hildegard.

– Je ne pense pas, dit-elle. J'ai fouillé sa chambre. Rien n'indique qu'elle fréquente des garçons.

Vogelmann hocha la tête d'un air maussade puis fut pris d'une quinte de toux pour laquelle il s'excusa à travers le tissu de son mouchoir, et qui conféra à son visage le teint brique de ses cheveux.

– Après ces quatre semaines, je suppose que vous avez vérifié auprès de tous vos amis qu'elle ne séjournait pas chez l'un d'entre eux, dit-il avant de s'essuyer la bouche.

– Bien sûr, rétorqua Hildegard avec raideur.

– Nous avons demandé à tout le monde, dis-je. J'ai refait cent fois le trajet qu'elle a fait ce jour-là, mais personne ne se souvient de rien.

Ce qui était presque la vérité.

– Comment était-elle habillée le jour de sa disparition?

Hildegard décrivit les vêtements que portait sa fille.

– Avait-elle de l'argent?

– Quelques marks, pas plus. J'ai retrouvé toutes ses économies.

– Très bien. Je vais faire des recherches pour voir si je découvre quelque chose. Donnez-moi votre adresse.

Je la lui indiquai et y ajoutai le numéro de téléphone. Lorsqu'il eut noté ces renseignements il se leva, redressa péniblement le dos puis fit quelques pas les mains dans les poches, comme un écolier embarrassé. Je ne lui donnai pas plus de 40 ans.

– Rentrez chez vous et attendez de mes nouvelles. Je vous contacterai dans deux ou trois jours, ou même avant si j'ai du nouveau.

Nous nous levâmes pour prendre congé.

– Pensez-vous qu'il y ait des chances de la retrouver vivante? s'enquit Hildegard.

Vogelmann haussa les épaules d'un air sombre.

– Je dois avouer qu'il n'y en a guère. Mais je ferai de mon mieux.

– Par quoi allez-vous commencer? demandai-je par simple curiosité.

Il vérifia une nouvelle fois son nœud de cravate et fit passer sa pomme d'Adam par-dessus le bouton de son col. Je retins ma respiration en le voyant tourner son visage vers moi.

– Eh bien, je vais commencer par faire tirer des reproductions de la photo de votre fille. Ensuite, je les ferai circuler. Cette ville abrite des tas de fugueurs, vous savez. Certains enfants n'aiment pas beaucoup les Jeunesses hitlériennes et ce genre d'organisations. C'est par là que je commencerai, Herr Steininger.

Il posa sa main sur mon épaule et nous raccompagna à la porte.

– Merci, dit Hildegard. Vous avez été très aimable, Herr Vogelmann.

Je souris en hochant la tête d'un air poli et, lorsqu'Hildegard franchit le seuil, je surpris le regard de Vogelmann qui s'attardait sur ses jambes. Comment lui en vouloir ? Dans son boléro de laine beige, son chemisier à pois et sa jupe de laine lie-de-vin, vous l'auriez échangée contre une année entière de dommages de guerre. Faire semblant d'être son mari suffisait à vous rendre heureux.

Je serrai la main de Vogelmann et suivis Hildegard en me disant que si j'étais vraiment son mari, je la ramènerais à la maison pour la déshabiller et la rejoindre au lit.

J'évoquais ces images d'un érotisme élégant, toutes de soie et de dentelle, tandis que nous quittions les bureaux de Vogelmann pour nous retrouver dans la rue. L'attrait érotique que dégageait Hildegard était loin de se réduire aux habituelles et torrides images de fesses rebondies et de seins tremblotants. Mais j'étais bien conscient que mon petit fantasme conjugal était fort peu plausible car, selon toute probabilité, le véritable Herr Steininger, s'il avait encore été en vie, aurait reconduit sa jeune et belle femme à la maison sans rien s'offrir de plus excitant qu'une bonne tasse de café avant de regagner la banque où il travaillait. La vérité toute nue, c'est qu'un homme qui se réveille le matin seul dans son lit pensera à une femme aussi sûrement qu'un homme marié pensera à son petit déjeuner.

– Alors, quelle impression vous a-t-il faite ? me demanda-t-elle dans la voiture pendant que nous roulions vers Steglitz. Je ne l'ai pas trouvé aussi antipathique qu'il en a l'air. Je l'ai même trouvé plutôt agréable. En tout cas, pas pire que vos collègues de la police, Kommissar. Je ne vois vraiment pas pourquoi nous nous sommes donné tout ce mal.

Je la laissai gazouiller ainsi une minute ou deux.

– Vous avez sans doute trouvé normal, fis-je alors, qu'il n'aborde pas certaines questions essentielles ?

Elle soupira.

– Quelle genre de questions ?

– Il n'a pas parlé de son tarif.

– À mon avis, s'il avait pensé que nous n'avions pas les moyens de nous offrir ses services, il aurait évoqué le sujet. Et à propos d'argent, ne comptez pas sur moi pour participer aux frais de cette mascarade. C'est votre idée, après tout.

Je lui dis que la Kripo règlerait tout.

Apercevant le flanc jaune foncé d'une camionnette de vendeur de tabac, j'arrêtai la voiture et en descendis. J'achetai deux paquets et en balançai un dans la boîte à gants. Ensuite, j'éjectai une cigarette pour Hildegard, en pris une pour moi et allumai les deux.

– Cela ne vous a pas paru étrange non plus qu'il oublie de vous demander l'âge d'Emmeline, quelle école elle fréquente, le nom de son professeur de danse, l'endroit où je travaille, etc ?

Tel un taureau furieux, elle souffla un nuage de fumée par les narines.

– Pas spécialement, fit-elle. En tout cas pas jusqu'à ce que vous en parliez. (Elle abattit son poing sur le tableau de bord et lâcha un juron.) Admettons qu'il ait demandé le nom de l'école d'Emmeline et qu'il y soit allé. Qu'auriez-vous fait s'il avait appris que mon mari est décédé ? J'aimerais bien le savoir.

– Il ne l'aurait pas fait.

– Vous semblez bien sûr de vous. Comment pouvez-vous le savoir ?

– Parce que je sais comment procède un détective privé. Ils n'aiment pas se pointer juste après le passage de la police pour poser les mêmes questions. Ils préfèrent aborder les choses d'un autre angle. Tourner autour du problème jusqu'à ce qu'ils trouvent une ouverture.

– Vous considérez donc ce Rolf Vogelmann comme suspect ?

– Oui. Assez pour le faire surveiller.

Elle jura à nouveau, plus fort.

– C'est la deuxième fois, dis-je. Qu'est-ce qui ne va pas ?

– Mais tout va très bien ! Pas de problème. Pourquoi une femme seule verrait-elle le moindre inconvénient à ce qu'on donne son adresse et son numéro de téléphone à un individu soupçonné de meurtre ? C'est ça qui est si excitant quand on vit seule. Ma fille a disparu, elle a sans doute été assassinée, et maintenant, en plus, je dois m'attendre à ce que cet horrible type me rendre visite un soir pour me parler d'elle.

Elle était si furieuse qu'elle aspira presque le tabac hors du papier. Cette fois-ci pourtant, lorsque nous arrivâmes dans Lepsius Strasse, elle m'invita à entrer.

Je pris place sur le sofa et l'entendis uriner dans la salle de bain. Il me sembla que cela ne lui correspondait pas de n'en ressentir aucune gêne. Peut-être s'en fichait-elle complètement. Je ne sais même pas si elle avait pris la peine de fermer la porte.

Lorsqu'elle revint au salon, elle me demanda d'un ton péremptoire une autre cigarette. Quand je la lui offris, elle l'arracha presque du paquet, l'alluma avec un briquet de table et tira dessus comme un poilu dans une tranchée. Je l'observai avec attention tandis que, image même de l'anxiété parentale, elle arpentait la pièce devant moi. Je pris à mon tour une cigarette, puis tirai une pochette d'allumettes de la poche de mon gilet. Tandis que je penchais la tête vers la flamme, Hildegard me jeta un regard féroce.

– Je croyais que les détectives craquaient leurs allumettes sur l'ongle du pouce.

– Seuls les négligés le font, rétorquai-je en bâillant. Ceux qui ne dépensent pas cinq marks chez la manucure.

J'avais l'impression qu'elle mijotait quelque chose, mais je n'avais pas plus d'idée sur ce que c'était que je n'en avais sur les goûts d'Hitler en matière de tissus d'ameublement. J'en profitai pour la détailler une nouvelle fois.

Elle était grande – plus grande que la plupart des hommes – et, malgré sa trentaine tout juste passée, avait gardé les genoux cagneux et les pieds en dedans d'une gamine de la moitié son âge. Elle n'avait pas beaucoup de poitrine, et encore moins de derrière. Son nez était peut-être un soupçon trop large, ses lèvres un tantinet trop épaisses, ses yeux bleuet un peu trop rapprochés et, à part peut-être son caractère, elle n'avait rien de délicat. Et pourtant, la finesse de ses longues jambes lui conférait une beauté qui n'avait rien à envier à la plus racée des pouliches courant à Hoppegarten. Il est cependant probable qu'elle était aussi rétive qu'elles, et que si jamais vous arriviez à monter en selle, vous ne pouviez guère espérer vous y maintenir bien plus loin que le poteau.

– Vous ne voyez donc pas que j'ai peur? s'exclama-t-elle en tapant du pied sur le parquet ciré. Je ne veux plus rester seule.

– Où est votre fils Paul?

– Il est retourné en pension. Et puis il n'a que dix ans, il ne me serait pas d'une grande aide, dit-elle en se laissant tomber à côté de moi sur le sofa.

– Ma foi, ça ne me dérange pas de dormir quelques jours dans sa chambre, fis-je. Si ça peut vous rassurer.

– Vraiment? Vous feriez ça? s'exclama-t-elle d'un ton ravi.

– Bien sûr, dis-je en me félicitant mentalement. Avec plaisir.

– Je ne veux pas que vous le fassiez pour le plaisir, rétorqua-t-elle avec un imperceptible sourire, mais par devoir.

L'espace d'un instant, j'oubliai presque les raisons de ma présence chez elle. Je faillis même croire qu'elle avait également oublié. Ce n'est qu'en voyant perler une larme au coin de son œil que je compris qu'elle avait vraiment peur.

18

Mercredi 26 octobre

– Je ne comprends pas, dit Korsch. Que fait-on pour Streicher et sa bande ? On continue à les surveiller ou pas ?

– Oui, répondis-je. Mais tant que la Gestapo ne nous refile rien d'intéressant, on ne peut pas faire grand-chose de ce côté-là.

– Alors, qu'est-ce que vous voulez qu'on fasse pendant que vous vous occupez de la veuve ? intervint Becker qui faillit esquisser un sourire que j'aurais pu trouver irritant. À part vérifier les rapports de la Gestapo, je veux dire.

Je décidai de ne pas relever. La moindre réaction aurait paru suspecte.

– Korsch, dis-je, vous suivrez l'enquête de la Gestapo. À propos, que donne la surveillance de Vogelmann ?

Il secoua la tête.

– Pas grand-chose, commissaire. Vogelmann ne sort pour ainsi dire jamais de son bureau. Drôle de détective, si vous voulez mon avis.

– C'est aussi le mien, dis-je. Becker, je voudrais que vous me trouviez une fille. (Il sourit et baissa les yeux sur ses chaussures.) Ça ne devrait pas vous poser beaucoup de problèmes.

– Quel genre de fille, chef ?

– Quinze ou seize ans, blonde aux yeux bleus, affiliée à la BdM et, ajoutai-je pour lui tendre une perche, de préférence vierge.

– Ça, répliqua-t-il, ça risque d'être plus difficile à trouver.

– Il faudra aussi qu'elle ait beaucoup de sang-froid.

– Vous comptez l'utiliser comme appât, chef ?

– C'est la meilleure façon de chasser le tigre, non ?

– Il arrive que la chèvre se fasse boulotter, remarqua Korsch.

– C'est pourquoi cette fille ne devra pas avoir froid aux yeux. Il faudra la mettre au courant de toute l'histoire. Si elle doit risquer sa vie, elle a le droit de savoir pourquoi.

– Comment allons-nous procéder, chef ? demanda Becker.

– C'est à vous de me le dire. Choisissez quelques endroits où notre homme pourra la remarquer. Un endroit où il nous sera possible de la surveiller discrètement. (Korsch fronça les sourcils.) Un problème, Korsch ?

Il secoua la tête d'un air dégoûté.

– Ça ne me plaît pas, patron. Se servir d'une gamine comme appât, c'est inhumain.

– Que suggérez-vous à la place ? Un morceau de gruyère ?

– Une grande artère, fit Becker. Comme Hohenzollern-damm, mais avec plus de circulation, pour qu'il ait plus de chances de la remarquer.

– Franchement, patron, vous ne trouvez pas que c'est un peu risqué ?

– Bien sûr qu'il y a des risques. Mais qu'est-ce qu'on sait de ce salopard ? Qu'il roule en voiture, qu'il porte l'uniforme et qu'il parle avec un accent autrichien ou bavarois. Tout le reste, ce sont des suppositions. Je vous rappelle qu'il ne nous reste pas beaucoup de temps. Qu'Heydrich veut que l'affaire soit réglée dans moins d'un mois. C'est pourquoi nous devons avancer, et avancer vite. Et la seule façon, c'est de prendre l'initiative, de choisir à sa place la prochaine victime.

– Sauf qu'on risque d'attendre jusqu'à la saint-glinglin, dit Korsch.

– Je n'ai jamais dit que ça serait facile. Quand on chasse le tigre, on est parfois obligé de dormir dans un arbre.

– Et la fille ? poursuivit Korsch. Vous n'allez pas lui faire faire ça nuit et jour, tout de même ?

– Elle sortira l'après-midi, dit Becker. L'après-midi et en début de soirée. Il faudra éviter l'obscurité, pour qu'il la voie bien et que nous ne le manquions pas.

– Très juste. Ça prend tournure.

– Et Vogelmann, là-dedans ?

– Je ne sais pas. C'est juste une intuition. Il est peut-être net, mais je veux m'en assurer.

Becker sourit.

– De temps en temps, un flic doit faire confiance à ses intuitions, fit-il.

Je reconnus là ma pauvre rhétorique.

– On va finir par faire de vous un détective, lui dis-je.

Elle écoutait ses disques de Gigli sur le gramophone avec l'avidité de quelqu'un qui se sent menacé de surdité, et n'avait pas plus de conversation qu'un contrôleur de train. J'avais découvert qu'Hildegard Steininger était à peu près aussi communicative qu'un stylo à encre, et en conclus qu'elle préférait les hommes qui ne se considèrent que comme des pages blanches. Et pourtant, presque malgré elle, je continuais à la trouver séduisante. Même si elle était un peu trop préoccupée par la teinte de ses cheveux blonds, la longueur de ses ongles et l'éclat de ses dents, qu'elle ne cessait de brosser. Bien trop frivole pour moi, et encore plus égoïste. Si elle avait dû choisir entre se faire plaisir et faire plaisir à quelqu'un, elle aurait sans doute pensé que se faire plaisir à elle-même suffisait à rendre tout le monde heureux. Que l'un entraîne l'autre était pour elle aussi évident que voir la jambe se lever sous le coup du marteau à réflexe du médecin.

Cela faisait six nuits que je dormais chez elle, et comme chaque jour elle avait préparé un repas quasi immangeable.

– Vous n'êtes pas obligé d'y goûter, avait-elle dit. Je n'ai jamais été une très bonne cuisinière.

– Je n'ai jamais été un très bon invité, avais-je répliqué.

Sur quoi j'avais presque tout ingurgité, non par politesse, mais parce que j'avais faim et que j'avais appris dans les tranchées à ne pas être trop regardant sur la nourriture.

Elle referma le petit placard du gramophone et bâilla.

– Je vais me coucher, annonça-t-elle.

Je posai mon livre et déclarai que j'y allais aussi.

Avant d'éteindre la lumière dans la chambre de Paul, je passai quelques minutes à étudier la carte d'Espagne épinglée au mur, sur laquelle figuraient les exploits de la légion Condor. À l'époque, on aurait dit que tout jeune Allemand voulait devenir pilote de chasse. Je venais de tirer le drap sur moi lorsque j'entendis un coup à la porte.

– Je peux entrer ? demanda-t-elle en se profilant, nue, dans l'embrasure.

Pendant quelques instants, elle resta immobile, se découpant telle une magnifique madone sur la lumière du hall, comme pour me permettre d'apprécier ses formes. Ma poitrine et mon scrotum se serrèrent et je la vis avancer lentement vers moi.

Elle avait le crâne menu et le dos étroit, et des jambes si longues qu'elle semblait avoir été conçue par un dessinateur de génie. Elle tenait une main devant son sexe, et cette petite pudeur m'excita au plus haut point. J'ignorai pour l'instant sa main et contemplai la courbe de ses jolis seins. Ronds et lisses comme des brugnons, ils se terminaient par des tétons si pâles qu'ils en étaient presque invisibles.

Je me penchai en avant, repoussai cette main pudique et, l'agrippant par les hanches, pressai ma bouche sur la toison luisante qui couvrait son sexe. Me relevant pour l'embrasser, je sentis sa main descendre d'un coup vers mon ventre et fis la grimace lorsqu'elle me décalotta. Tout ceci étant trop brutal pour que je fasse montre de délicatesse, je réagis en lui collant le visage sur le drap et en ramenant vers moi ses fraîches fesses pour lui faire adopter la position qui me convenait. Elle cria lorsque je m'enfonçai en elle, et ses longues cuisses tremblèrent de magnifique façon tout le temps que dura notre bruyante pantomime jusqu'à son dénouement.

Nous dormîmes jusqu'à ce que l'aube pointe à travers les fins voilages des fenêtres. Éveillé avant elle, je la regardai un instant dormir et fus frappé de constater que son expression ne changea pour ainsi dire pas lorsque, éveillée à son tour, sa bouche chercha mon pénis. Puis, se retournant sur le dos, la tête dans l'oreiller, elle écarta si largement ses cuisses que je pus voir la source même d'où jaillissait la vie, et je la léchai et l'embrassai à nouveau là avant de lui faire goûter la puissance de mon ardeur, m'engouffrant en elle jusqu'à ce que j'aie l'impression que seules ma tête et mes épaules réchapperaient du brasier.

Enfin, lorsque nous fûmes aussi vidés l'un que l'autre, elle se pelotonna contre moi et pleura tant que j'eus peur qu'elle ne fonde.

19

Samedi 29 octobre

– Je pensais que l'idée vous plairait.

– Je n'en sais trop rien. Laissez-moi le temps d'y réfléchir.

– On ne va pas la faire poireauter au même endroit pendant des heures. Il flairera le piège et prendra le large. Il faut que ça ait l'air naturel.

J'acquiesçai sans grande conviction et m'efforçai d'adresser un sourire à la fille de la BdM que Becker avait dégotée. C'était une splendide adolescente, et je ne savais ce qui avait le plus impressionné Becker chez elle, de sa bravoure ou de sa poitrine.

– Allons, patron, reprit-il, vous savez bien que ces filles adorent traîner devant les vitrines du *Stürmer* installées sur les trottoirs. Ça les fait frissonner de lire ces histoires de docteurs juifs qui hypnotisent des vierges allemandes pour les posséder. C'est sous cet angle-là qu'il faut voir les choses. Comme ça, non seulement elle ne s'ennuiera pas, mais en plus, si Streicher et ses sbires sont impliqués, ils la remarqueront d'autant plus si elle est plantée devant une de ces *Stürmerkästen*.

J'examinai avec un certain malaise la vitre entourée d'un cadre en bois peint en rouge, sans doute fabriqué par quelque lecteur enthousiaste, où la manchette : « Femmes allemandes, les juifs veulent votre mort », surmontait les trois doubles pages du journal punaisées sous le verre. Il était déjà assez difficile de demander à une gamine de jouer le rôle d'appât pour ne pas en plus lui faire ingurgiter ces saletés.

– Vous avez sans doute raison, Becker.

– Bien sûr que oui, et vous le savez. Regardez-la. Elle lit déjà l'article. Je vous jure qu'elle aime ça.

– Comment s'appelle-t-elle?

– Ulrike.

Je me dirigeai vers le *Stürmerkästen* devant lequel, fredonnant d'un air insouciant, se tenait la jeune fille, et m'arrêtai à côté d'elle.

– Tu sais ce que tu as à faire, Ulrike? m'enquis-je à voix basse en regardant l'horrible juif caricaturé par Fips.

Personne ne ressemble à ça, pensai-je en observant le nez en museau de mouton dont le dessinateur avait affublé son personnage.

– Oui, m'sieur, répondit-elle avec entrain.

– Il y a des tas de policiers dans les parages. Tu ne les vois pas, mais eux ne te quittent pas des yeux. Entendu? (Je vis son reflet acquiescer dans la glace.) Tu es une fille très courageuse.

Sur quoi elle se remit à chanter, plus fort cette fois, ce que je reconnus comme l'hymne des Jeunesses hitlériennes :

Notre drapeau, vois comme il flotte devant nous
Notre drapeau, c'est la promessse d'un avenir de paix
Notre drapeau nous ouvre la porte de l'éternité
Notre drapeau nous importe plus que notre vie.

Je rejoignis Becker et remontai en voiture.

– Beau brin de fille, pas vrai, patron?

– Oui, en effet. Mais prenez garde à ne pas poser vos pattes dessus, vous m'entendez?

Il joua les innocents outrés.

– Allons, patron, vous ne pensez quand même pas que je vais essayer de l'emballer, si?

Il s'installa au volant et démarra.

– Si vous voulez mon avis, je vous crois capable de baiser votre arrière-grand-mère. (Je jetai un regard circulaire.) Où sont vos hommes ?

– Le sergent Hingsen planque au rez-de-chaussée de cet immeuble, là-bas, dit-il, et j'ai placé deux autres hommes. L'un fait semblant d'entretenir les tombes du cimetière au coin de la rue, le second lave des vitres sur le trottoir d'en face. Si notre oiseau se pointe, il ne nous échappera pas.

– Les parents de la fille sont-ils au courant ?

– Oui.

– Très civique de leur part d'accorder leur autorisation, vous ne trouvez pas ?

– Ça ne s'est pas exactement passé comme ça, patron. Ulrike leur a annoncé qu'elle avait décidé d'accepter cette tâche pour le Führer et la Patrie. Elle a dit que ça serait antipatriotique d'essayer de l'en empêcher. Ils n'ont pas eu vraiment le choix. C'est une fille de caractère.

– Oui, c'est l'impression qu'elle donne.

– Et une sacrée nageuse, avec ça. Peut-être une future championne olympique, d'après son professeur.

– Eh bien, il ne reste plus qu'à espérer un déluge si ça tourne mal. Elle pourra toujours s'échapper à la nage.

Entendant la sonnerie du couloir je me rendis à la fenêtre. J'en remontai le cadre et me penchai pour voir qui actionnait la sonnette. Même du haut de trois étages je reconnus aussitôt la chevelure rousse de Vogelmann.

– Ça fait très naturel, persifla Hildegard, de se pencher à la fenêtre comme un poissonnier.

– Tu ne crois pas si bien dire. On va peut-être en ferrer un gros. C'est Vogelmann, et il nous amène un ami.

– Eh bien, va donc leur ouvrir.

Je sortis sur le palier, actionnai la manette qui débloquait la chaîne fermant la porte de la rue et regardai les deux hommes monter l'escalier en silence.

Vogelmann entra dans l'appartement d'Hildegard en arborant l'expression du parfait croque-mort, ce qui était une bénédiction car pour quelque temps au moins, sa bouche n'exhalait pas sa mauvaise haleine. L'homme qui l'accompagnait mesurait une tête de moins que Vogelmann. Agé d'environ 35 ans, blond, les yeux bleus, il avait le genre universitaire. Lorsque tout le monde se fut assis, Vogelmann le présenta comme étant le Dr Otto Rahn, et nous annonça qu'il nous en dirait plus à son sujet dans quelques instants. Puis il émit un profond soupir et secoua la tête.

– J'ai le regret de vous dire que je n'ai retrouvé aucune trace de votre Emmeline, dit-il. J'ai interrogé toutes les personnes ayant pu la voir, cherché partout où elle aurait pu passer ou se trouver. En vain. J'en suis navré. (Il s'interrompit un instant avant d'ajouter :) Bien sûr, je sais que ma déception n'est rien comparée à la vôtre. Mais j'étais tellement sûr de trouver quelque chose qui me mette sur la piste...

« S'il y avait le moindre indice, aussi minime fût-il, je me sentirais en droit de vous demander de continuer mon enquête. Mais vu qu'il n'en existe aucun, poursuivre mes recherches ne serait qu'une perte de temps et d'argent pour vous.

Je hochai la tête d'un air résigné.

– Je vous remercie de votre honnêteté, Herr Vogelmann.

– En tout cas, soyez assuré que nous avons tout mis en œuvre, Herr Steininger, dit Vogelmann. Nous avons épuisé toutes les méthodes traditionnelles d'investigation. (Il s'interrompit, s'éclaircit la gorge et, tout en s'excusant, se tamponna les lèvres avec son mouchoir.) J'hésite à vous soumettre cette proposition, Herr et Frau Steininger, et je vous prie de ne pas croire à une facétie, mais il est un fait que lorsque l'habituel se révèle inopérant, il n'y a aucune honte à se tourner vers l'inhabituel.

– C'est bien pourquoi nous vous avons engagé, remarqua Hildegard avec raideur. L'habituel, comme vous dites, c'est plutôt la police dans une telle affaire.

Vogelmann eut un étrange sourire.

– Je me suis mal exprimé, dit-il. J'aurais peut-être dû parler en termes d'ordinaire et d'extraordinaire.

L'autre homme, Otto Rahn, vint à la rescousse de Vogelmann.

– Ce que Herr Vogelmann essaie de vous suggérer, en y mettant tout le tact qu'exigent les circonstances, c'est de songer à recourir aux services d'un médium pour vous aider à retrouver votre fille.

Il avait l'accent d'une personne de bonne éducation et le débit rapide propre aux personnes originaires de la région de Francfort.

– Un médium? répétai-je. Vous nous demandez de faire appel au spiritisme? (Je haussai les épaules.) Nous ne croyons pas à ces choses-là.

Je voulais connaître les arguments de Rahn pour nous vendre son idée. Il sourit d'un air patient.

– De nos jours, ce n'est presque plus une question de croyance. Le spiritisme est devenu pour ainsi dire une science. Il y a eu des progrès fulgurants dans ce domaine depuis la guerre, surtout au cours des dix dernières années.

– Mais n'est-ce pas illégal? m'enquis-je avec humilité. Il me semble avoir lu quelque part que le comte Helldorf avait interdit la voyance professionnelle à Berlin depuis... depuis 1934, je crois.

Très diplomate, Rahn ne se laissa pas démonter par le choix de mon expression.

– Vous êtes très bien informé, Herr Steininger. Et vous avez parfaitement raison. Le président de la police a en effet interdit d'exercer la voyance. Depuis lors, cependant, la situation a été assainie et les praticiens de sciences occultes racialement sains ont été intégrés aux sections Professions indépendantes du Front du Travail. Après tout, ce sont les races métissées, juifs et tziganes, qui ont donné mauvaise réputation aux sciences occultes. Aujourd'hui, savez-vous que le Führer lui-même a recours aux services d'un astrologue? Vous voyez, les choses ont beaucoup évolué depuis Nostradamus.

Vogelmann acquiesça en gloussant dans sa barbe.

Ainsi, c'était pour ça que Reinhard Lange finançait la campagne publicitaire de Vogelmann. Pour faire marcher le commerce des tables tournantes. La combine était bien au point. Le détective que vous engagiez se révélait incapable de retrouver la personne disparue, après quoi, par l'intermédiaire d'Otto Rahn, il vous confiait aux puissances supérieures. Résultat de l'opération : vous payiez plusieurs fois le prix d'une enquête ordinaire pour apprendre ce que vous saviez déjà, à savoir que votre chère disparue dormait avec les anges.

Jolie mascarade en vérité, me dis-je. Ça serait un plaisir de mettre ces escrocs hors d'état de nuire. On peut pardonner à un homme qui se monte une petite combine, pas à des types qui exploitent le chagrin et la souffrance des gens. C'était comme de voler les coussinets d'une paire de béquilles.

– Peter, dit Hildegard, après tout, nous n'avons rien à perdre.

– C'est aussi mon avis, fis-je.

– Je suis heureux de vous voir réagir ainsi, dit Vogelmann. On hésite toujours à faire ce genre de propositions, mais je pense que dans ce cas il n'y a guère d'autre choix.

– Combien cela coûtera-t-il?

– Peter, il s'agit de la vie d'Emmeline, fit Hildegard d'un ton cassant. Comment peux-tu songer à l'argent?

– Rassurez-vous, le tarif est très raisonnable, dit Rahn. Vous aurez toutes les raisons d'être satisfaits. Mais nous parlerons de cette question plus tard. Pour l'instant, l'essentiel est que vous rencontriez une personne compétente. Il se trouve que je connais un homme de très grand talent, doué d'un immense pouvoir psychique. Il pourrait peut-être vous aider. Cet homme, descendant d'une très ancienne lignée de mages, a hérité de ses ancêtres germaniques un don de claivoyance unique en son genre à l'heure actuelle.

– Ça doit être quelqu'un d'extraordinaire, fit Hildegard dans un souffle.

– Il l'est, confirma Vogelmann.

– Je vais arranger un rendez-vous, dit Rahn. Je sais qu'il est libre jeudi prochain. Pourriez-vous être chez lui en fin d'après-midi ?

– Oui, nous n'avons rien de prévu.

Rahn sortit un calepin sur lequel il écrivit quelques mots. Puis il déchira la page et me la tendit.

– Voici son adresse. Disons à 20 heures, si cela vous convient ? Je vous appellerai en cas d'empêchement. (J'acquiesçai.) Alors, c'est entendu.

Vogelmann se leva pour prendre congé tandis que Rahn, plié en deux, fouillait dans sa serviette. Il en tira un magazine qu'il remit à Hildegard.

– Je pense que cela vous intéressera, dit-il.

Je raccompagnai les deux hommes à la porte et, lorsque je revins au salon, je trouvai Hildegard plongée dans le magazine. Je n'avais pas besoin d'en consulter la couverture pour savoir qu'il s'agissait d'*Urania*, la revue éditée par Reinhard Lange. Pas plus que je n'avais besoin de parler à Hildegard pour savoir qu'elle était convaincue de l'honnêteté d'Otto Rahn.

20

Jeudi 3 novembre

Le Bureau d'enregistrement des résidents me fournit la fiche d'un Otto Rahn, autrefois installé à Michelstadt près de Francfort et habitant aujourd'hui Tiergartenstrasse 8a, Berlin West 35.

Par ailleurs, le V C1, le service des casiers judiciaires, n'avait aucune trace de lui.

Pas plus que le V C2, le service qui tenait à jour la Liste des personnes recherchées. J'étais sur le point de partir lorsque le directeur du service, un SS-Sturmbannführer du nom de Baum, me convoqua dans son bureau.

– Kommissar, je vous ai entendu demander des renseignements sur un certain Otto Rahn, n'est-ce pas?

Je lui confirmai que toute information le concernant m'intéressait au plus haut point.

– Dans quel service travaillez-vous?

– À la Commission criminelle. Il peut peut-être nous aider dans une enquête.

– Il n'est donc suspecté d'aucun crime?

Sentant que le Sturmbannführer savait quelque chose sur Otto Rahn, je décidai de brouiller quelque peu les pistes.

– Mon dieu, pas du tout, dis-je. C'est juste qu'il pourrait nous mettre en contact avec un témoin important. Pourquoi? Vous connaissez quelqu'un de ce nom?

– Oh, une vague connaissance, dit-il. Il se trouve qu'il y a un Otto Rahn dans la SS.

Le vieil hôtel Prinz Albrecht Strasse était un bâtiment de quatre étages d'aspect banal, aux fenêtres cintrées et aux colonnes vaguement corynthiennes, avec deux longs balcons de taille dictatoriale au premier étage, le tout coiffé d'une énorme horloge au style surchargé. Avec ses soixante-dix chambres, il n'avait jamais atteint le luxe des grands établissements tels que le *Bristol* ou l'*Adlon*, et c'est sans doute ce qui expliquait qu'il ait été investi par la SS. Désormais connu sous le nom de SS-Haus, et situé juste à côté du siège de la Gestapo sis au numéro 8, il servait de quartier-général à Himmler en sa qualité de Reichsführer-SS.

Je grimpai au deuxième étage et gagnai le service Dossiers du personnel, où j'exhibai mon autorisation et expliquai ma mission.

– J'ai reçu ordre du SD d'effectuer une enquête de sécurité concernant un membre de la SS qui doit être affecté à l'état-major personnel du général Heydrich.

Le caporal SS de permanence se raidit en entendant le nom d'Heydrich.

– En quoi puis-je vous être utile? fit-il d'un ton empressé.

– Je veux consulter le dossier d'un dénommé Otto Rahn.

Le caporal me demanda de patienter, puis passa dans la pièce adjacente.

– Le voilà, fit-il quelques minutes plus tard en me rapportant le dossier. Je suis désolé, mais je dois vous demander de l'examiner sur place. On ne peut faire sortir un dossier de ce bureau qu'avec une autorisation écrite signée de la main du Reichsführer.

– Je sais, rétorquai-je d'un ton glacial. Mais je n'en ai pas pour longtemps. Un rapide coup d'œil suffira. Ce n'est qu'une vérification de routine.

Je me dirigeai vers un lutrin installé à l'autre bout du bureau, et ouvris le dossier. La lecture en était édifiante.

SS-Unterscharführer Otto Rahn; né le 18 février 1904 à Michelstadt, dans l'Odenwald; étudiant en philologie à l'université d'Heidelberg, diplômé en 1928; adhère à la SS en mars 1936; promu SS-Unterscharführer en avril 1936; affecté à l'unité SS Tête de mort «Oberbayern» au camp de concentration de Dachau en septembre 1937; détaché auprès du Bureau des affaires raciales et des transferts de population en décembre 1938; conférencier, auteur de *La Croisade contre le Graal* (1933) et de *Serviteurs de Lucifer* (1937).

Suivaient plusieurs pages de notes médicales et d'appréciations psychologiques, parmi lesquelles celle d'un SS-Gruppenführer, un certain Theodor Eicke, décrivant Rahn comme étant «appliqué, mais sujet à certaines excentricités». Ce qui pouvait recouvrir à peu près n'importe quoi, depuis la propension au meurtre jusqu'à la longueur des cheveux.

Je rendis le dossier de Rahn au caporal et ressortis du bâtiment.

Otto Rahn. Plus j'en apprenais sur lui, plus j'étais convaincu qu'il ne se contentait pas d'abuser de la confiance de parents dans le désarroi. Ça n'était pas uniquement l'argent qui l'intéressait. C'était quelqu'un à propos duquel il n'était pas abusif d'utiliser le mot « fanatique ». En retournant à Steglitz, je passai devant la maison de Rahn dans Tiergartenstrasse, et je n'aurais pas été autrement étonné d'en voir surgir la Femme écarlate et la Bête de l'Apocalypse.

Il faisait déjà nuit lorsque nous prîmes la voiture pour nous rendre à Caspar-Theyss Strasse, juste au sud du Kurfürstendamm, à la limite de Grunewald. C'était une rue tranquille bordée de villas à qui il manquait un je ne sais quoi pour être vraiment chic, et habitées en majorité par des médecins et des dentistes. Le numéro 33, jouxtant une petite clinique, occupait l'angle de Paulsbornerstrasse. En face se trouvait une grande boutique de fleuriste où les gens venant rendre visite aux malades de la clinique achetaient leurs bouquets.

L'étrange maison où Rahn nous avait invités ressemblait à la chaumière du Bonhomme de pain d'épice. Les parements de brique du sous-sol et du rez-de-chaussée étaient peints en brun, les deux étages en couleur crème. La partie orientale de la maison était constituée d'une tour heptagonale, la portion centrale d'une loggia en rondins surmontée d'un balcon, tandis que sur le côté ouest, un pignon en bois couvert de mousse abritait deux œils-de-bœuf.

– J'espère que tu as apporté une gousse d'ail, dis-je à Hildegard pendant que je garais la voiture.

Je voyais bien qu'elle n'appréciait guère l'aspect de l'endroit, mais elle gardait un silence obstiné, refusant toujours d'admettre qu'il y eût quoi que ce fût de louche dans cette histoire.

Nous nous approchâmes de la grille en fer forgé décorée de signes du Zodiaque. Je me demandai ce qu'en pensaient les deux SS qui fumaient des cigarettes sous les sapins du jardin. Cette question n'occupa mon esprit qu'une brève seconde, aussitôt remplacée par l'énigme que représentait la présence de ces deux hommes, ainsi que de plusieurs voitures officielles du Parti garées le long du trottoir.

Otto Rahn ouvrit la porte et nous salua avec chaleur avant de nous guider jusqu'à un vestiaire où il nous débarrassa de nos manteaux.

– Avant d'entrer, dit-il, je dois vous prévenir qu'un certain nombre d'autres personnes assisteront à cette séance. Le don de voyance de Herr Weistor en a fait le mage le plus renommé d'Allemagne. Je crois vous avoir dit que plusieurs hauts responsables du Parti suivaient avec intérêt le travail de Herr Weisthor – chez lequel, soit dit en passant, nous nous trouvons. C'est pourquoi, à part Herr Vogelmann et moi-même, vous n'aurez sans doute pas de mal à reconnaître l'un des assistants.

La mâchoire d'Hildegard s'affaissa.

– Le Führer? fit-elle.

Rahn sourit.

– Non, pas lui. Mais quelqu'un qui lui est très proche. Il a demandé à être traité comme un invité ordinaire, de façon à créer une ambiance favorable au contact de ce soir. Je vous dirai, afin que vous ne soyez pas surpris, que cet invité spécial n'est autre que le Reichsführer-SS Heinrich Himmler. Ce qui explique la présence des gardes que vous avez sans doute remarqués dehors. Le Reichsführer est un grand protecteur de notre œuvre et il a assisté à de nombreuses séances.

Nous sortîmes du vestiaire, franchîmes une porte insonorisée par un capitonnage recouvert de cuir vert plaqué par de gros boutons, et pénétrâmes dans une vaste pièce en L sobrement meublée. Au-delà d'un épais tapis vert, au fond de la pièce, se trouvait une table ronde, tandis qu'à l'autre extrémité, un groupe d'une dizaine de personnes bavardaient autour d'un sofa et de deux fauteuils. Les pans de mur visibles entre les panneaux de lambris de chêne clair étaient peints en blanc, et les rideaux verts étaient tirés. La pièce avait quelque chose de typiquement allemand, c'est-à-dire qu'elle était à peu près aussi intime et chaleureuse qu'un couteau suisse.

Rahn nous servit à boire et nous présenta à l'assistance. Je repérai la chevelure rousse de Vogelmann, lui adressai un signe de tête, puis cherchai des yeux le Reichsführer Himmler. Aucun des invités ne portant d'uniforme, j'eus quelque difficulté à le reconnaître dans son costume croisé de couleur sombre. Il était plus grand que je n'avais imaginé, et plus jeune – il ne devait pas avoir plus de 37 ou 38 ans. Lorsqu'il parlait, il avait les manières d'un homme posé et, à part l'énorme Rolex en or qu'il avait au poignet, ressemblait plus à un directeur d'école qu'au chef de la police secrète. Je n'ai jamais compris pourquoi les montres suisses exerçaient une telle séduction sur les hommes de pouvoir. Pourtant, il semblait qu'aucune montre n'aurait pu égaler Hildegard Steininger aux yeux d'Himmler : ils furent bientôt en pleine conversation.

– Herr Weisthor ne va pas tarder, m'annonça Rahn. Il lui faut un moment de méditation avant d'entrer en contact avec le monde spirituel. En attendant permettez-moi de vous présenter Reinhard Lange, l'éditeur du magazine que j'ai donné à votre femme.

– Ah oui, *Urania.*

C'était donc lui, ce petit homme dodu, avec une fossette sur l'un des mentons et une lèvre inférieure qui pendait de manière provocante, comme pour vous défier de lui expédier un coup de poing ou de l'embrasser. La calvitie avait déjà bien entamé ses cheveux blonds, qui bouclaient comme ceux d'un bébé autour des oreilles. Il n'avait pour ainsi dire pas de sourcils, et ses yeux mi-clos étaient presque bridés. Ces deux traits lui donnaient un air de faiblesse et d'inconstance néronienne. Peut-être n'était-il ni l'un ni l'autre, mais la forte odeur d'eau de Cologne qui se dégageait de lui, son air suffisant et son élocution légèrement théâtrale ne firent rien pour corriger cette impression. Mon travail a fait de moi un juge rapide et assez précis du caractère des gens, et cinq minutes de conversation suffirent à me confirmer que je ne m'étais pas trompé à son sujet. Ce type n'était qu'un petit pédé minable.

Je le priai de m'excuser et me rendis aux toilettes que j'avais aperçues derrière le vestiaire. J'avais déjà décidé de revenir chez Weisthor après la séance afin de voir si les autres pièces de la maison étaient plus intéressantes que celle où nous étions rassemblés. Comme je n'avais pas vu de chien dehors, il ne me restait plus qu'à préparer mon retour. Je verrouillai la porte derrière moi et entrepris de manœuvrer la poignée de la fenêtre. Elle était bloquée et je venais juste de parvenir à l'ouvrir lorsque j'entendis un coup à la porte.

– Herr Steininger ? fit la voix de Rahn. Vous êtes là ?

– Je n'en ai que pour une minute.

– Nous allons commencer.

– J'arrive, répliquai-je.

Laissant la fenêtre entrebâillée, je tirai la chasse et rejoignis le reste des invités.

Un nouvel arrivant avait fait son apparition dans la pièce, et je compris qu'il s'agissait de Weisthor. Âgé d'environ 65 ans, il était vêtu d'un costume trois-pièces de flanelle brun clair et tenait une canne sculptée à pommeau d'ivoire ornée de motifs étranges dont certains étaient assortis à ceux de sa bague. Physiquement, il ressemblait à Himmler en plus âgé, avec sa petite moustache, ses bajoues de hamster, sa bouche de dyspeptique et son menton fuyant. Il était cependant plus adipeux que le Reichsführer et, alors que ce dernier faisait penser à un rat myope, Weisthor tenait plus du castor, ressemblance accentuée par deux incisives très écartées.

– Vous êtes sans doute Herr Steininger, fit-il en me serrant la main avec énergie. Permettez-moi de me présenter. Je suis Karl Maria Weisthor, et je suis enchanté d'avoir eu le plaisir de faire la connaissance de votre ravissante épouse. (Il parlait de manière affectée, avec un fort accent viennois.) De ce point de vue au moins, vous avez beaucoup de chance. Espérons que je pourrai vous être utile à tous les deux avant la fin de cette soirée. Otto m'a appris la disparition de votre fille Emmeline, et l'échec des recherches, tant de la police que de Herr Vogelmann. Comme je l'ai dit à votre femme, je suis sûr que les esprits de nos ancêtres germaniques ne nous abandonneront pas, et qu'ils nous diront où elle se trouve, comme ils nous ont révélé tant de choses par le passé.

Il se retourna et leva la main.

– Pouvons-nous nous asseoir? dit-il. Herr Steininger, je m'assiérai entre votre femme et vous. Tous les assistants devront se donner la main. Ceci augmentera notre pouvoir de conscience. Et surtout, ne lâchez pas la main de votre voisin, quoi qu'il arrive, car cela pourrait briser la communication. Est-ce clair?

Nous acquiesçâmes avant de nous asseoir aux places indiquées. Lorsque le reste de l'assistance se fut installé, je remarquai qu'Himmler avait trouvé moyen de s'asseoir à côté d'Hildegard, qui semblait l'intéresser au plus haut point. Je me dis qu'Heydrich et Nebe allaient bien rire quand je leur raconterais, en mentant à peine, que j'avais passé la soirée main dans la main avec Heinrich Himmler. L'idée me fit presque pouffer de rire, et pour dissimuler mon demi-sourire, je détournai mon regard de Weisthor et découvris à mon côté un Siegfried en habit de soirée, doté de ce charme chaleureux et délicat qu'on n'acquiert qu'en se baignant dans du sang de dragon.

– Je m'appelle Kindermann, fit mon voisin d'un air sévère. Dr Lanz Kindermann, pour vous servir, Herr Steininger.

Tout en disant ces mots, il regarda ma main comme si c'était un chiffon sale.

– Le célèbre psychothérapeute? fis-je.

Il sourit.

– N'exagérons rien, dit-il sans pouvoir dissimuler sa satisfaction. Mais je vous remercie du compliment.

– Vous êtes autrichien?

– Oui. Pourquoi cette question?

– J'aime connaître les hommes à qui je donne la main, rétorquai-je en m'emparant de la sienne.

– Dans un instant, annonça Weisthor, je demanderai à notre ami Otto d'éteindre la lumière. Mais avant, je voudrais que tout le monde ferme les yeux et respire profondément. Cela nous permettra de nous relaxer. Car ce n'est que si nous sommes suffisamment détendus que les esprits accepteront de nous contacter et de nous révéler ce qu'ils savent. Essayez de penser à quelque chose de paisible, comme une fleur ou une formation de nuages.

Sur quoi il se tut, et les seuls sons audibles furent la respiration des assistants réunis autour de la table et le tic-tac de l'horloge sur la cheminée. Au bout de quelques instants, Vogelmann s'éclaircit la gorge et Weisthor reprit la parole.

– Maintenant, vous allez vous efforcer de vous fondre dans la personne de vos voisins, de façon que nous ressentions la puissance du cercle. Lorsqu'Otto éteindra la lumière, j'entrerai en transe et laisserai l'esprit s'emparer de mon corps. Comme l'esprit contrôlera mes paroles et mes fonctions corporelles, je serai dans une position vulnérable. Ne faites aucun bruit, abstenez-vous de toute intervention intempestive. Parlez doucement si vous désirez communiquer avec l'esprit, ou laissez Otto s'adresser à lui à votre place. (Il fit une courte pause.) Otto, éteignez les lumières, je vous prie.

J'entendis Rahn s'ébrouer comme au sortir d'un profond sommeil, se lever et traverser la pièce.

– À partir de cet instant, Weisthor ne parlera que sous l'emprise de l'esprit, dit-il. C'est moi qui lui parlerai lorsqu'il sera en transe.

Il éteignit les lumières et, quelques secondes plus tard, je l'entendis rejoindre le cercle.

Je tentai de discerner dans l'obscurité la silhouette de Weisthor assis à côté de moi, mais ne distinguai que les formes étranges qui dansent sur les rétines lorsqu'elles sont privées de lumière. Quoi que Weisthor ait pu dire à propos de fleurs ou de nuages, je me sentais surtout rassuré par le Mauser automatique que je portais à l'aisselle, et la jolie formation de balles de 9 mm alignées dans son chargeur.

La première modification que je remarquai chez Weisthor fut celle de sa respiration, qui se fit plus lente et plus profonde. Au bout de quelques minutes, elle devint presque inaudible et, n'avait été sa main que je tenais, et dont la pression s'était considérablement relâchée, j'aurais pu croire qu'il avait disparu.

Il finit par reprendre la parole, mais d'une voix qui me donna la chair de poule et me picota la racine des cheveux.

– Je vois un roi plein de sagesse qui régnait il y a très longtemps, fit-il en me serrant soudain la main. À une époque où trois soleils brillaient dans le ciel nordique. (Il poussa un long soupir sépulcral.) Il subit une terrible défaite face à l'armée chrétienne de Charlemagne.

– Étiez-vous saxon? s'enquit Rahn d'un ton calme.

– Aye, saxon. Les Francs nous considéraient comme des païens et nous punissaient de mort. Des morts interminables, pleines de sang et de souffrances. (Weisthor parut hésiter.) Il est difficile de transmettre ceci. Il dit que tout le sang versé crie vengeance. Il dit que le paganisme germanique a retrouvé sa force et doit se venger des Francs et de leur religion, au nom des dieux anciens.

Sur ce, il émit un grognement, comme s'il avait reçu un coup, et retomba dans le silence.

– N'ayez crainte, murmura Rahn. Il arrive que l'esprit prenne congé de façon brutale.

Weisthor reprit la parole au bout de quelques minutes.

– Qui es-tu? demanda-t-il d'une voix douce. Une fille? Peux-tu nous dire comment tu t'appelles, mon enfant? Non? Allons...

– N'aie pas peur, intervint Rahn. Viens, approche sans crainte.

– Son nom est Emmeline, dit Weisthor.

J'entendis le hoquet de surprise d'Hildegard.

– Es-tu Emmeline Steininger? demanda Rahn. Si c'est le cas, mon enfant, ton père et ta mère sont là pour te parler.

– Elle dit qu'elle n'est pas une enfant, murmura Weisthor. Et que l'une de ces personnes n'est pas son parent.

Je me raidis. Était-il possible que Weisthor possédât de véritables pouvoirs médiumniques?

– Je suis sa belle-mère, dit Hildegard d'une voix tremblotante.

Je me demandai si elle se rendait compte que Weisthor aurait dû dire que ni l'un ni l'autre n'était le véritable parent d'Emmeline.

– Elle dit que la danse lui manque. Mais surtout que vous deux lui manquez.

– Toi aussi, tu nous manques, ma chérie.

– Où es-tu, Emmeline ? demandai-je.

Après un long silence, je répétai ma question.

– Ils l'ont tuée, dit Weisthor d'une voix hésitante. Et ils ont caché son corps.

– Emmeline, essaie de nous aider, intervint Rahn. Peux-tu nous dire où ils ont caché ton corps ?

– Oui, je vais le leur dire. Elle dit que devant la fenêtre se trouve une colline. Au pied de cette colline se jette une charmante cascade. Qu'est-ce que c'est ? Une croix ou un haut monument, comme une tour, érigé au sommet de la colline.

– Le Kreuzberg ? fis-je.

– Est-ce le Kreuzberg ? répéta Rahn.

– Elle ne connaît pas le nom de cette montagne, chuchota Weisthor. Où se trouve-t-elle ? Oh, quelle horreur ! Emmeline dit qu'elle est enfermée dans une boîte. Je suis désolé, Emmeline, mais je ne t'ai pas bien entendue. Ce n'est pas une boîte ? Un tonneau ? Oui, c'est un tonneau. Un vieux tonneau qui sent le moisi, dans une cave pleine de vieux tonneaux.

– Ça doit être une brasserie, dit Kindermann.

– S'agirait-il de la brasserie Schultheiss ? demanda Rahn.

– Elle dit que ça pourrait être ça, bien qu'il ne semble pas y avoir grand monde. Certains tonneaux sont si vieux qu'ils sont percés. Elle peut voir la cave par une fente de celui où elle est enfermée. Tu as raison, mon enfant, ça n'est pas très pratique pour conserver de la bière.

Hildegard murmura quelque chose que je n'entendis pas.

– Courage, chère madame, lui intima Rahn à mi-voix. Courage. (Puis il ajouta d'une voix plus forte :) Qui t'a tuée, Emmeline ? Et sais-tu pourquoi ?

Weisthor émit un grognement sonore.

– Elle ne connaît pas leurs noms, mais elle dit qu'on l'a tuée pour le Mystère du Sang. Comment le sais-tu, Emmeline? C'est une chose parmi les milliers d'autres qu'on apprend quand on meurt? Oui, je comprends. Ils l'ont tuée comme ils tuent leurs animaux, ensuite, ils ont mélangé son sang avec le pain et le vin. Elle pense qu'il s'agissait d'un rite religieux, d'un rite qu'elle ne connaissait pas.

– Emmeline, intervint une voix que je crus reconnaître pour celle d'Himmler. Est-ce les juifs qui t'ont tuée? Est-ce les juifs qui se sont servis de ton sang?

Nouveau long silence.

– Elle ne sait pas, dit Weisthor. Ils n'ont pas dit qui ils étaient. Ils ne ressemblaient pas aux photos de juifs qu'elle a vues. Que dis-tu, chère enfant? Elle dit que c'était peut-être des juifs, mais qu'elle ne veut attirer aucun ennui à personne, quoi qu'on ait pu lui faire. Elle dit que s'il s'agissait de juifs, alors, c'étaient de mauvais juifs, et que beaucoup de juifs n'approuveraient pas ce genre de choses. Elle ne veut plus rien dire sur cette question. Elle demande simplement que quelqu'un vienne la sortir ce ce vieux tonneau. Oui, je suis sûr qu'on te retrouvera, Emmeline. Ne t'inquiète pas.

– Dites-lui que je m'engage personnellement à ce qu'on la tire de là dès ce soir, fit Himmler. Je lui en donne ma parole.

– Que dis-tu? Ah, très bien. Emmeline vous remercie de ce que vous faites pour elle. Elle veut aussi dire à ses parents qu'elle les aime beaucoup tous les deux, mais qu'ils ne doivent plus se faire de souci pour elle. Rien ne pourra la leur rendre. Vous devez poursuivre votre vie et oublier ce qui s'est passé. Essayez d'être heureux. Emmeline doit s'en aller, à présent.

– Adieu, Emmeline, fit Hildegard dans un sanglot.

– Adieu, répétai-je.

Une fois de plus, le silence s'instaura, troublé seulement par le bruit du sang tournoyant dans mes oreilles. J'étais heureux que la pièce soit plongée dans l'obscurité, car elle me permit de dissimuler la colère qui devait se lire sur mon visage et de me composer un masque de tristesse et de résignation.

Sans les deux ou trois minutes qui s'écoulèrent entre la fin du numéro de Weisthor et le retour de la lumière, je crois que je les aurais tous descendus : Weisthor, Rahn, Vogelmann, Lange – merde, j'aurais massacré tous ces salauds juste pour le plaisir. Je leur aurais fourré le canon de mon flingue dans la bouche pour que leur nuque éclabousse le visage de leur voisin. Boum ! une narine de plus pour Himmler. Une troisième orbite pour Kindermann.

Ma respiration était encore rauque lorsque les lumières se rallumèrent, mais l'on mit cela sur le compte de l'émotion. Les larmes ayant humecté le visage d'Hildegard, Himmler se crut autorisé à lui enlacer les épaules. Sur quoi, croisant mon regard, il hocha la tête d'un air lugubre.

Weisthor fut le dernier à se remettre debout. Pendant quelques instants, il oscilla comme sur le point de tomber, et Rahn le soutint par le coude. Weisthor sourit et tapota la main de son ami d'un air reconnaissant.

– Votre visage me dit, madame, que votre fille nous a contactés.

Hildegard opina.

– Je vous remercie, Herr Weisthor. Merci de tout cœur pour votre aide.

Elle renifla bruyamment et sortit son mouchoir.

– Karl, vous avez été excellent ce soir, dit Himmler. Tout à fait remarquable. (Un murmure d'approbation, auquel je me joignis, parcourut la table. Himmler continuait à hocher la tête.) Tout à fait remarquable, répéta-t-il. Soyez tous assurés que je vais de ce pas prévenir les autorités compétentes afin qu'une escouade de police aille fouiller la brasserie Schultheiss pour retrouver le corps de cette malheureuse enfant.

Tout en disant ces mots, Himmler me fixa du regard et j'acquiesçai d'un air morne.

– Je ne doute pas une seconde qu'on l'y trouvera. Je suis fermement convaincu que ce que nous venons d'entendre était la voix même d'Emmeline, qui a parlé à Karl pour que vous deux repartiez l'esprit en paix. Je pense que la meilleure chose que vous ayez à faire, c'est de rentrer chez vous et d'attendre des nouvelles de la police.

– Oui, vous avez raison, dis-je.

Je contournai la table et pris Hildegard par la main pour la soustraire au bras du Reichsführer. Ensuite, nous serrâmes la main des assistants, reçûmes leurs condoléances et laissâmes Rahn nous raccompagner à la porte.

– Que puis-je vous dire? fit-il avec gravité. Bien sûr, je suis navré de ce qui est arrivé à Emmeline, mais comme le disait le Reichsführer, il est réconfortant d'être fixé sur son sort.

– Oui, fit Hildegard en reniflant. C'est mieux de savoir.

Rahn plissa les paupières et, l'air peiné, m'empoigna l'avant-bras.

– Je pense que, pour des raisons évidentes, il serait préférable que vous ne parliez pas à la police de ce qui s'est passé ce soir, au cas où des agents viendraient vous informer qu'on a retrouvé le corps de votre fille. Ils pourraient vous créer de sérieux ennuis s'ils vous soupçonnaient d'avoir su où elle se trouvait avant qu'ils l'aient découverte. Comme vous pouvez vous en douter, les policiers ne sont pas très compréhensifs à l'égard de ce genre de choses, et ils vous poseraient des tas de questions embarrassantes. (Il haussa les épaules.) C'est vrai, nous nous posons tous des questions sur ce qui nous parvient de l'au-delà. Ces phénomènes constituent une énigme à laquelle nous ne sommes pas encore en mesure d'apporter des réponses satisfaisantes.

– Oui, je comprends que la police voie ça d'un œil soupçonneux, dis-je. Comptez sur moi, et sur ma femme, pour ne rien dévoiler de ce que nous avons vu ce soir.

– Herr Steininger, je savais que nous pouvions compter sur votre compréhension. (Il ouvrit la porte.) Surtout, n'hésitez pas à nous appeler si vous désirez recontacter votre fille. Mais il est préférable de ne pas recommencer trop tôt. Il n'est pas bon de déranger trop souvent l'esprit.

Nous nous saluâmes une dernière fois, puis Hildegard et moi regagnâmes la voiture.

– Vite, emmène-moi loin d'ici, siffla-t-elle tandis que je lui ouvrais la portière.

À peine avais-je démarré qu'elle se remit à pleurer, mais cette fois sous le coup du choc et de l'horreur.

– J'ai de la peine à croire que les gens puissent être si... si *méchants*, sanglota-t-elle.

– Je suis désolé de t'avoir imposé ça, dis-je. Vraiment désolé. J'aurais donné n'importe quoi pour te l'éviter, mais il n'y avait pas d'autre solution.

Au bout de la rue, nous débouchâmes sur Bismarkplatz, un carrefour tranquille de rues de banlieue entourant une pelouse. Je m'aperçus que nous nous trouvions tout près du domicile de Frau Lange, dans Herbertstrasse. Je repérai la voiture de Korsch et me rangeai juste derrière.

– Bernie, crois-tu que la police va la retrouver à la brasserie ?

– Oui, je pense que oui.

– Mais s'il jouait la comédie, comment pouvait-il connaître ces choses sur Emmeline ? Comment savait-il qu'elle adorait danser ?

– Parce que c'est lui, ou un des types présents, qui l'a cachée là-bas. Ils ont sans doute interrogé Emmeline avant de la tuer, pour savoir quoi dire et faire plus authentique.

Elle se moucha, puis releva la tête.

– Pourquoi t'es-tu arrêté ?

– Parce que je vais retourner faire un tour là-bas. Je vais essayer de découvrir quel est leur sale petit jeu. La voiture que tu vois devant nous appartient à un de mes hommes. Il s'appelle Korsch. Il va te raccompagner à la maison.

Elle hocha la tête.

– Je t'en prie, sois prudent, Bernie, dit-elle dans un souffle en laissant tomber sa tête sur sa poitrine.

– Est-ce que tu te sens bien, Hildegard ?

Elle chercha à tâtons la poignée de la portière.

– Je crois que je vais être malade.

Elle bascula vers le trottoir et vomit dans le caniveau, ainsi que sur sa manche lorsqu'elle retint sa chute en posant la main par terre. Je bondis hors de la voiture et contournai le capot pour aller l'aider, mais Korsch fut plus rapide et la soutint par les épaules jusqu'à ce qu'elle ait retrouvé sa respiration.

– Seigneur, fit-il. Que s'est-il passé?

Je m'accroupis à côté d'Hildegard et épongeai la sueur sur son visage avant de lui essuyer la bouche. Elle me prit le mouchoir et Korsch l'aida à se redresser sur le siège.

– C'est une longue histoire, dis-je, et je n'ai malheureusement pas le temps de vous la raconter maintenant. Raccompagnez-la chez elle et allez m'attendre à l'Alex. Emmènez aussi Becker. J'ai comme l'impression qu'on va avoir une nuit agitée.

– Excusez-moi, fit Hildegard avant d'ajouter avec un sourire crâne : Ça va mieux à présent.

Korsch et moi l'aidâmes à descendre de voiture puis, la soutenant par la taille, l'accompagnâmes jusqu'à celle de Korsch.

– Soyez prudent, chef, dit ce dernier en s'installant au volant.

Je lui dis de ne pas s'inquiéter.

Après leur départ, j'attendis environ une demi-heure dans la voiture, puis redescendis à pied Caspar-Theyss Strasse. Le vent s'était levé et, à plusieurs reprises, les bourrasques agitèrent si fort les arbres qui bordaient la rue obscure que si j'avais été d'humeur à laisser galoper mon imagination, j'aurais pu penser que cela avait un rapport avec ce qui s'était passé chez Weisthor. Le fait de déranger les esprits, ce genre de choses. En fait, j'étais rongé par un sentiment de danger que les gémissements du vent sous un ciel chargé de gros nuages ne faisaient rien pour dissiper, et que le fait de revoir la maison de pain d'épice rendit encore plus aigu.

Même si le trottoir était à présent vide de voitures officielles, je m'approchai du jardin avec prudence au cas où, pour une raison ou pour une autre, les deux SS y seraient encore postés. Après m'être assuré que la maison n'était pas gardée, je contournai la façade à pas de loup jusqu'à la fenêtre du cabinet de toilette que j'avais déverrouillée. Je me félicitai de ma discrétion, car la lumière du cabinet était allumée, et de l'intérieur me parvenaient sans erreur possible les bruits d'un homme essayant de se soulager. Tapi dans l'ombre du mur, j'attendis qu'il ait fini. Au bout d'une dizaine de minutes, on tira la chasse d'eau et la lumière s'éteignit.

Par prudence, je laissai s'écouler quelques minutes de plus avant de remonter le cadre de la fenêtre. Toutefois, à peine avais-je pénétré dans le cabinet que je regrettais de ne pas être ailleurs, ou du moins de ne pas avoir emporté de masque à gaz, car la puanteur qui envahit mes narines aurait rendu malade un congrès de proctologues. Je suppose que c'est à ce type de situations que font allusion les flics quand ils disent qu'ils font parfois un boulot pourri. Je trouvai pour ma part qu'être obligé de poireauter dans un gogue où quelqu'un vient juste de se livrer à une évacuation intestinale d'une ampleur toute gothique était un comble dans le genre.

C'est la puanteur qui me fit sortir plus vite que ne l'aurait exigé la sécurité, et je faillis être surpris par Weisthor lui-même qui passa d'un pas traînant devant la porte ouverte du vestiaire et pénétra dans une pièce située de l'autre côté du couloir.

– Quel vent, ce soir, fit une voix que je reconnus comme étant celle d'Otto Rahn.

– Oui, ricana Weisthor. Ça allait bien avec l'ambiance, pas vrai ? Himmler appréciera ce changement de temps. Il ne manquera pas d'y voir la manifestation du surnaturel wagnérien.

– Vous avez été très bon, Karl, dit Rahn. Même le Reichsführer l'a remarqué.

– C'est vrai, mais vous avez l'air fatigué, fit une troisième voix en laquelle je reconnus Kindermann. Laissez-moi vous examiner.

Je m'avançai pour pouvoir épier la scène entre le panneau et l'embrasure de la porte du vestiaire. Weisthor ôta sa veste et la suspendit au dossier d'une chaise sur laquelle il se laissa tomber avec lassitude. Kindermann lui prit le pouls. Weisthor avait les traits tirés et l'expression apathique, comme s'il avait réellement été en contact avec les esprits.

– Faire semblant est presque aussi épuisant que le faire pour de vrai, dit-il alors et j'eus l'impression qu'il avait lu dans mes pensées.

– Il vaudrait mieux que je vous fasse une piqûre, dit Kindermann. Un peu de morphine vous aidera à dormir. (Sans attendre de réponse, il sortit un flacon et une seringue hypodermique d'une mallette, puis prépara l'aiguille.) Il faut que vous soyez en forme pour la prochaine session du Tribunal d'Honneur.

– Je veux que vous m'y accompagniez, Lanz, dit Weisthor qui, en relevant sa manche, découvrit un avant-bras si abîmé par les cicatrices de piqûres qu'on l'aurait cru tatoué. Je n'y arriverai jamais sans cocaïne. Elle m'éclaircit l'esprit d'une manière fantastique. Et il faudra que j'aie l'esprit stimulé jusqu'à la transcendance pour que le Reichsführer-SS soit convaincu de la justesse de ce que je dirai.

– Vous savez, pendant un moment, j'ai bien cru que vous alliez faire la révélation ce soir, dit Rahn. Vous l'avez bien titillé avec tout ce baratin sur la fille qui ne voulait créer d'ennuis à personne. Maintenant, je pense qu'il est presque mûr.

– Il faut attendre le bon moment, mon cher Otto, dit Weisthor. Il faut attendre le bon moment. Songez combien ma révélation sera plus percutante à Wewelsburg. L'annonce de la culpabilité juive aura le poids d'une révélation spirituelle, et c'en sera fini de ses prétentions ridicules à respecter la propriété et la loi. Les juifs auront ce qu'ils méritent, et il n'y aura pas un seul policier pour l'empêcher.

Il hocha la tête en direction de la seringue, regarda d'un air absent Kindermann la piquer dans sa veine et poussa un soupir de satisfaction lorsque ce dernier enfonça le piston.

– Et maintenant, messieurs, si vous voulez bien aider un vieil homme à gagner son lit...

Je vis les deux autres le prendre chacun par un bras et l'aider à gravir l'escalier aux marches craquantes.

L'idée me vint que si Rahn ou Kindermann avaient l'intention de partir, ils viendraient prendre leur manteau. Je me faufilai donc hors du vestiaire, me glissai dans la pièce en L où avait eu lieu la prétendue séance de spiritisme et me dissimulai derrière les épais rideaux au cas où l'un des deux hommes y pénétrerait. Mais lorsqu'ils redescendirent, ils restèrent à parler dans le couloir. La moitié du dialogue m'échappa, mais son objet semblait être que l'utilité de Reinhard Lange atteignait son terme. Kindermann fit une timide tentative pour défendre son amant, mais le cœur n'y était pas.

L'odeur qui m'avait suffoqué dans les toilettes était déjà une dure épreuve, mais ce qui suivit fut encore plus écœurant. Je ne pus voir ce qui se passait, et aucune parole ne fut échangée, mais il est impossible de ne pas reconnaître aussitôt le bruit de deux hommes engagés dans un rapport homosexuel. Je fus envahi d'une violente nausée. La scène se conclut par de répugnants braiments et ils partirent en pouffant comme des garnements dégénérés. Je me sentais si faible que je dus ouvrir une fenêtre pour respirer un peu d'air frais.

Dans le bureau adjacent, je me servis une bonne dose du cognac de Weisthor, qui me revigora bien plus que les goulées d'air berlinois, et, derrière les rideaux tirés, je me sentis assez en sécurité pour allumer une lampe et inspecter la pièce avant de fouiller tiroirs et placards.

Cela valait le coup d'œil. Les goûts de Weisthor en matière de décoration ne le cédaient en rien à ceux du roi fou Louis II de Bavière. Il y avait d'étranges calendriers, des armoiries, des tableaux de mégalithes, de Merlin, de l'épée du roi Arthur, du Graal et des Chevaliers du Temple, et puis des photographies de châteaux, d'Hitler, d'Himmler, de Weisthor luimême enfin, en uniforme : soit comme officier d'un régiment d'infanterie autrichienne, soit en uniforme d'officier supérieur SS.

Karl Weisthor appartenait à la SS. Cela paraissait si invraisemblable que j'énonçai presque la phrase à haute voix. Et de surcroît, loin d'être un subalterne comme Otto Rahn, il avait, à en juger par le nombre de galons qu'il portait au col, au moins le grade de général de brigade. Et puis il y avait autre chose. Pourquoi n'avais-je pas remarqué plus tôt la ressemblance physique entre lui et Julius Streicher ? Il est vrai que Weisthor avait une dizaine d'années de plus que Streicher, mais la description fournie par la lycéenne juive Sarah Hirsch pouvait s'appliquer aussi bien à Weisthor qu'à Streicher : les deux hommes étaient corpulents, tous deux avaient le crâne dégarni et une petite moustache ; et tous deux avaient un fort accent méridional. Autrichien ou bavarois, avait-elle dit. Or, Weisthor était originaire de Vienne. Otto Rahn serait-il le chauffeur de la voiture ?

Tout semblait coller avec ce que je savais déjà, et la conversation que j'avais surprise dans le hall confirmait mon intuition selon laquelle l'objectif recherché par ces meurtres était d'en faire rejaillir la responsabilité sur les juifs de Berlin. Et pourtant, il semblait y avoir autre chose. C'est l'implication d'Himmler qui m'y faisait songer. Me trompais-je en pensant que l'objectif secondaire des meurtriers était de convaincre le Reichsführer des pouvoirs surnaturels de Weisthor afin de renforcer la position de ce dernier et d'assurer sa promotion au sein de la SS, peut-être dans le but d'évincer Heydrich lui-même ?

Séduisante théorie, qu'il ne me restait plus qu'à prouver. Et il fallait que ces preuves soient indiscutables pour qu'Himmler accepte de voir tomber son Raspoutine personnel pour meurtres multiples. D'autant que ces preuves risquaient de faire passer le chef de la police du Reich pour la victime trop crédule d'une vaste escroquerie.

J'entrepris de fouiller le bureau de Weisthor tout en me disant que même si j'y trouvais de quoi l'épingler, lui et son affreuse combine, je n'allais pas me faire un ami de l'homme sans doute le plus puissant d'Allemagne. Une perspective bien peu encourageante.

Je m'aperçus que Weisthor était un homme très méticuleux avec sa correspondance, ce qui me permit de découvrir des dossiers comportant, en plus des lettres reçues, les copies de celles qu'il avait lui-même expédiées. Je m'assis devant son bureau et me mis à les parcourir. Si je m'attendais à des preuves de culpabilité inscrites noir sur blanc, j'avais de quoi être déçu. Weisthor et ses associés avaient développé ce talent pour les euphémismes qu'accentue le fait de travailler dans les services de sécurité ou les réseaux de renseignements. Ces lettres confirmaient tout ce que je savais déjà, mais elles étaient si soigneusement formulées, en plus de la présence de plusieurs mots codés, qu'elles pouvaient donner lieu à diverses interprétations.

K. M. Wiligut Weisthor
Caspar-Theyss Strasse 33,
Berlin W.

Au SS-Unterscharführer Otto Rahn,
Tiergartenstrasse 8a,
Berlin W.

STRICTEMENT CONFIDENTIEL

Cher Otto,

Tout se passe comme je le craignais. Le Reichsführer m'informe qu'un embargo sur la presse a été imposé par le juif Heydrich pour tout ce qui concerne le Projet Krist. Sans couverture journalistique, il nous sera impossible de savoir par des voies plausibles qui subit les conséquences des actions liées au Projet Krist. Pour que nous puissions proposer une assistance spirituelle aux personnes affectées par ces actions, et ainsi parvenir à notre objectif, nous devons donc définir rapidement d'autres moyens nous permettant d'intervenir.

Avez-vous des suggestions ?

Heil Hitler, Weisthor

Otto Rahn
Tiergartenstrasse 8a,
Berlin W.

Au SS-Brigadeführer K. M. Weisthor
Berlin Grunewald

STRICTEMENT CONFIDENTIEL

Cher Brigadeführer,

J'ai beaucoup réfléchi à votre lettre et, avec l'aide du SS-Hauptsturmführer Kindermann et du SS-Sturmbannführer Anders, je crois avoir trouvé une solution.

Anders dispose de quelque expérience policière et pense que dans la situation créée par le Projet Krist, il ne serait pas extraordinaire, vu l'efficacité de la police, qu'un citoyen fasse appel à un enquêteur privé.

Nous proposons donc, grâce aux bureaux et aux moyens financiers de notre cher ami Reinhard Lange, d'acheter les services d'une petite agence de détective privé, dont nous ferions la publicité dans la presse. Nous pensons que les parties intéressées contacteront ce détective qui, après un laps de temps laissant croire qu'il a épuisé les voies de l'enquête normale, proposera nos services selon une procédure restant à définir.

En général, ces gens ne sont motivés que par l'appât du gain, et donc, à condition qu'il soit suffisamment rémunéré, notre détective ne croira que ce qu'il voudra bien croire, à savoir que nous ne sommes qu'une bande d'excentriques. S'il devait faire mine de créer le moindre remous, je suis certain que le seul fait de lui rappeler l'intérêt manifesté par le Reichsführer pour cette affaire suffirait à garantir son silence.

J'ai dressé une liste de candidats éventuels, qu'avec votre permission je contacterai dès que possible.

Heil Hitler,

Bien à vous,

Otto Rahn

K.M. Wiligut Weisthor
Caspar-Theyss Strasse 33, Berlin W.

À l'attention du SS-Unterscharführer Otto Rahn
Tiergartenstrasse 8a, Berlin W.

30 juillet 1938

STRICTEMENT CONFIDENTIEL

Cher Otto,

J'apprends par Anders que la police a arrêté un juif suspecté de certains crimes. Pourquoi aucun d'entre nous n'a-t-il pensé que la police étant ce qu'elle est, elle s'empresserait de coller ces crimes sur le dos du premier venu, et donc presque certainement d'un juif ? Si elle était intervenue à un bon moment dans le déroulement de notre plan, une telle arrestation nous aurait été très favorable, alors qu'en survenant maintenant, avant que nous ayons eu la possibilité de démontrer notre puissance au Reichsführer en espérant l'influencer en conséquence, c'est presque un handicap.

Cependant, j'ai pensé que nous pouvions retourner la situation à notre avantage. Un nouvel incident lié au Projet Krist pendant l'incarcération de ce juif provoquera non seulement sa libération, mais causera le plus grand embarras à Heydrich. Prenez toutes mesures à cet effet.

Heil Hitler,

Weisthor

SS-Sturmbannführer Richard Anders,
Ordre des Chevaliers du Temple, Berlin
Lumenklub, Bayreutherstrasse 22 Berlin W.

À l'attention du SS-Brigadeführer K. M. Weisthor
Berlin Grunewald

STICTEMENT CONFIDENTIEL

Cher Brigadeführer,

J'ai eu confirmation que le quartier général de la police d'Alexanderplatz avait effectivement reçu un appel anonyme. Après une conversation avec l'adjudant-major du Reichsführer, Karl Wolff, je peux vous préciser que c'est lui, et non le Reichsführer lui-même, qui a passé ledit coup de téléphone. Il déteste tromper la police de la sorte, mais il a reconnu qu'il ne voyait pas d'autre moyen d'accélérer l'enquête tout en préservant le nécessaire anonymat du Reichsführer.

Il semble qu'Himmler soit très impressionné.

Heil Hitler,

Bien à vous, Richard Anders

SS-Hauptsturmführer Dr Lanz Kindermann
Am Kleinen Wannsee
Berlin West

À l'attention de Karl Maria Wiligut
Caspar-Theyss Strasse 33,
Berlin West

29 septembre

STRICTEMENT CONFIDENTIEL

Mon cher Karl,

Commençons par les nouvelles inquiétantes. Notre ami Reinhard Lange commence à me causer du souci. En mettant de côté mes sentiments à son égard, j'ai l'impression que son appui à l'exécution du Projet Krist faiblit. Le fait que notre action soit la perpétuation de notre héritage païen ne semble plus lui apparaître comme quelque chose de déplaisant mais nécessaire. Bien que je ne pense pas une seconde qu'il soit prêt à nous trahir, je suis d'avis qu'il ne devrait plus prendre part aux activités du Projet Krist se déroulant dans ma clinique.

À part cela, je continue à me plonger avec allégresse dans notre héritage spirituel, et attends avec impatience la prochaine occasion de renouer le lien avec nos ancêtres grâce à votre clairvoyance autogène.

Heil Hitler,

Bien à vous, comme toujours, Lanz

Le commandant,
SS-Brigadeführer Siegfried Taubert,
École de la SS,
Wewelsburg, par Paderborn,
Westphalie

À l'attention du SS-Brigadeführer Weisthor
Caspar-Theyss Strasse 33,
Berlin Grunewald

3 octobre 1938

STRICTEMENT CONFIDENTIEL :
PROCÉDURES DU TRIBUNAL D'HONNEUR,
DU 6 AU 8 NOVEMBRE 1938

Herr Brigadeführer,

Ceci pour vous confirmer que le prochain Tribunal d'Honneur se tiendra ici à Wewelsburg aux dates sus-mentionnées. Comme d'habitude, les mesures de sécurité seront très strictes, et durant les sessions, en plus des méthodes habituelles d'identification, un mot de passe sera exigé pour accéder à l'école. Suivant votre suggestion, ce mot de passe sera GOSLAR.

Le Reichsführer a exigé la présence des officiers et civils dont la liste suit :

Reichsführer-SS Himmler
SS-Obergruppenführer Heydrich

SS-Obergruppenführer Heissmeyer
SS-Obergruppenführer Nebe
SS-Obergruppenführer Daluege
SS-Obergruppenführer Darre
SS-Gruppenführer Pohl
SS-Brigadeführer Taubert
SS-Brigadeführer Berger
SS-Brigadeführer Eicke
SS-Brigadeführer Weisthor
SS-Oberführer Wolff
SS-Sturmbannführer Anders
SS-Sturmbannführer von Oeynhausen
SS-Hauptsturmführer Kindermann
SS-Obersturmbannführer Diebitsch
SS-Obersturmbannführer von Knobelsdorff
SS-Obersturmbannführer Klein
SS-Obersturmbannführer Lasch
SS-Unterscharführer Rahn
Landbaumeister Bartels
Professor Wilhelm Todt

Heil Hitler, Taubert

Il restait de nombreuses lettres, mais j'avais déjà pris trop de risques en restant aussi longtemps. Et surtout, je me rendis compte que, pour la première fois peut-être depuis les tranchées de 1918, j'avais peur.

21

Vendredi 4 novembre

Tout en roulant vers l'Alex, je tentai de comprendre ce que je venais de découvrir.

Le rôle de Vogelmann se trouvait expliqué, ainsi que, jusqu'à un certain point, celui de Reinhard Lange. La clinique de Kindermann était peut-être le lieu où s'étaient déroulés les meurtres des adolescentes. Quel meilleur endroit en effet pour tuer qu'un hôpital, où des tas de gens entrent et sortent les pieds devant? Cela semblait en tout cas être le sens de la lettre de Kindermann à Weisthor.

Le plan de Weisthor était d'une simplicité terrifiante. Après avoir tué les jeunes filles, toutes choisies pour leur type aryen, on cachait si bien leurs corps qu'il était pratiquement impossible de les découvrir, surtout si l'on tenait compte du peu de personnel que pouvait affecter la police à quelque chose d'aussi routinier à l'époque que la disparition d'un individu. Lorsque la police avait enfin compris qu'un assassin en série se baladait dans les rues berlinoises, sa première préoccupation avait été de garder la plus grande discrétion possible sur l'affaire afin qu'on ne taxe pas d'incompétence son incapacité à arrêter le tueur – du moins tant qu'on ne trouvait pas un bouc émissaire tel que Josef Kahn.

Mais quel rôle jouaient Heydrich et Nebe? Leur présence à ce Tribunal d'Honneur SS avait-elle été exigée uniquement en raison de leur rang hiérarchique? Après tout, la SS, comme toute organisation, avait ses clans. Daluege, par exemple, chef de l'Orpo – tout comme son homologue à la Kripo, Arthur Nebe –, était aussi hostile à Heydrich et Himmler qu'ils l'étaient à son égard. Et il était évident que Weisthor et sa bande n'étaient pas dans le même camp que le « juif Heydrich ». Heydrich, un juif? C'était là un exemple parfait de cette contre-propagande qui tire sa force de conviction de son apparente contradiction. J'avais déjà entendu circuler cette rumeur, tout comme la plupart des flics de l'Alex, et nous savions tous d'où elle provenait : l'amiral Canaris, chef de l'Abwehr, le service de renseignements militaires allemand, était l'ennemi le plus acharné d'Heydrich, et sans doute le plus puissant.

À moins qu'Heydrich ne se rende à Wewelsburg pour une autre raison? Aucun de ses faits et gestes n'était tout à fait ce qu'il semblait être, bien qu'il ne fasse aucun doute que la perspective de l'embarras d'Himmler le réjouissait. Ce serait pour lui la grosse cerise sur l'appétissant gâteau que constituerait l'arrestation de Weisthor et des autres conspirateurs anti-Heydrich au sein de la SS.

Mais pour prouver le complot, il me faudrait plus que les papiers de Weisthor. Quelque chose de plus éloquent et d'assez indiscutable pour convaincre le Reichsführer lui-même.

C'est alors que je pensai à Reinhard Lange. Molle excroissance sur le corps immonde du complot de Weisthor, l'en séparer ne nécessitait pas de scalpel bien affûté ni bien propre. Je n'avais pour ça qu'un ongle crasseux et mal taillé : j'étais toujours en possession de deux de ses lettres à Lanz Kindermann.

Arrivé à l'Alex, je me rendis directement au bureau du sergent de permanence, où Korsch et Becker m'attendaient en compagnie du professeur Illmann et du sergent Gollner.

– Vous avez eu un appel ?

– Oui, chef, répondit Gollner.

– Bon, allons-y.

Vue de l'extérieur, la brasserie Schultheiss à Kreuzberg, avec ses murs de brique uniformes, ses nombreuses tours et tourelles et son vaste jardin ressemblait plus à une école qu'à une brasserie. N'était l'odeur qui, même à 2 heures du matin, était si forte qu'elle picotait les narines, on s'attendait plus à trouver les salles encombrées de petits bureaux que de tonneaux de bière. Nous nous arrêtâmes près d'une guérite en forme de tente.

– Police ! cria Becker à l'adresse du veilleur de nuit. (Celui-ci avait le physique typique de l'amateur de bière : sa bedaine était si enflée que ses mains n'auraient pu atteindre les poches de sa salopette.) Où stockez-vous les vieux tonneaux ?

– Quoi, vous voulez dire les tonneaux vides ?

– Non, ceux qui sont abîmés.

L'homme porta la main à son front en une sorte de salut.

– D'accord. Je vois ce que vous voulez dire. Par ici, messieurs.

Nous laissâmes les voitures et le suivîmes le long de la route par laquelle nous étions arrivés. Peu après, le veilleur nous fit franchir une porte verte ménagée dans le mur de la brasserie, puis nous empruntâmes une sorte de long et étroit couloir.

– Cette porte n'est jamais fermée ? demandai-je.

– Pas besoin, rétorqua le gardien. Y'a rien à voler là-dedans. On garde la bière derrière les grilles.

Nous arrivâmes dans une cave où deux siècles de poussière et de saleté accumulées maculaient le sol et le plafond. Une ampoule nue fixée au mur faisait une tache jaunâtre dans l'obscurité.

– Nous y voilà, fit le veilleur de nuit. Je suppose que c'est ce que vous cherchez. C'est là qu'on met les tonneaux à réparer. Sauf que y'en a des tas qu'on répare jamais. Y'en a qu'ont pas bougé depuis dix ans.

– Merde, lâcha Korsch. Y'en a presque une centaine.

– Ça oui, au moins, fit le gardien en riant.

– Eh bien, on ferait mieux de s'y mettre tout de suite, dis-je.

– Qu'est-ce que vous cherchez, au juste ?

– Un ouvre-bouteille, répliqua Becker. Maintenant, soyez gentil et débarrassez-nous le plancher, voulez-vous ?

L'homme ricana, grommela quelque chose et s'en retourna d'un pas dandinant qui fit la joie de Becker.

Ce fut Illmann qui la trouva. Il n'eut pas besoin de soulever le couvercle.

– Ici. Dans celui-là. Il a été déplacé récemment. Et puis le couvercle n'est pas de la même couleur que les autres. (Il prit une profonde inspiration, entrouvrit le couvercle et dirigea sa torche au fond du tonneau.) C'est bien elle.

Je le rejoignis et jetai un regard à l'intérieur pour ma gouverne, puis un second pour Hildegard. J'avais vu assez de photos d'Emmeline dans l'appartement pour la reconnaître aussitôt.

– Sortez-la d'ici aussi vite que possible, Professor.

Illmann me regarda d'un air curieux avant de hocher la tête. Peut-être avait-il saisi quelque chose dans le ton de ma voix qui lui avait fait penser que mon intérêt pour la victime n'était pas seulement d'ordre professionnel. Il fit signe au photographe d'approcher.

– Becker, fis-je.

– Oui, chef ?

– Venez avec moi.

Avant de nous rendre chez Reinhard Lange, nous passâmes prendre les deux lettres à mon bureau. J'en profitai pour nous servir deux grands verres de schnapps et lui résumer les événements de la soirée.

– Lange est le maillon faible. C'est eux-mêmes qui l'ont dit. Et puis c'est une tante. (Je vidai mon verre et m'en servis aussitôt un autre. J'en bus une bonne gorgée que je gardai sur la langue, bouche entrouverte et lèvres picotantes, en aspirant de longues goulées d'air pour accroître l'effet de l'alcool. Lorsque j'avalai, un frisson me parcourut la colonne vertébrale et j'ajoutai :) Je veux que vous lui colliez une infraction aux mœurs sur le dos.

– Ouais ? On y va mollo, ou bien... ?

– Faites-le valser un bon coup.

Becker sourit et termina son verre.

– Pigé. Vous voulez que je le ramollisse, c'est ça ? (Il entrouvrit sa veste et en sortit une courte matraque en caoutchouc dont il se frappa la paume d'un air gourmand.) Je vais le caresser un peu avec ça.

– J'espère que vous savez mieux vous servir de ce truc-là que de votre Parabellum. Je veux ce type vivant. Crevant de trouille mais vivant. Pour qu'il puisse répondre à quelques petites questions. Compris ?

– Ne vous inquiétez pas, rétorqua-t-il. Je suis le champion du caoutchouc. Je lui ferai juste éclater la peau. Pour les os, on attendra un autre jour, quand vous voudrez.

– Vous aimez bien ça, hein ? Foutre la trouille aux gens.

Becker éclata de rire.

– Pas vous ?

La maison, située dans Lützowufer-Strasse sur le Landwehr Canal, n'était qu'à un jet de pierre du zoo, où quelques relations du Führer se plaignaient bruyamment du manque de confort. C'était une élégante bâtisse fin de siècle de deux étages, avec des murs peints en orange et une grande fenêtre carrée en saillie au rez-de-chaussée. Becker pompa le cordon de la sonnette comme s'il était payé pour ça. Quand il fut fatigué de tirer, il s'attaqua au marteau de porte. Une lumière finit par s'allumer dans le vestibule et nous entendîmes tourner un verrou.

La porte, retenue par une chaîne, s'entrouvrit, et j'aperçus le visage pâle de Lange nous détailler d'un regard nerveux.

– Police, fit Becker. Ouvrez.

– Que se passe-t-il ? fit Lange en déglutissant. Que voulez-vous ?

Becker recula d'un pas.

– Attention à vous, m'sieur, fit-il en balançant son pied dans la porte.

J'entendis Lange couiner lorsque Becker cogna une nouvelle fois dans le panneau. À la troisième tentative, la porte s'ouvrit dans un craquement de bois arraché et nous vîmes Lange s'enfuir dans l'escalier en pyjama.

Becker se lança à sa poursuite.

– Surtout, ne le descendez pas ! hurlai-je à son adresse.

– Oh ! mon Dieu, au secours ! gargouilla Lange tandis que Becker l'attrapait par une cheville.

Lange se retourna et essaya de se libérer à coups de pied de l'étreinte de Becker, mais ce fut en vain et Lange descendit l'escalier en rebondissant de marche en marche sur son gros derrière. Une fois en bas, Becker l'empoigna par les joues, qu'il écarta vers les oreilles.

– Quand je te demande d'ouvrir la porte, tu ouvres ta putain de porte ! (Il lâcha une joue et, écrasant sa main sur le visage de Lange, lui cogna violemment le crâne contre l'escalier.) Compris, la tantouze ? (Comme Lange hurlait des protestations,

Becker le saisit par les cheveux et le gifla deux fois de toutes ses forces.) J'ai dit : c'est compris, la tantouze ?

– Oui ! hurla Lange.

– Ça suffit, dis-je en tirant Becker par l'épaule.

Il se releva en respirant bruyamment et me sourit.

– Chef, vous m'aviez dit de le faire valser, non ?

– Je vous dirai quand reprendre la danse.

Lange essuya ses lèvres sanguinolentes et examina le sang qui maculait le revers de sa main. Il avait les yeux larmoyants mais n'avait pas renoncé à exprimer son indignation.

– Non, mais qu'est-ce que ça veut dire ? hurla-t-il. Pour quelle raison vous vous croyez permis de me brutaliser comme ça ?

– Dites-lui, fis-je.

Becker empoigna le col du peignoir en soie de Lange qu'il tordit et enfonça dans les plis de son cou adipeux.

– Tu vas écoper d'un triangle rose, mon gros, fit-il. Un joli triangle rose avec palme si on fait circuler les lettres que t'as envoyées à ton copain le peloteur de couilles Kindermann.

Lange se dégagea de la main de Becker et lui jeta un regard morne.

– Je ne comprends pas de quoi vous parlez, siffla-t-il. Un triangle rose ? Qu'est-ce que ça veut dire, pour l'amour du ciel ?

– Article 175 du Code pénal allemand, expliquai-je.

Becker récita ledit article qu'il connaissait par cœur.

– *Tout homme s'adonnant à des activités indécentes et criminelles avec un autre homme, ou se joignant à de telles activités, sera puni de prison.* (Il tapota la joue de Lange du revers des doigts.) Ce qui veut dire que t'es en état d'arrestation, gros enculé.

– Mais c'est absurde. Je n'ai jamais écrit de lettres à personne. Et je ne suis pas homosexuel.

– T'es pas homosexuel ! répéta Becker avec un reniflement de mépris. Et moi, je pisse pas avec ma queue. (Il sortit alors de sa veste les deux lettres que je lui avais remises et les brandit devant le visage de Lange.) Et ces mots doux, je suppose que tu les as envoyés au Père Noël?

Lange essaya d'attraper les lettres mais les manqua.

– Petit garnement, fit Becker en lui tapotant une nouvelle fois la joue, plus fort cette fois.

– Où les avez-vous trouvées?

– C'est moi qui les lui ai données.

Lange me regarda, puis me dévisagea avec attention.

– Hé, attendez un peu, dit-il. Je vous connais. Vous êtes Steininger. Vous étiez là ce soir, à...

Il laissa sa phrase en suspens, préférant taire l'endroit.

– C'est exact, j'ai assisté à la séance de Weisthor. J'en sais déjà long sur votre combine, et vous allez m'aider à comprendre le reste.

– Qui que vous soyez, vous perdez votre temps. Je ne vous dirai rien.

Je fis un signe de tête à Becker, qui recommença à le frapper. Je le regardai sans émotion lui matraquer d'abord les genoux et les chevilles, puis de temps en temps, une fois et assez légèrement, l'oreille, me détestant pour perpétuer les meilleures traditions de la Gestapo, et pour la brutalité froide et comme déshumanisée que je ressentais au fond de mes entrailles. Au bout d'un moment, je lui dis d'arrêter.

En attendant que Lange cesse de sangloter, je me livrai à une petite inspection des lieux, glissant mon regard par les portes entrouvertes. Contrairement à sa façade, l'intérieur de la maison n'avait rien de traditionnel. Le mobilier, les nombreux tapis et tableaux étaient tous hors de prix et résolument modernes – le genre plus facile à regarder qu'à vivre avec.

– Belle maison, fis-je une fois que Lange se fut ressaisi. Pas tout à fait à mon goût, mais il faut dire que je suis un peu vieux jeu. Je fais partie de ces gens bizarres qui ont les articulations rondes et qui préfèrent les joies du confort à la pureté géométrique. Mais je suis sûr que vous vous plaisez ici. Becker, pensez-vous qu'il appréciera le confort de l'Alex?

– Quoi, les cellules? C'est très géométrique, chef, avec toutes ces barres de fer.

– Sans oublier tous ces personnages bohèmes qu'il y rencontrera et qui font la réputation de la vie nocturne berlinoise. Les violeurs, les assassins, les voleurs, les ivrognes – tous ces ivrognes qui dégobillent partout.

– C'est terrible, chef. Vraiment terrible.

– Vous savez, Becker, je ne pense pas qu'on puisse mettre quelqu'un comme Herr Lange avec cette racaille. Je ne pense pas qu'il apprécierait. Ce n'est pas votre avis ?

– Bande de salauds.

– Je ne pense pas qu'il passe la nuit, chef. Surtout si on le colle là-dedans avec un joli truc de sa garde-robe. Quelque chose d'artistique, comme il convient à quelqu'un d'aussi sensible que Herr Lange. Peut-être même un peu de maquillage, hein, chef ? Il serait sensationnel avec un peu de rouge à lèvres et de fond de teint.

Idée qui, en vrai sadique, le fit ricaner de satisfaction.

– Je crois que vous feriez mieux de parler, Herr Lange, dis-je.

– Vous ne me faites pas peur, espèce de salopards. Vous m'entendez ? Vous ne me faites pas peur.

– C'est très regrettable. Parce qu'au contraire du Kriminalassistent Becker ici présent, l'idée de la souffrance ne me réjouit pas vraiment. Mais je n'ai pas le choix. Je préférerais procéder dans les règles, mais franchement, je n'en ai pas le temps.

Nous le traînâmes jusqu'à la chambre du premier, où Becker sélectionna une tenue dans la garde-robe de Lange. Lorsqu'il revint avec du rouge et du fond de teint, Lange rugit et voulut me balancer un coup de poing.

– Non ! hurla-t-il. Pas ça !

Je lui saisis le poing et lui tordis le bras dans le dos.

– Espèce de petit trouillard larmoyant. Bon Dieu, Lange, je te jure que tu vas obtempérer, sinon, on te suspend la tête en bas et on te tranche la gorge, comme tes amis ont fait à ces gamines. Ensuite, on balancera ton cadavre dans un tonneau de bière, ou dans une vieille malle, et on verra ce que dit ta mère quand elle viendra t'identifier au bout de six semaines.

Je lui mis les menottes et Becker commença à le maquiller. Quand il eut terminé, Oscar Wilde lui-même aurait paru aussi discret qu'un vendeur de tissu de Hanovre.

– Et maintenant, grommelai-je, ramenons cette danseuse du Kit-Kat à son hôtel.

Nous n'avions rien exagéré en décrivant la cellule de nuit de l'Alex. Il en va sans doute de même dans tout grand commissariat urbain. Mais comme l'Alex est un commissariat de très grande ville, la cellule de nuit y est en proportion. C'est en effet une très grande salle, aussi vaste qu'une salle de cinéma, à part qu'il n'y a pas de fauteuils. Il n'y a pas non plus de couchette, ni de fenêtre, ni de ventilation. Il y a juste un plancher crasseux, des seaux hygiéniques crasseux, des barreaux crasseux, des gens crasseux et une vermine grouillante. La Gestapo enfermait là de nombreux détenus pour lesquels il n'y avait pas de place dans ses locaux de la Prinz Albrecht Strasse. L'Orpo y fourrait les ivrognes qu'elle ramassait, pour qu'ils s'y battent, vomissent et dessoûlent jusqu'au lendemain. La Kripo utilisait l'endroit comme la Gestapo utilisait le Canal : comme une fosse d'aisance où se débarrasser de ses déchets humains. C'était un endroit terrible pour un être humain. Même pour un Reinhard Lange. Je devais constamment me rappeler ce que lui et ses amis avaient fait, raviver l'image d'Emmeline recroquevillée dans son tonneau comme un sac de patates pourries. Certains détenus sifflèrent et envoyèrent des baisers quand ils nous virent arriver. Lange blêmit.

– Mon Dieu, vous n'allez pas me laisser là-dedans, supplia-t-il en me serrant le bras.

– Alors, déballe ce que tu sais, rétorquai-je. Weisthor, Rahn, Kindermann. Une déposition signée, et tu auras une cellule pour toi tout seul.

– Je ne peux pas, c'est impossible. Vous ne savez pas ce qu'ils me feraient.

– Non, dis-je avant de hocher la tête en direction des détenus agglutinés derrière les barreaux. Mais je sais ce que *eux* te feront.

Le sergent de garde ouvrit la lourde porte de la cage et recula tandis que Becker poussait Lange à l'intérieur.

Ses hurlements me résonnaient encore aux oreilles lorsque j'arrivai à Steglitz.

Hildegard dormait sur le sofa, ses cheveux dorés en éventail sur le coussin comme la nageoire dorsale de quelque poisson exotique. Je m'assis, passai la main dans leur douceur soyeuse et, en me penchant pour déposer un baiser sur son front, sentis que son haleine était chargée d'alcool. Elle remua, ses yeux s'ouvrirent en papillotant, tristes et gonflés de larmes. Elle posa la main sur ma joue, puis la passa derrière ma nuque et m'attira vers sa bouche.

– Je dois te parler, dis-je en résistant.

Elle appuya son index en travers de mes lèvres.

– Je sais qu'elle est morte, dit-elle. J'ai pleuré toutes les larmes de mon corps. Le puits est à sec.

Elle eut un sourire triste et j'embrassai avec tendresse chacune de ses paupières. Je caressai ses cheveux odorants et pressai mon visage dans son épaule, lui mordillant le cou tandis que ses bras me serraient de plus en plus fort.

– Tu as dû passer une soirée horrible, toi aussi, fit-elle d'une voix douce. N'est-ce pas, chéri ?

– Horrible, répétai-je.

– Je me suis fait un tel souci de savoir que tu retournais dans cette affreuse maison.

– N'en parlons plus.

– Emmène-moi au lit, Bernie.

Elle m'enlaça le cou et je la soulevai, la repliai contre moi comme une invalide et la transportai jusqu'à la chambre. Je l'assis au bord du lit et déboutonnai son corsage. Quand il fut ôté, elle poussa un soupir et se laissa tomber en arrière sur le couvre-lit. Un peu soûle, me dis-je en baissant la fermeture Éclair de sa jupe que je fis glisser doucement le long de ses jambes gainées de bas. Je tirai sur sa combinaison et embrassai ses petits seins, son ventre puis l'intérieur de ses cuisses. Mais sa culotte étant trop serrée, ou coincée entre ses fesses, je n'arrivai pas à l'enlever. Je lui demandai de soulever le derrière.

– Déchire-la, dit-elle.

– Quoi ?

– Déchire-la. Fais-moi mal, Bernie. Fais de moi ce que tu veux.

Elle parlait sur un ton d'urgence, la voix haletante, tout en ouvrant et fermant les cuisses comme une énorme mante religieuse.

– Hildegard...

Elle me frappa violemment sur la bouche.

– Obéis, bon sang. Fais-moi mal quand je te le demande.

Au moment où elle allait de nouveau me frapper, j'attrapai son poignet au vol.

– La soirée m'a suffi. (Je lui immobilisai l'autre bras.) Je t'en prie, arrête.

– S'il te plaît, fais-le.

Je secouai la tête, mais ses jambes m'enserrèrent la taille et je ressentis une douleur dans les reins lorsque ses cuisses accentuèrent leur étreinte.

– Arrête ! Pour l'amour du ciel, arrête !

– Frappe-moi, espèce de gros plein de soupe ! Est-ce que je t'ai dit à quel point je te trouvais stupide ? Tu n'es qu'un sale mufle de flic. Si t'étais un homme, tu me violerais. Mais tu n'en es pas un, voilà la vérité.

– Si tu cherches à te faire mal, alors, je t'emmènerai faire un tour à la morgue. (Je secouai la tête, desserrai ses cuisses et la repoussai.) Mais pas comme ça. Pas sans amour.

Elle cessa de se tortiller et, pendant un instant, sembla comprendre ce que je disais. Puis elle sourit, avança ses lèvres et me cracha au visage.

Après ça, je n'avais d'autre solution que de partir.

Je ressentis au creux de l'estomac un vide aussi glacial que mon appartement de Fasanenstrasse et, aussitôt arrivé, je tentai de le réchauffer à l'aide d'une bouteille de cognac. Quelqu'un a dit que le bonheur réside dans le négatif, dans l'abolition du désir et l'extinction de toute douleur. Le cognac m'aida un peu. Mais avant que je sombre dans le sommeil, toujours assis dans mon fauteuil et vêtu de mon pardessus, je réalisai à quel point j'avais été positivement affecté.

22

Dimanche 6 novembre

En ces temps difficiles, le simple fait de survivre était une sorte d'exploit. Ça n'était pas quelque chose qui arrivait tout seul. Vivre en Allemagne nazie demandait un effort constant. Et encore vous restait-il, si vous parveniez à surnager, à trouver un but à votre vie. Car à quoi bon jouir de la santé et de la sécurité si votre vie n'a aucun sens ?

Ça n'est pas que je m'apitoyais sur moi-même. Comme beaucoup d'autres, je me disais toujours qu'il y avait certainement des gens dont le sort était pire que le mien. Or, dans ce cas précis, j'en étais certain. Les juifs étaient déjà persécutés, mais si Weisthor parvenait à ses fins, leur calvaire allait être porté à de nouvelles extrémités. Quelles conséquences auraient alors ces persécutions sur la cohabitation entre eux et nous ? Dans quelle situation se retrouverait l'Allemagne après ça ?

Il est vrai, me disais-je, que ce problème ne me concerne guère, que les juifs ont bien cherché ce qui leur arrive. Mais même si c'était vrai, quel goût aurait notre plaisir au regard de leur douleur ? Leurs souffrances rendraient-elles notre vie plus douce ? Le sentiment de ma liberté serait-il affermi par leur persécution ?

Plus j'y réfléchissais, plus j'étais convaincu qu'il fallait non seulement mettre un terme aux meurtres d'adolescentes, mais aussi faire capoter le projet de Weisthor d'attirer les tourments de l'enfer sur la tête des juifs, et plus je me disais que ne pas tout faire dans ce sens m'emplirait d'un sentiment de dégradation d'une ampleur égale à la tragédie qui s'annonçait.

Je ne suis pas un chevalier blanc. Je suis juste un type usé, debout à un coin de rue dans son pardessus froissé, avec une vague notion de ce qu'on appelle, osons le mot, Moralité. Bien sûr, je ne suis pas étouffé par les scrupules quand il s'agit de me remplir les poches, et je ne serais pas plus capable de remettre dans le droit chemin une bande de jeunes voyous que de chanter une messe en solo. Mais j'étais sûr d'une chose. J'en avais assez de faire semblant de me curer les ongles pendant que des malfrats dévalisaient la boutique.

Je balançai la pile de lettres sur la table.

– Nous avons trouvé ça en fouillant chez vous, dis-je.

Le visage en papier mâché, les traits tirés, Reinhard Lange considéra les lettres d'un air indifférent.

– Puis-je savoir comment vous les avez obtenues?

– Elles sont à moi, fit-il en haussant les épaules. Je ne le nie pas. (Il soupira et se prit la tête entre les mains.) Écoutez, j'ai signé ma déposition. Que voulez-vous de plus? J'ai accepté de coopérer, non?

– Nous en avons presque terminé, Reinhard. Il reste juste à éclaircir un détail ou deux. Comme par exemple savoir qui a tué Klaus Hering.

– Je ne vois pas de quoi vous parlez.

– Vous avez la mémoire courte. Cet individu faisait chanter votre mère avec ces lettres, qu'il avait volées à votre amant, lequel se trouvait être son employeur. Je suppose qu'il a estimé qu'elle avait plus d'argent que vous. En tout cas, votre mère a engagé un détective pour démasquer le maître-chanteur. Ce détective, c'était moi. Ceci se passait avant que je redevienne flic à l'Alex. Une femme astucieuse, votre mère,

Reinhard. Dommage que vous n'ayez pas hérité de ce trait de caractère. Elle s'est dit que le type qui la faisait chanter était peut-être un de vos amants. C'est pourquoi quand je lui ai dévoilé son identité, elle a voulu que ce soit vous qui décidiez de la suite à donner. Elle ne pouvait évidemment pas savoir que de votre côté, vous aviez engagé un détective en la personne répugnante de Rolf Vogelmann. Ou du moins qu'Otto Rahn l'avait engagé, grâce à votre argent. Or, figurez-vous que Rahn, à l'époque où il cherchait une agence dans laquelle investir, avait contacté la mienne. Mais comme nous n'avons jamais eu le plaisir de discuter de sa proposition, il m'a fallu un bon moment pour me souvenir de son nom.

« Bref, quand votre mère vous a appris qu'Hering la faisait chanter, vous en avez aussitôt parlé au Dr Kindermann, qui a été d'avis de régler l'affaire vous-mêmes. Vous et Otto Rahn. Après tout, qu'importe un sale boulot de plus ou de moins quand on en a déjà tant fait ?

– Je vous répète que je n'ai jamais tué personne.

– Mais vous avez approuvé l'élimination d'Hering, n'est-ce pas ? Je suppose que c'est vous qui conduisiez la voiture. Et que vous avez même aidé Kindermann à pendre le cadavre d'Hering pour faire croire à un suicide.

– Non, c'est faux.

– Ils portaient leur uniforme SS, n'est-ce pas ?

Il fronça les sourcils et secoua la tête.

– Comment le savez-vous ?

– J'ai trouvé un insigne de casquette SS fichée dans la paume d'Hering. J'en ai déduit qu'il avait lutté jusqu'au bout. Dites-moi, est-ce que le type qui était dans la voiture a résisté, lui aussi ? Celui qui portait un bandeau sur l'œil et qui surveillait l'appartement d'Hering. Il fallait bien l'éliminer aussi, pas vrai ? Au cas où il vous identifierait.

– Non...

– Pas vu, pas pris. Vous maquillez les deux cadavres pour qu'on pense qu'Hering l'a tué et qu'ensuite, pris de remords, il s'est pendu. Et bien sûr, vous emportez les lettres. Qui a tué l'homme dans la voiture ? Est-ce une idée à vous ?

– Non, je ne voulais même pas y aller.

Je l'attrapai par les revers et le soulevai de sa chaise.

– Suffit ! J'en ai assez de tes pleurnicheries, fis-je en le giflant à toute volée. Dis-moi qui l'a tué ou je te fais fusiller dans l'heure.

– C'est Lanz. Avec Rahn. Otto lui tenait les bras pendant que Kindermann... il... il l'a poignardé. C'était horrible. Horrible.

Je le laissai retomber sur sa chaise. Il s'abattit sur la table et se mit à sangloter dans le creux de son coude.

– Vous savez, Reinhard, vous êtes dans une situation délicate, dis-je en allumant une cigarette. Votre présence sur les lieux vous rend complice d'assassinat. Sans compter que vous étiez au courant du meurtre des gamines.

– Je vous l'ai déjà dit, dit-il en reniflant d'un air pitoyable. Ils m'auraient tué. Je n'étais pas d'accord, mais j'étais obligé de les suivre.

– Ça n'explique pas pourquoi vous vous êtes embringué dans cette situation, fis-je en parcourant la déposition de Lange.

– Croyez bien que je me suis souvent posé la question.

– Et vous avez trouvé la réponse ?

– C'est à cause d'un homme que j'admirais. Un homme en qui je croyais. Il m'a convaincu que ce que nous faisions était pour le bien de l'Allemagne. Que c'était notre devoir. Cet homme, c'est Kindermann.

– À mon avis, ça ne convaincra pas le juge, Reinhard. Je ne vois pas très bien Kindermann en Eve tentatrice.

– C'est pourtant la vérité, je vous assure.

– Peut-être, mais c'est un peu juste comme feuille de vigne. Vous feriez mieux de trouver autre chose pour votre défense. C'est un conseil que je vous donne, et croyez-moi, vous en aurez besoin, de conseils. Parce que de la façon dont je vois les choses, vous serez le seul à avoir besoin d'un avocat.

– Que voulez-vous dire ?

– Je vais être franc avec vous, Reinhard. Il y a dans votre déposition de quoi vous mettre plusieurs fois la tête sur le billot. Quant à vos amis, je n'en sais rien. Ils sont tous dans la SS, ils connaissent le Reichsführer. Weisthor est un ami personnel d'Himmler. Pour vous dire la vérité, je me fais du souci pour vous, Reinhard. Je crains qu'on vous fasse jouer le rôle de bouc émissaire, pendant qu'eux seront blanchis pour étouffer l'affaire et éviter le scandale. Bah, il leur faudra peut-être quitter la SS, mais ça n'ira pas plus loin. Vous serez le seul à vous faire raccourcir.

– Mais... c'est impossible.

Je hochai la tête.

– Évidemment, s'il y avait un petit quelque chose de plus à côté de votre déposition... Quelque chose qui pourrait vous éviter l'accusation de meurtre... Il vous restera bien sûr à vous frotter à l'article 175, mais vous pourrez vous en tirer avec cinq ans de KZ au lieu d'une condamnation à mort. Vous auriez une chance de survivre. (Je m'interrompis un instant.) Qu'en dites-vous, Reinhard ?

– D'accord, fit-il au bout d'une minute. Il y a autre chose.

– Je vous écoute.

Il commença d'un ton hésitant, ne sachant pas s'il avait raison de me faire confiance. Je n'en étais moi-même pas très sûr.

– Lanz est autrichien. Originaire de Salzbourg.

– Ça, j'avais deviné.

– Il a étudié la médecine à Vienne. Une fois qu'il a eu son diplôme, il s'est spécialisé dans les maladies nerveuses et on lui a confié un poste à l'asile d'aliénés de Salzbourg. C'est là qu'il a fait la connaissance de Weisthor. Ou plutôt Wiligut, comme il s'appelait à l'époque.

– Lui aussi était médecin ?

– Pas du tout. C'était un patient. Il avait été soldat de métier dans l'armée autrichienne. Mais c'est aussi le dernier d'une lignée de mages qui remonte aux temps préhistoriques. Weisthor a hérité un don ancestral de clairvoyance qui lui permet de décrire la vie et les rites païens des premiers Germains.

– Très pratique, ma foi.

– Des païens qui adoraient le dieu germanique Krist. Leur religion a plus tard été volée par les juifs qui en ont fait l'évangile de Jésus.

– Le vol a-t-il été signalé? demandai-je en allumant une cigarette.

– Ça ne vous intéresse pas, fit Lange.

– Si, si. Je vous en prie, poursuivez. Je vous écoute.

– Weisthor étudiait les runes, dont une des configurations de base est le swastika. En fait, les formes en cristaux telle que la pyramide sont toutes des caractères runiques, des symboles solaires. C'est d'ailleurs de là que vient le mot « cristal ».

– Vous m'en direz tant.

– Au début des années 20, Weisthor a commencé à montrer des signes de schizophrénie paranoïaque. Il était convaincu d'être persécuté par les catholiques, les juifs et les francs-maçons. Ces idées sont apparues après la mort de son fils, mort qui signifiait pour lui la fin de la lignée des Wiligut. Il a rendu sa femme responsable de ce malheur et est devenu de plus en plus violent. Un jour, il a tenté de l'étrangler. C'est à la suite de cet incident qu'il a été déclaré dément et interné. Il a d'ailleurs essayé à plusieurs reprises de tuer d'autres malades au cours de son internement. Cependant, grâce au traitement médical, il a retrouvé peu à peu sa santé mentale.

– Et Kindermann était son médecin?

– Oui, jusqu'à ce que Weisthor sorte de l'asile, en 1932.

– Je ne comprends pas. Kindermann savait que Weisthor était cinglé, et il l'a quand même laissé sortir?

– L'approche de Lanz à l'égard de la psychothérapie est anti-freudienne. C'est chez Jung qu'il a découvert les éléments permettant d'expliquer l'histoire et la culture d'une race. L'apport de Jung consiste à rechercher dans l'inconscient les strates spirituelles qui permettent de reconstituer la préhistoire des cultures. C'est comme ça qu'il en est arrivé à travailler avec Weisthor. Lanz a vu en lui la clé pouvant lui ouvrir le domaine de la psychothérapie jungienne qui, espère-t-il, lui permettra, avec la bénédiction d'Himmler, d'ouvrir un équivalent de l'Institut de recherches Goering. C'est un établissement psycho...

– Oui, oui, je connais.

– Bien. Au début, le travail de recherche était sérieux. Et puis il s'est aperçu que Weisthor était un truqueur, qu'il n'utilisait son don de clairvoyance que pour faire mousser ses ancêtres aux yeux d'Himmler. Mais il était trop tard. Et Lanz aurait accepté n'importe quoi pour pouvoir ouvrir son institut.

– Pourquoi a-t-il besoin d'un institut ? Il a déjà sa clinique, non ?

– Ça ne lui suffit pas. Il veut être reconnu dans son domaine au même titre que Freud et Jung dans le leur.

– Et Otto Rahn dans tout ça ?

– Un homme intellectuellement doué, mais qui n'est au fond qu'une brute fanatique. Il a été gardien à Dachau pendant une période. Voilà le genre d'homme que c'est. (Il se tut et se mordilla un ongle.) Pourrais-je avoir une cigarette, s'il vous plaît ?

Je lui lançai le paquet et le regardai allumer sa cigarette d'une main qui tremblait comme sous l'emprise d'une forte fièvre. À voir la façon dont il fumait, on aurait dit que c'était des protéines pures et non du tabac.

– C'est tout ?

Il secoua la tête.

– Kindermann est toujours en possession du dossier médical de Weisthor, qui prouve qu'il est dément. Lanz disait que c'était son assurance sur la loyauté de Weisthor. Voyez-vous, Himmler ne supporte pas la maladie mentale. Il justifie ça par je ne sais quelles stupidités sur la santé raciale. C'est pourquoi si jamais ce dossier médical devait tomber entre ses mains, alors...

– ... alors, le jeu serait bel et bien terminé.

– Quel est le programme, chef ?

– Himmler, Heydrich et Nebe sont partis siéger au Tribunal d'Honneur SS à Wewelsburg.

– Bon sang, où ça se trouve, Wewelsburg ? fit Becker.

– À côté de Paderborn, dit Korsch.

– Mon idée est de les y rejoindre. Voir si je ne peux pas dévoiler les manigances de Weisthor devant Himmler. J'emmènerai Lange pour confirmer ce que je dirai.

Korsch se leva et se dirigea vers la porte.

– Entendu, patron. Je vous attends dans la voiture.

– Inutile. Je veux que vous et Becker restiez ici.

Ce dernier émit un grognement.

– C'est ridicule, chef. Ça serait aller au-devant de graves ennuis.

– Il se peut que ça ne se déroule pas exactement comme je le voudrais. N'oublions pas que Weisthor est l'ami d'Himmler. Je doute que le Reichsführer accepte sans broncher mes révélations. Pire, il risque de les rejeter en bloc, auquel cas il serait préférable que je sois le seul à trinquer. Après tout, il peut difficilement me virer de la police, vu que je n'y suis que pour la durée de l'enquête, après quoi, je retourne à mes affaires.

» Vous, en revanche, vous devez penser à vos carrières. Pas très prometteuses, je l'admets. (Je souris.) Mais ça serait dommage de vous attirer les foudres d'Himmler quand je peux jouer les paratonnerres.

Korsch échangea un regard avec Becker.

– Allons, patron, n'essayez pas de nous baratiner, fit-il. Votre plan est dangereux. Vous le savez aussi bien que nous.

– Il y autre chose, renchérit Becker. Comment comptez-vous y aller en traînant Lange avec vous ?

– C'est vrai, patron. Wewelsburg est à plus de trois cents kilomètres.

– Je prendrai une voiture de service.

– Et s'il tente quelque chose ?

– Il aura les menottes. Ça m'étonnerait qu'il puisse faire grand-chose. (Je secouai la tête et allai décrocher mes chapeau et manteau du perroquet.) Désolé, les enfants, mais ça se passera comme je l'ai dit.

J'allai à la porte.

– Patron ? fit Korsch.

Il me tendit la main. Je la serrai. Puis je serrai celle de Becker. Ensuite, j'allai chercher mon prisonnier.

La clinique de Kindermann était aussi propre et coquette que lors de ma première visite à la fin du mois d'août. Elle paraissait même encore plus calme, sans piaillements de freux dans les arbres ni cris de rameurs sur le lac. On entendait juste le sifflement du vent et le crissement des feuilles mortes qu'il faisait voltiger en travers de la chaussée comme autant de criquets pèlerins.

Je posai la main au creux des reins de Lange et le poussai avec fermeté vers la porte.

– C'est très gênant, dit-il, d'arriver menottes aux mains comme un criminel de droit commun. Je suis connu ici, vous savez.

– Vous *êtes* un criminel de droit commun, Lange. Peut-être préférez-vous que je mette un torchon sur votre sale gueule ? (Je le poussai une nouvelle fois.) Si je n'étais pas aussi bon, je vous aurais fait entrer braguette ouverte, avec la queue hors du pantalon, vous m'entendez ?

– Que faites-vous de mes droits civiques ?

– Merde, où avez-vous passé les cinq dernières années ? Vous êtes en Allemagne nazie, mon vieux, pas dans la Grèce antique. Et maintenant, fermez votre clapet.

Une infirmière vint à notre rencontre dans le hall. Elle allait saluer Lange quand elle remarqua les menottes. Je brandis ma plaque devant son air ébahi.

– Police, dis-je. J'ai un mandat pour perquisitionner le bureau du Dr Kindermann.

C'était vrai : je l'avais signé moi-même. Mais l'infirmière ne l'entendait pas de cette oreille.

– Je ne pense pas que vous puissiez entrer comme ça, dit-elle. Il faut que je...

– Chère madame, il y a quelques semaines ce petit swastika que vous voyez sur ma plaque a suffi pour légitimer l'entrée des troupes allemandes dans les territoires sudètes. Alors, vous pensez bien qu'elle m'autorise à entrer dans les caleçons de ce bon docteur si j'en ai envie. (Sur ces mots, je poussai Lange devant moi.) Allons, Reinhard, montrez-moi le chemin.

Le bureau de Kindermann était installé à l'arrière de la clinique. Comme appartement, il aurait été jugé un peu juste, mais comme pièce privée, il était parfait. Le mobilier comportait un long divan bas, un beau bureau en noyer, deux ou trois de ces tableaux modernes qui ressemblent à l'intérieur d'un cerveau de chimpanzé, et assez de livres reliés pleine peau pour expliquer la pénurie de cuir de cordonnerie sévissant dans le pays.

– Asseyez-vous à un endroit où je vous aurai à l'œil, Reinhard, lui dis-je. Et ne faites pas de gestes brusques. Je suis d'un naturel émotif, et je deviens vite violent pour cacher mon embarras. Quel est le mot savant que les toubibs emploient pour ça ? (J'ouvris la vaste armoire à classement installée près de la fenêtre et me mis à parcourir les fiches de Kindermann.) « Attitude compensatoire », repris-je. Ça fait deux mots, en fait, mais je crois bien que c'est ça.

« Eh bien, vous n'en croiriez pas vos oreilles si je vous énumérais tous les grands personnages que votre ami Kindermann a traités. Ce fichier ressemble à la liste des invités d'une soirée de gala à la Chancellerie du Reich. Attendez une minute, je crois que j'ai trouvé votre dossier. (Je le sortis et le lançai sur ses genoux.) Jetez donc un coup d'œil sur ce qu'il a écrit sur votre compte, Reinhard. Peut-être que ça explique pourquoi vous vous êtes fourré avec cette bande de salopards.

Lange fixa le dossier, sans l'ouvrir.

– C'est très simple, vous savez, dit-il d'un ton calme. Comme je vous l'ai expliqué, je me suis intéressé aux sciences psychiques à la suite de mon amitié avec le Dr Kindermann.

Il leva la tête et me regarda d'un air de défi.

– Moi, je vais vous dire pourquoi vous vous êtes embringué là-dedans, rétorquai-je avec un sourire. C'est parce que vous vous ennuyiez. Vous aviez trop d'argent et vous ne saviez pas quoi faire pour vous distraire. C'est le problème des gens dans votre genre, à qui l'argent vient tout seul. Vous ne connaissez pas sa valeur. Et ça, vos amis l'ont compris, Reinhard, et ils vous ont pris pour leur vache à lait.

– Ça ne marche pas avec moi, Gunther. Vous dites n'importe quoi.

– Vous croyez? Dans ce cas, lisez votre dossier. Vous comprendrez tout de suite.

– Un patient ne doit jamais prendre connaissance des notes de son médecin. Ce serait pour moi agir de façon immorale que d'ouvrir ce dossier.

– J'ai comme l'impression que vous avez vu des choses autrement plus graves que les notes de votre médecin, Reinhard. Quant à Kindermann, il a pris ses leçons de morale auprès de la Sainte Inquisition.

Je me retournai vers l'armoire et me tus brusquement en reconnaissant un autre nom. Le nom d'une jeune femme que j'avais recherchée en vain pendant deux mois. Une femme qui, à une certaine époque, avait été importante pour moi. Disons que j'étais même tombé amoureux d'elle. C'est le boulot qui veut ça, parfois. Une personne disparaît sans laisser de traces, la vie continue et puis un jour, vous tombez sur un indice qui, découvert au bon moment, vous aurait permis de résoudre l'affaire. Mais au bout du compte, à part l'irritation que vous ressentez à constater combien vous étiez loin de la plaque, vous apprenez vite à vivre avec ces échecs. Dans mon rayon, il n'y a guère de place pour les fanatiques du clair et net. Être détective privé, c'est comme essayer de reconstituer un seul puzzle avec trois jeux dépareillés : il y a toujours des tas de bouts qui ne collent pas. Mais je ne serais pas honnête si je prétendais ne pas trouver quelque satisfaction à en placer un de temps en temps. Pourtant ce nom, le nom de cette fille qu'Arthur Nebe avait mentionné de nombreuses semaines auparavant lors de notre rencontre nocturne dans les ruines du Reichstag, ce nom signifiait beaucoup plus que la satisfaction de trouver enfin la solution d'une vieille énigme. Il y a des moments où une découverte acquiert la force d'une révélation.

– Le salaud, lâcha Lange en feuilletant les pages de son dossier.

– Je suis bien de votre avis.

– « Névrosé efféminé », lut-il. Moi ! Comment a-t-il pu écrire une chose pareille ?

Je passai au tiroir suivant, n'écoutant que d'une oreille ce qu'il disait.

– C'est à vous de me le dire, c'est votre ami.

– Comment a-t-il pu dire ça ? Je n'en reviens pas.

– Allons, Reinhard. C'est ce qui arrive quand on fraie avec les requins. Il faut vous attendre à vous faire mordiller les couilles de temps à autre.

– Je le tuerai ! s'écria-t-il en balançant le dossier à l'autre bout de la pièce.

– J'espère le faire avant vous, dis-je en tombant enfin sur le dossier de Weisthor. (Je refermai le tiroir.) Bon. J'ai trouvé ce que je cherchais. Nous pouvons partir.

J'allais saisir la poignée de la porte lorsqu'un gros revolver pointa son nez dans la pièce, aussitôt suivi de Lanz Kindermann.

– Ça vous ennuierait de me dire ce que signifie ce bordel ?

Je fis un pas en arrière.

– Tiens, quelle bonne surprise, fis-je. Nous parlions justement de vous. Nous pensions que vous étiez parti à Wewelsburg pour votre cours de catéchisme. Entre parenthèses, si j'étais à votre place, je ferais attention avec ce revolver. Mes hommes surveillent la clinique. Et ils sont très loyaux, vous savez. On est comme ça dans la police, ces temps-ci. Je n'ose même pas penser à ce qu'ils vous feraient s'ils apprenaient que vous avez touché à un seul cheveu de ma tête.

Kindermann jeta un regard à Lange, qui n'avait pas bougé, puis aux dossiers que je serrais sous mon bras.

– Je ne sais pas à quel petit jeu vous jouez, Herr Steininger, si tel est bien votre nom, mais je crois que vous feriez mieux de poser ces dossiers sur la table et de lever les mains en l'air, vous ne croyez pas ?

Je posai les dossiers sur le bureau et commençai à dire quelque chose à propos d'un mandat lorsque Reinhard Lange prit une initiative, si l'on peut appeler ainsi la folie consistant à se jeter sur un homme qui braque sur vous un pistolet automatique de calibre 45. Ses hurlements indignés furent coupés net par l'assourdissante détonation qui lui arracha la moitié du cou. Avec d'horribles gargouillis, Lange pivota sur lui-même comme un derviche tourneur, porta ses mains menottées à sa gorge avant de s'effondrer en décorant la tapisserie de belles roses rouges.

Mais les doigts de Kindermann étaient plus à l'aise avec un archet de violoniste qu'avec un calibre 45 qui nécessite, lorsque le chien est descendu, un index de charpentier pour presser la détente, de sorte que j'eus tout le temps, pendant qu'il s'y escrimait, de saisir le buste de Dante posé sur le bureau et de le fracasser contre sa tempe.

Kindermann assommé, je me dirigeai vers le coin de la pièce où gisait Lange. L'avant-bras sanguinolent pressé contre ce qui lui restait de veine jugulaire, il survécut une ou deux minutes, puis expira sans prononcer un mot.

J'ôtai ses menottes et les passais à Kindermann lorsque, alertées par le coup de feu, deux infirmières firent irruption dans le bureau et contemplèrent la scène avec des yeux horrifiés. Je m'essuyai les mains sur la cravate de Kindermann et me dirigeai vers le téléphone.

– Si vous voulez tout savoir, votre patron vient de descendre son petit ami. (Je décrochai le combiné.) Opératrice? Passez-moi le quartier général de la police d'Alexanderplatz, je vous prie.

Je vis l'une des infirmières tâter le pouls de Lange, tandis que l'autre aidait Kindermann, râlant et gémissant, à s'allonger sur le divan pendant que j'attendais la communication.

– Il est mort, dit la première infirmière.

Les deux femmes me considérèrent d'un air suspicieux.

– Ici le Kommissar Gunther, dis-je au standardiste de l'Alex. Passez-moi d'urgence le Kriminalassistent Korsch ou Becker, de la Commission criminelle, s'il vous plaît.

Après une courte attente, j'entendis la voix de Becker.

– Je suis à la clinique de Kindermann, lui expliquai-je. Je voulais récupérer le dossier médical de Weisthor, mais Lange s'est débrouillé pour se faire descendre. Il a perdu son sang-froid et une partie de son cou. C'est Kindermann qui tenait le flingue.

– Vous voulez que j'envoie le corbillard ?

– Tout juste. Mais je ne serai plus là quand il arrivera. Je maintiens mon plan de départ, sauf que j'emmène Kindermann à la place de Lange.

– Très bien, chef. Je m'occupe de tout. Oh, à propos, Frau Steininger a téléphoné.

– A-t-elle laissé un message ?

– Non, chef.

– Rien du tout ?

– Non, chef. Commissaire, vous savez ce qui lui manque à celle-là, si je peux me permettre ?

– Dites toujours.

– Eh bien, à mon avis, elle a besoin d'un...

– À bien y réfléchir, je n'ai pas besoin de votre avis, Becker.

– Bon, enfin, vous voyez le genre, chef.

– Pas vraiment, Becker, pas vraiment. Mais je profiterai du trajet en voiture pour y réfléchir. Comptez sur moi.

Je quittai Berlin par l'ouest, en suivant les panneaux indiquant la direction de Potsdam et, au-delà, Hanovre.

L'autobahn bifurque du périphérique berlinois à hauteur de Lehnin, passe au sud de la vieille ville de Brandebourg puis, après Zeisar, l'ancienne cité des évêques de Brandebourg, file vers l'ouest en ligne droite.

Au bout d'un moment, je m'aperçus que Kindermann s'était redressé sur la banquette arrière de la Mercedes.

– Où allons-nous ? s'enquit-il d'un air morne.

Je jetai un coup d'œil par-dessus mon épaule. Avec ses mains menottées dans le dos, j'espérais qu'il ne serait pas assez stupide pour essayer de me donner un coup de tête.

Surtout avec un crâne que les deux infirmières avaient exigé de bander avant de me laisser emmener le docteur.

– Vous ne reconnaissez pas la route? dis-je. Nous nous rendons dans une petite ville au sud de Paderborn. À Wewelsburg, exactement. Je suis sûr que le nom vous dit quelque chose. J'ai pensé que vous ne me pardonneriez pas de vous faire rater le Tribunal d'Honneur SS.

Du coin de l'œil, je le vis sourire et se laisser aller, aussi confortablement qu'il le pouvait vu sa position, contre le dossier de la banquette.

– Ça me convient très bien.

– Vous savez, vous m'avez beaucoup contrarié, Herr Doktor. Descendre mon témoin surprise comme ça! Je lui avais fait préparer un petit numéro à l'intention d'Himmler. Heureusement qu'il avait signé sa déposition à l'Alex. Bah, tant pis, vous jouerez les doublures.

Il éclata de rire.

– Qu'est-ce qui vous fait croire que j'accepterai?

– Je sens que vous auriez de gros ennuis si vous me déceviez.

– À vous voir, on jurerait que vous avez l'habitude d'être déçu.

– Peut-être. Mais je doute que ma déception soit aussi vive que celle d'Himmler.

– Je n'ai rien à craindre de la part du Reichsführer, croyez-moi.

– Si j'étais vous, je n'accorderais pas une confiance aveugle au grade ou à l'uniforme, mon cher Hauptsturmführer. Vous vous ferez descendre aussi facilement qu'Ernst Röhm et ses SA.

– Je connaissais bien Röhm, rétorqua-t-il d'une voix doucereuse. Nous étions de bons amis. Eh bien, sachez que notre amitié était bien connue d'Himmler, avec tout ce qu'une telle relation implique.

– Vous voulez dire qu'Himmler sait que vous êtes pédé?

– Bien sûr. Et si j'ai survécu à la Nuit des Longs Couteaux, je survivrai à tous les ennuis que vous aimeriez me créer, vous ne croyez pas ?

– Alors, le Reichsführer prendra plaisir à la lecture des lettres de Lange. Ne serait-ce que parce qu'elles lui confirmeront ce qu'il sait déjà. Ne sous-estimez pas l'importance qu'accorde un policier à la confirmation d'informations déjà connues. J'imagine qu'il est également au courant de la démence de Weisthor ?

– Ce qui passait pour de la démence il y a dix ans n'est plus aujourd'hui considéré que comme un désordre nerveux. La psychothérapie a fait de grands progrès en peu de temps. Pensez-vous sérieusement que Herr Weisthor soit le premier officier supérieur SS à avoir suivi un traitement ? Je travaille comme conseiller à l'hôpital orthopédique spécial de Hohenlychen, près du camp de concentration de Ravensbrück. De nombreux officiers SS y sont soignés pour ce qu'on désigne par un euphémisme, mais qui en réalité est de la maladie mentale pure et simple. Vous savez, vous m'étonnez. En tant que policier, vous devriez savoir avec quelle habileté le Reich pratique l'hypocrisie quand elle est nécessaire. Et vous vous précipitez en pensant offrir un feu d'artifice au Reichführer, alors que vous ne disposez que de quelques pétards mouillés ? Il sera très déçu, croyez-moi.

– J'aime vous entendre causer, Kindermann. Je ne me lasse pas d'entendre un homme parler de son travail. Je suis sûr que vous êtes très fort avec ces riches veuves qui viennent soigner leurs dépressions menstruelles chez vous. Dites-moi, leur prescrivez-vous à toutes de la cocaïne ?

– Le chlorhydrate de cocaïne a toujours été utilisé comme stimulant dans le traitement des dépressions aiguës.

– Comment les empêchez-vous de sombrer dans la dépendance ?

– Il est exact que c'est un risque. On doit être vigilant à l'égard des moindres symptômes de dépendance. C'est mon travail. (Il s'interrompit un instant.) Pourquoi cette question ?

– Simple curiosité, Herr Doktor. C'est mon travail.

Nous franchîmes l'Elbe à Hohenwahre, au nord de Magdebourg. Au-delà du pont, nous aperçûmes les lumières du chantier en voie d'achèvement de l'écluse de Rothensee, qui devait raccorder l'Elbe avec le Mittellandkanal qui courait à une vingtaine de mètres au-dessus du fleuve. Nous passâmes bientôt en Basse-Saxe et nous arrêtâmes à Helmstedt pour nous reposer et prendre de l'essence.

Il était près de 19 heures et l'obscurité tombait. Je menottai une des mains de Kindermann à la poignée de la portière pour lui permettre d'uriner, pendant que je me soulageai à quelques pas. Ensuite, je sortis la roue de secours, la transférai sur le siège arrière et y attachai par les menottes la main gauche de Kindermann, lui laissant la droite libre. La Mercedes étant une voiture spacieuse, il était assez loin derrière moi pour ne pas m'inquiéter. Mais par mesure de sécurité, je dégainai le Walther de mon étui d'épaule, le lui montrai et le posai sur le siège passager.

– Vous serez mieux avec une main libre, dis-je. Mais si vous faites seulement mine de vous curer le nez, je n'hésiterai pas à m'en servir.

Puis je démarrai et nous reprîmes la route.

– Pourquoi êtes-vous si pressé? s'exclama bientôt Kindermann d'un air exaspéré. Je ne comprends pas. Vous auriez aussi bien pu faire votre numéro lundi, quand tout le monde sera rentré à Berlin. Je ne vois vraiment pas la nécessité de faire tout ce trajet.

– Lundi, ça sera trop tard, Kindermann. Trop tard pour empêcher le petit pogrom que votre ami Weisthor a concocté pour les juifs de Berlin. Le Projet Krist, c'est bien comme ça que vous l'appelez, non?

– Ah, vous savez ça aussi, hein? Vous n'avez pas chômé. Mais ne me dites pas que vous aimez les juifs.

– Disons simplement que je n'aime pas les lynchages, ni la loi de la jungle. C'est pour ça que je suis devenu policier.

– Pour faire respecter la justice?

– Vous pouvez appeler ça comme ça, oui.

– Vous vous trompez vous-même. Ce qui mène le monde, c'est la force. La volonté du peuple. Et pour que cette volonté collective devienne réalité, il faut lui fixer un objectif. Ce que nous faisons, ce n'est rien d'autre que ce que fait un enfant quand il braque une loupe sur une feuille de papier pour l'enflammer. Nous ne faisons qu'utiliser un pouvoir qui existe déjà. La justice serait une chose merveilleuse s'il n'y avait pas les hommes. Herr... ? Au fait, je ne connais toujours pas votre nom.

– Je m'appelle Gunther, et vous pouvez m'épargner la propagande du Parti.

– Ce sont là des faits, Gunther, pas de la propagande. Vous êtes anachronique, le savez-vous ? Vous ne vivez pas dans votre siècle.

– D'après le peu que je connais sur l'Histoire, il me semble que la justice n'a jamais été très à la mode, Kindermann. Si je suis en dehors de mon époque, si je marche à contresens de la volonté du peuple, comme vous dites, eh bien, j'en suis heureux. La différence entre nous, c'est qu'au lieu de me servir de la volonté du peuple comme vous le faites, je veux lui mettre des garde-fous.

– Vous êtes un idéaliste de la pire espèce : celle des naïfs. Pensez-vous vraiment pouvoir arrêter ce qui arrive aux juifs ? Vous êtes en retard d'une rame. Les journaux ont déjà eu vent des meurtres rituels commis par les juifs à Berlin. Même s'ils le voulaient, ni Himmler ni Heydrich ne pourraient empêcher ce qui va se passer.

– Peut-être que je n'arriverai pas à l'empêcher, rétorquai-je, mais je veux au moins essayer de le retarder.

– Même si vous arrivez à convaincre Himmler, croyez-vous qu'il acceptera de gaieté de cœur que son aveuglement soit étalé sur la place publique ? Ça m'étonnerait beaucoup que le Reichsführer-SS satisfasse votre soif de justice. Il étouffera l'affaire et dans quelque temps, tout le monde l'aura oubliée. Comme on aura oublié les juifs. Croyez-moi, les citoyens de ce pays ont la mémoire courte.

– Pas moi, dis-je. Moi, je n'oublie jamais rien. Un vrai éléphant. Prenez, par exemple, cette patiente dont vous vous êtes occupée. (Je pris un des deux dossiers que j'avais trouvés dans le bureau de Kindermann et le lui lançai.) Voyez-vous, jusqu'à un passé récent, j'étais encore détective privé. Et vous savez quoi ? Même si vous êtes une merde, nous avons quelque chose en commun. Cette patiente était aussi ma cliente.

Il alluma la veilleuse et ouvrit le dossier.

– Oui, je me souviens d'elle.

– Elle a disparu il y a environ deux ans. À proximité de votre clinique. Je le sais parce qu'elle avait garé ma voiture là-bas. Herr Kindermann, que dit votre ami Jung à propos des coïncidences ?

– Euh... vous voulez parler des coïncidences significatives, je suppose. Il appelle ce principe « synchronicité » : selon lui, un événement objectif relevant apparemment de la simple coïncidence peut revêtir une certaine signification si on l'interprète en fonction de la condition psychique du sujet. C'est un concept difficile à expliquer dans des termes qui vous soient accessibles. Mais je ne vois pas en quoi cette coïncidence-ci pourrait être significative.

– Ça ne m'étonne pas. Vous ne connaissez pas mon inconscient. Et c'est peut-être aussi bien.

Il resta silencieux un long moment.Nous franchîmes le Mittellandkanal au nord de Brunswick. L'autobahn s'arrêtait là, et je pris de petites routes en direction du sud-ouest, vers Hildesheim et Hameln.

– Nous ne sommes plus très loin, dis-je par-dessus mon épaule.

Je n'entendis pas de réponse. Je quittai la route et empruntai un étroit chemin s'enfonçant dans les bois.

J'arrêtai la voiture et jetai un regard aux alentours. Kindermann dormait paisiblement. D'une main tremblante, j'allumai une cigarette et descendis de voiture. Un vent violent s'était levé et des éclairs traçaient sur le ciel noir des lignes de sauvetage argentées. Peut-être étaient-elles destinées à Kindermann.

Je me penchai par la vitre ouverte et récupérai mon arme sur le siège. Ensuite, j'ouvris la portière arrière et secouai Kindermann par les épaules.

– Venez, dis-je en lui tendant la clé des menottes. Nous allons nous dégourdir un peu les jambes.

Je lui indiquai le sentier qui s'étirait dans la lueur des phares de la Mercedes. Nous marchâmes jusqu'à la limite du faisceau, où je m'arrêtai.

– Bon, ça ira comme ça, dis-je. (Il se retourna face à moi.) Synchronicité. J'aime bien ce mot-là. Un joli mot pour définir quelque chose qui me ronge les tripes depuis des années. Je suis détective, Kindermann, détective *privé*. C'est une profession qui vous fait apprécier encore plus la vie privée. Ce qui veut dire que je n'inscris jamais mon numéro de téléphone personnel au dos de ma carte professionnelle, sauf si la personne à qui je la donne m'est très proche. Or, quand j'ai demandé à la mère de Reinhard Lange la raison pour laquelle, quand elle a voulu trouver un détective, elle s'est adressée à moi plutôt qu'à un autre, elle m'a dit qu'elle avait trouvé mon numéro au dos d'une de mes cartes, oubliée dans la poche d'une veste de Reinhard qu'elle voulait envoyer au pressing. Évidemment, ça m'a intrigué. Quand elle est tombée sur cette carte, elle s'est demandé si son fiston avait des ennuis, et elle lui en a parlé. Reinhard lui a répondu qu'il avait ramassé la carte sur votre bureau. Je me demande s'il avait une raison précise de le faire. Peut-être que non. Maintenant, nous ne le saurons sans doute jamais. En tout cas, quelles que soient ses raisons, cette carte trahit la présence de ma cliente dans votre bureau le jour de sa disparition. Depuis, on ne l'a jamais revue. N'est-ce pas là un bel exemple de synchronicité ?

– Écoutez, Gunther, c'était un accident, ce qui lui est arrivé. C'était une droguée.

– Comment a-t-elle atterri chez vous ?

– Je la soignais pour dépression. Elle avait perdu son travail. Elle venait de rompre une liaison. Elle avait besoin de cocaïne, de beaucoup de cocaïne. Quand je me suis aperçu qu'elle s'accoutumait, il était déjà trop tard.

– Que s'est-il passé ?

– Un beau jour, elle est arrivée à la clinique, dans l'après-midi. Elle m'a dit qu'elle passait dans le quartier, qu'elle n'était pas en forme. Elle allait se présenter pour un travail, un poste important, et elle sentait qu'elle le décrocherait si je l'aidais un peu. J'ai d'abord refusé, mais c'était une femme très persuasive et j'ai fini par céder. Je l'ai laissée seule quelques instants. À mon avis, elle n'avait rien pris depuis longtemps, et elle n'a pas supporté sa dose habituelle. Elle s'est étouffée dans son vomi.

Je restai silencieux. Je n'étais plus dans le bon contexte pour que ça ait encore une signification quelconque. La vengeance n'a rien d'agréable. Son vrai goût est l'amertume, la compassion son arrière-goût le plus probable.

– Qu'allez-vous faire ? demanda-t-il avec nervosité. Vous n'allez quand même pas me tuer. Je vous l'ai dit, c'était un accident. Vous ne pouvez pas tuer un homme pour ça...

– Non, fis-je. Je ne peux pas. Pas pour ça. (Il poussa un soupir de soulagement et fit quelques pas vers moi.) Dans une société civilisée, on ne tue pas un homme de sang-froid.

Sauf que nous étions dans l'Allemagne d'Hitler, et que nous n'étions pas plus civilisés que les païens vénérés par Weisthor et Himmler.

– Peut-être, mais pour les meurtres de ces pauvres gamines, quelqu'un doit bien se dévouer, dis-je.

Je pointai l'arme sur son crâne et pressai la détente. D'abord une fois, puis plusieurs autres fois.

Vu de la petite route sinueuse qui y menait, Wewelsburg avait l'aspect d'un petit village typique de Westphalie. On apercevait autant de statues de la Vierge Marie juchées sur les murs et les talus que de machines agricoles dispersées çà et là devant les maisonnettes en bois tout droit sorties d'un conte de fées. Je compris que j'étais tombé dans un drôle d'endroit lorsque je m'arrêtai devant l'une d'elles pour demander la direction de l'école SS. Les griffons ailés, les symboles runiques et les vieux caractères germaniques sculptés ou tracés à la peinture dorée sur les châssis et les linteaux des fenêtres m'évoquèrent des histoires de sorcières et de magiciens, de sorte que je ne fus pas autrement surpris par la hideuse apparition qui surgit sur le seuil de la porte, environnée d'un nuage de fumée de feu de bois et d'effluves de veau grillé.

La fille n'avait pas plus de 25 ans, et à part le cancer qui lui dévorait la moitié du visage, aurait pu passer pour jolie. J'eus à peine une seconde d'hésitation, mais cela suffit à susciter son courroux.

– Eh bien, qu'est-ce que vous avez à me regarder comme ça ? aboya-t-elle. (La grimace qui déforma sa bouche distendue dévoila une dentition noirâtre et des gencives encore plus sombres et plus répugnantes.) Et puis est-ce qu'on dérange les gens à une heure pareille ? Qu'est-ce que vous voulez à la fin ?

– Je m'excuse de vous déranger, fis-je en fixant mon regard sur la moitié de son visage épargnée par la maladie. Je suis perdu. Je cherche l'école des SS.

– Il n'y a pas d'école à Wewelsburg, rétorqua-t-elle en m'examinant d'un air soupçonneux.

– L'école des SS, répétai-je d'une voix faible. On m'a dit que ça se trouvait par là.

– Ah, d'accord, je vois, dit-elle en tendant le bras vers la route qui descendait la colline. C'est là-bas. La route tourne à droite, puis à gauche, et un peu plus loin sur votre gauche, vous verrez une autre route plus étroite, bordée d'une barrière, qui monte à flanc de colline. (Elle eut un rire dédaigneux avant de conclure :) L'école, comme vous dites, c'est là-haut.

Et elle me claqua la porte au nez.

Ça fait du bien de sortir de la ville de temps en temps, me dis-je en regagnant la Mercedes. Au moins, les gens de la campagne aiment prendre le temps de bavarder.

Je trouvai la route qui longeait la barrière, et gravis la colline jusqu'à une vaste esplanade pavée.

Je compris aussitôt pourquoi la fille avec le morceau de charbon dans la bouche avait eu l'air amusé, car appeler « école » ce qui se présentait à ma vue revenait à baptiser ménagerie un zoo, ou salle de réunion une cathédrale. L'école d'Himmler était en réalité un château de taille respectable, avec des tours coiffées de dômes, dont l'une dominait l'esplanade comme le casque de quelque gigantesque soldat prussien.

Je garai la voiture près d'une chapelle, à côté des transports de troupes et des voitures officielles stationnés devant ce qui semblait être, aménagé sur son flanc oriental, le corps de garde du château. Pendant une fraction de seconde, l'orage illumina le ciel tout entier, et j'eus une vision spectrale en noir et blanc de tout le bâtiment.

L'endroit était impressionnant, et l'ambiance de film d'horreur qu'il évoquait ne pouvait que donner froid dans le dos au téméraire qui entendait y pénétrer. Cette prétendue école semblait réunir dans ses murailles Dracula, Frankenstein, Orlac et toute une meute de loups-garous. Je regrettais de n'avoir pas bourré mon pistolet de gousses d'ail blindées de 9 mm.

Il faut dire qu'il devait se trouver assez de monstres bien réels dans le château de Wewelsburg sans appeler à la rescousse les imaginaires, et je ne doutais pas un instant qu'Himmler eut pu fournir quelques tuyaux intéressants au Docteur X.

Pouvais-je me fier à Heydrich ? Je réfléchis à la question pendant un bon moment avant de conclure que je pouvais certainement lui faire confiance pour ce qui était de son ambition, et comme je lui apportais sur un plateau de quoi annihiler un adversaire important en la personne de Weisthor, je n'avais guère d'alternative que de me remettre, moi et les résultats de mon enquête, entre ses blanches mains d'assassin.

La cloche de la chapelle sonnait minuit lorsque je redémarrai la Mercedes et, laissant l'esplanade, m'engageai sur le pont qui franchissait le fossé à sec jusqu'à l'entrée du château.

Un garde SS surgit de la guérite de pierre, examina mes papiers et me fit signe d'entrer.

Je m'arrêtai devant le portail en bois et cornai une ou deux fois avant de descendre de voiture. Des lumières brillaient un peu partout, et il me semblait peu probable que je réveille grand monde, trépassé ou bien vivant. Une petite porte s'ouvrit dans le portail et un caporal SS s'avança vers moi. Après avoir examiné mes papiers à la lueur de sa torche, il m'autorisa à franchir la petite porte. Je me retrouvai dans un passage voûté où je dus une fois de plus répéter mon histoire et présenter mes papiers à un jeune lieutenant qui semblait commander les hommes de garde.

Il n'y a qu'un moyen de ne pas s'en laisser imposer par les jeunes officiers SS arrogants auxquels il a semblé échoir de naissance l'exacte teinte de bleu pour les yeux et de blond pour les cheveux : c'est de se montrer encore plus arrogants qu'eux. C'est pourquoi je repensai à l'homme que j'avais tué l'après-midi même, et fixai le lieutenant d'un regard hautain et glacial qui aurait démonté un héritier des Hohenzollern.

– Je suis le Kommissar Gunther, lui annonçai-je d'un ton cassant, chargé d'une mission urgente de la Sipo concernant la sécurité du Reich. Cette affaire exige l'attention immédiate du général Heydrich. Je vous prie de l'informer sur-le-champ de ma présence. Pour vous prouver qu'il m'attend, sachez qu'il m'a fourni le mot de passe exigé pour entrer au château pendant les sessions du Tribunal d'Honneur.

Je prononçai ladite formule, et vis l'arrogance du lieutenant s'incliner devant la mienne.

– Lieutenant, permettez-moi d'insister sur le caractère confidentiel de ma mission, ajoutai-je en baissant la voix. Il est essentiel pour l'instant que seul le général Heydrich ou son aide de camp soit informé de ma présence au château. Il est fort possible que des agents communistes aient été infiltrés parmi les membres du Tribunal. Me fais-je bien comprendre ?

Le lieutenant hocha la tête avec raideur et rentra dans son bureau pour téléphoner tandis que je marchai sous le glacial ciel nocturne jusqu'à la limite de la cour pavée.

De l'intérieur, le château paraissait de dimensions plus modestes, avec ses trois côtés reliés par trois tours, dont deux couvertes d'un dôme. Sur la plate-forme crénelée de la troisième, plus petite mais plus large que les autres, était érigé un mât en haut duquel un drapeau SS claquait dans le vent.

Le lieutenant revint et, à ma surprise, se mit au garde-à-vous en claquant des talons. Je présumai que c'était plus un effet de ce qu'Heydrich ou son aide lui avait dit que de la force de ma personnalité.

– Kommissar Gunther, fit-il d'une voix respectueuse, le général finit de souper et vous demande de l'attendre dans le salon de la tour ouest. Voulez-vous me suivre, je vous prie ? Le caporal s'occupera de votre voiture.

– Je vous remercie, lieutenant, fis-je, mais je dois d'abord y prendre quelques documents importants.

Après avoir récupéré ma serviette renfermant le dossier médical de Weisthor, la déposition de Lange et les lettres échangées entre Lange et Kindermann, je suivis le lieutenant à travers la cour jusqu'à la tour ouest. De quelque part sur notre gauche nous parvenaient des voix d'hommes qui chantaient.

– La soirée a l'air animée, fis-je avec froideur.

Mon guide émit un grognement peu enthousiaste. Même la plus médiocre des soirées valait mieux qu'une corvée de garde dans la nuit de novembre. Après avoir franchi une lourde porte de chêne, nous pénétrâmes dans le grand hall.

Tous les châteaux allemands devraient être aussi gothiques que celui-ci ; tout seigneur de la guerre teutonique devrait vivre et se pavaner dans un tel décor ; toute brute aryenne devrait s'entourer d'autant d'emblèmes d'impitoyable tyrannie. À part les immenses et lourds tapis, les épaisses tapisseries et les peintures décolorées, il y avait là assez d'armures, de mousquets et d'épées de toutes dimensions pour aller guerroyer contre le roi Gustave-Adolphe et l'armée suédoise au grand complet.

Par contraste, le salon, où nous accédâmes par un escalier de bois en colimaçon, était meublé avec parcimonie et bénéficiait d'une vue spectaculaire sur le petit aéroport dont les lumières clignotaient à deux kilomètres en contrebas.

– Servez-vous à boire, fit le lieutenant en ouvrant un petit bar. Et si vous avez besoin de quoi que ce soit, vous n'avez qu'à sonner.

Sur ce, il claqua une nouvelle fois des talons et disparut dans l'escalier.

Je me servis un grand cognac, que j'avalai cul sec. Le long trajet en voiture m'avait épuisé. Je me servis un autre verre, me laissai tomber dans un fauteuil et fermai les yeux. Je revis l'expression incrédule de Kindermann lorsque la première balle s'était logée entre ses deux yeux. À l'heure qu'il était, Weisthor devait se ronger les sangs en l'absence de son cher docteur et de sa mallette de drogues. Moi-même, j'aurais bien eu besoin d'une petite injection.

Je sirotai mon cognac. Au bout de dix minutes, je sentis ma tête s'affaisser sur ma poitrine.

Je sombrai dans le sommeil et mes cauchemars m'emportèrent au grand galop à la rencontre d'hommes-bêtes, de prédicateurs de la mort, de juges rouges et de toute la lie écartée du paradis.

23

Lundi 7 novembre

Lorsque j'eus terminé de raconter mon histoire à Heydrich, les traits habituellement pâles du général étaient empourprés d'excitation.

– Félicitations, Gunther, déclara-t-il. Vous avez été au-delà de mes espoirs. Et vos conclusions surviennent à point nommé. N'est-ce pas, Nebe ?

– En effet, mon général.

– Cela va peut-être vous surprendre, Gunther, reprit Heydrich, mais le Reichsführer Himmler et moi-même sommes pour l'instant favorables à la protection des biens juifs, ne serait-ce que pour des raisons d'ordre public et de bonne marche du commerce. Si on laisse la foule se déchaîner dans les rues, ce ne sont pas seulement les boutiques juives qui en pâtiront, mais aussi les magasins allemands. Sans parler du fait que ce sont les assurances allemandes qui devront rembourser les dégâts. Goering serait fou de rage. Et qui pourrait le lui reprocher ? Une telle pagaille réduirait à néant tout effort de planification économique.

» Or, comme vous le dites très justement, Gunther, si Himmler se laissait entraîner dans le plan de Weisthor, il supprimerait toute protection des biens juifs, et je ne vois pas comment je pourrais m'y opposer. C'est pourquoi nous devons agir avec la plus grande prudence. Himmler est un imbécile, mais un imbécile dangereux. Il nous faut confondre Weisthor sans équivoque possible, et devant autant de témoins que possible. (Il se tut un instant.) Nebe ?

Le Reichskriminaldirektor gratta l'aile de son long nez et hocha la tête d'un air songeur.

– Nous devons, dit-il enfin, éviter au maximum de mentionner l'implication d'Himmler dans cette affaire. Je suis d'accord pour dévoiler le jeu de Weisthor devant témoins. Je ne veux pas voir ce salopard s'en tirer. Mais en même temps, il faut éviter de mettre le Reichsführer dans l'embarras devant l'état-major SS. Il nous pardonnera d'avoir eu la peau de Weisthor, pas de le faire passer pour un con.

– Je suis d'accord, dit Heydrich. (Il réfléchit quelques instants.) Nous sommes dans la juridiction de la Sipo 6, n'est-ce pas ? Où se trouve l'antenne du SD la plus proche de Wewelsburg ?

– À Bielefeld, répondit Nebe.

– Bien. Appelez-les tout de suite. Demandez-leur d'envoyer une compagnie ici dès l'aube. (Il eut un sourire en lame de couteau.) Juste au cas où Weisthor arriverait à convaincre le tribunal que je suis juif. Je n'aime pas cet endroit. Weisthor a des tas d'amis à Wewelsburg. Je sais qu'il participe à certains de ces grotesques mariages SS qui se tiennent ici. C'est pourquoi une petite démonstration de force de notre part ne sera peut-être pas inutile.

– Le commandant du château, Taubert, était dans la Sipo avant d'être nommé à ce poste, dit Nebe. Je pense que nous pouvons compter sur lui.

– Bien. Mais ne lui parlez pas de Weisthor. Continuez à broder sur la version de Gunther, à savoir les possibles infiltrations du KPD, et dites-lui de mettre un détachement en alerte. Ah ! demandez-lui aussi de faire préparer une chambre pour le Kommissar. Il l'a bien méritée.

– La chambre contiguë à la mienne est inoccupée, général, fit Nebe qui ajouta avec un sourire : Je crois que c'est la chambre dite d'Henri Ier l'Oiseleur.

– Insensé ! s'exclama Heydrich en riant. La mienne, c'est celle du roi Arthur et du Graal. Mais qui sait ? Peut-être qu'aujourd'hui verra ma victoire sur la fée Morgane.

Le tribunal siégeait au rez-de-chaussée de l'aile ouest. En entrebâillant la porte d'une des chambres adjacentes, j'avais une excellente vision de ce qui se passait.

La salle mesurait plus de quarante mètres de long. Le sol était parqueté, les murs lambrissés et le plafond aux poutres apparentes décoré de gargouilles sculptées. Autour d'une vaste table en chêne étaient disposées des chaises dont le haut dossier de cuir était pourvu d'un disque d'argent sur lequel figurait le nom de l'officier SS qui devait y prendre place. Le ballet des uniformes noirs et les rituels qui précédèrent les délibérations me firent penser à la réunion d'une Grande Loge franc-maçonne.

Le premier point inscrit à l'ordre du jour ce matin-là concernait l'approbation par le Reichsführer des travaux de réfection de la tour nord, laquelle donnait d'inquiétants signes d'affaissement. Les projets de travaux furent exposés par le Landbaumeister Bartels, un gros homme à tête de hibou assis entre Weisthor et Rahn. Je remarquai que Weisthor montrait des signes de nervosité, que j'attribuai à son manque de cocaïne.

Lorsque le Reichsführer lui demanda son avis sur les projets, Weisthor répondit d'une voix trébuchante.

– En termes... hum... de... euh... d'importance cultuelle... hum... du... du château, articula-t-il, et de son... hum... importance magique dans, euh... dans un éventuel... hum... conflit entre est et ouest, hum...

Heydrich ne tarda pas à l'interrompre, et il devint vite clair que ça n'était pas pour faciliter la tâche du Brigadeführer.

– Reichsführer, dit-il d'une voix acérée, puisque le tribunal est réuni au grand complet et que nous écoutons tous le Brigadeführer avec fascination, il serait, à mon avis, injuste de le laisser poursuivre sans vous communiquer les très sérieuses accusations qui doivent être formulées à son encontre et à celle de son comparse l'Unterscharführer Rahn.

– De quoi s'agit-il ? demanda Himmler avec dédain. Je ne suis au courant d'aucune accusation concernant Weisthor. Pas même d'une enquête à son sujet.

– C'est exact. Il n'y a pas eu d'enquête individuelle demandée à son sujet, mais une autre enquête, qui n'avait rien à voir avec lui au départ, a permis de mettre à jour le rôle central joué par Weisthor dans une odieuse conspiration ayant provoqué le meurtre pervers de sept jeunes Allemandes.

– Reichsführer ! clama Weisthor. Je proteste ! C'est monstrueux !

– Tout juste, rétorqua Heydrich. Mais le monstre, c'est vous.

Weisthor se leva, frissonnant de la tête aux pieds.

– Sale menteur de youpin, cracha-t-il.

La bouche d'Heydrich se tordit en un petit sourire paresseux.

– Kommissar, fit-il en élevant la voix, voulez-vous entrer ?

Je m'avançai lentement dans la salle, mes pas résonnant sur le parquet comme ceux d'un acteur débutant lors d'une audition. Toutes les têtes se tournèrent dans ma direction. En sentant la cinquantaine d'hommes les plus puissants d'Allemagne braquer les yeux sur moi, j'aurais donné cher pour être n'importe où ailleurs. La mâchoire de Weisthor s'affaissa tandis qu'Himmler se levait à demi de son siège.

– Qu'est-ce que ça veut dire ? grogna-t-il.

– Certains d'entre vous, fit Heydrich d'une voix mielleuse, connaissent sans doute cet homme sous le nom de Steininger, père d'une des adolescentes assassinées. Or, il n'en est rien. Cet homme travaille pour moi. Dites-leur qui vous êtes, Gunther.

– Kriminalkommissar Bernhard Gunther, de la Commission criminelle, Berlin-Alexanderplatz.

– Exposez à ces messieurs la raison de votre présence, je vous prie.

– Je suis venu arrêter Karl Maria Weisthor, alias Karl Maria Wiligut, alias Jarl Widar ; ainsi qu'Otto Rahn et Richard Anders. Tous trois sont accusés du meurtre de sept adolescentes berlinoises entre le 23 mai et le 29 septembre 1938.

– Menteur ! s'écria Rahn en se levant d'un bond en même temps qu'un autre officier que je supposai être Anders.

– Asseyez-vous, leur intima Himmler. Je suppose que vous êtes en mesure de prouver vos assertions, Kommissar ?

Il ne m'aurait pas considéré d'un œil plus haineux si j'avais été Karl Marx en personne.

– Je pense que oui, Reichsführer.

– Heydrich, j'espère qu'il ne s'agit pas d'un de vos mauvais tours, remarqua Himmler.

– Un mauvais tour, Reichsführer ? rétorqua Heydrich d'un air innocent. Pour ce qui est de mauvais tours, ces deux individus en avaient un plein sac. Ils se faisaient passer pour des médiums afin de faire croire à de pauvres gens que c'étaient les esprits qui leur révélaient où se trouvaient les cadavres des jeunes filles qu'ils avaient eux-mêmes assassinées. Et sans l'intervention du Kommissar Gunther, ils auraient refait leur petit numéro d'asile de fous devant les officiers réunis ici.

– Rei... Reichsführer, bégaya Weisthor. C'est absurde, complètement absurde.

– Où sont vos preuves, Heydrich ?

– J'ai parlé d'asile de fous, et ça n'est pas exagéré. Je sais bien qu'aucune des personnes ici présentes n'aurait cru un instant à leurs grotesques racontars. Il est toutefois reconnu que les gens à l'esprit dérangé croient dur comme fer à la justesse de leurs actes. (Il tira le dossier de Weisthor de dessous la pile de papiers qu'il avait devant lui et le déposa devant Himmler.) Voici le dossier médical de Karl Maria Wiligut, alias Karl Maria Weisthor, dossier qui, jusqu'à une date récente, se trouvait en la possession de son médecin, l'Hauptsturmführer Lanz Kindermann...

– Non ! cria Weisthor en se jetant sur le dossier.

– Maîtrisez cet homme ! hurla Himmler.

Les deux officiers qui encadraient Weisthor lui immobilisèrent les bras. Rahn glissa la main vers son étui de pistolet, mais je fus plus rapide et armai mon Mauser tout en appliquant le canon contre son crâne.

– Un geste de plus et je te troue le cerveau, fis-je en le délestant de son arme.

Heydrich poursuivit, apparemment insensible à cette agitation. Cet homme avait le sang-froid d'un saumon de la Baltique, et il était tout aussi insaisissable.

– En novembre 1924, Wiligut fut enfermé dans un asile d'aliénés de Salzbourg pour s'être livré à une tentative de meurtre sur sa femme. Après examen, il a été déclaré dément et est resté interné jusqu'en 1932. Il fut suivi par le Dr Kindermann pendant toute la durée de son internement. À sa sortie de l'asile, il a changé son nom pour celui de Weisthor. La suite, je pense que vous la connaissez, Reichsführer.

Himmler examina le dossier pendant quelques minutes, puis poussa un soupir.

– Est-ce exact, Karl ? demanda-t-il enfin.

Maintenu par deux officiers SS, Weisthor secoua la tête.

– Ce sont des mensonges, je le jure sur mon honneur d'officier et de gentilhomme.

– Relevez-lui la manche gauche, intervins-je. Cet homme est un drogué. Pendant des années, Kindermann l'a approvisionné en cocaïne et morphine.

Himmler adressa un signe de tête aux SS qui maintenaient Weisthor. Ils dénudèrent son avant-bras constellé d'hématomes noirs et bleus.

– Si cela ne suffit pas à vous convaincre, ajoutai-je, j'ai aussi une déposition de vingt pages signée par Reinhard Lange.

Himmler continuait de hocher la tête. Il se leva, contourna sa chaise et vint se planter devant son Brigadeführer, le grand sorcier des SS, qu'il frappa plusieurs fois au visage.

– Hors de ma vue, fit-il. Mettez-le aux arrêts jusqu'à nouvel ordre. Rahn. Anders. Même chose pour vous. (Sa voix devint presque hystérique.) Dehors ! vous dis-je. Vous n'appartenez plus à cet ordre. Vous rendrez vos bagues à tête de mort, vos dagues et vos épées. Je déciderai de votre sort plus tard.

D'un signe, Arthur Nebe fit entrer les gardes et leur ordonna d'escorter les trois hommes jusqu'à leur chambre.

La plupart des SS présents autour de la table étaient restés bouche bée d'ahurissement. Seul Heydrich avait conservé son calme, son long visage ne trahissant pas plus de satisfaction devant la déroute de ses ennemis que s'il avait été modelé dans l'argile.

Après que Weisthor, Rahn et Anders eurent été emmenés, tous les yeux se tournèrent vers Himmler. Le problème, c'est que lui braquait les siens sur moi, et je rengainai mon arme en me disant que la représentation n'était pas terminée. Pendant quelques secondes pénibles, il se contenta de me fixer du regard, se remémorant sans aucun doute que je l'avais vu chez Weisthor, lui, le Reichsführer-SS, chef tout-puissant de la police allemande, sous les traits d'un homme crédule, trompé et dupé – bref : faillible. Pour un homme qui se voyait dans le rôle du pape nazi de l'Antéchrist Hitler, la pilule était amère. Se plantant devant moi, si près que je pus sentir l'odeur d'eau de Cologne sur son petit visage impeccablement rasé d'instituteur méticuleux, et clignant furieusement des paupières, sa bouche se tordit en un rictus de haine et il me frappa violemment au menton.

Je lâchai un grognement de douleur mais restai immobile, presque au garde-à-vous.

– Vous avez tout gâché, me dit-il d'une voix frémissante. Tout. Vous entendez ?

– J'ai fait mon travail, rétorquai-je d'une voix rauque.

Je crois qu'il m'aurait frappé une nouvelle fois si Heydrich n'était pas intervenu.

– Le Kommissar a raison, fit-il. Il n'a fait que son devoir. En attendant, je propose qu'au vu des circonstances, les délibérations du tribunal soient suspendues une heure ou deux pour permettre au Reichsführer de se reprendre. La découverte d'une telle trahison dans une assemblée si chère au cœur de notre Reichsführer a dû lui causer un grand choc. Comme à nous tous, en vérité.

La proposition fut accueillie par des murmures d'approbation, et Himmler parut recouvrer le contrôle de lui-même. Légèrement empourpré sous l'effet de l'embarras, son visage se crispa et il eut un bref hochement de tête.

– Vous avez raison, Heydrich, marmonna-t-il. C'est un grand choc. Un choc terrible. Je vous présente mes excuses, Kommissar. Comme vous l'avez dit, vous n'avez fait que votre travail. Et vous l'avez bien fait.

Il pivota sur ses talons et quitta la pièce d'un pas vif en compagnie de quelques-uns de ses officiers.

La bouche d'Heydrich esquissa un lent sourire puis, lorsque son regard croisa le mien, il m'invita à le suivre et se dirigea vers l'autre porte. Arthur Nebe nous emboîta le pas, et nous laissâmes les autres officiers échanger des commentaires au milieu des éclats de voix.

– Peu d'hommes ont le privilège de recevoir les excuses personnelles d'Heinrich Himmler, remarqua Heydrich lorsque nous fûmes réunis tous trois dans la bibliothèque du château.

Je frottai mon menton endolori.

– J'inscrirai ça dans mon journal intime dès ce soir, fis-je. Ça a toujours été le rêve de ma vie.

– À propos, vous ne m'avez pas dit ce qu'est devenu Kindermann.

– Disons qu'il a été tué au cours d'une tentative d'évasion, répondis-je. Je suis sûr que vous me comprenez.

– C'est dommage. Il aurait pu nous être utile.

– Il a eu ce que mérite un assassin. Il fallait bien qu'il y en ait au moins un qui trinque. Je doute que le reste de ces salopards aient jamais ce qu'ils méritent. La fraternité SS et tout ça, hein ? (Je me tus le temps d'allumer une cigarette.) Que va-t-il leur arriver ?

– Une chose est sûre : ils ne feront plus partie de la SS. Vous avez entendu Himmler.

– Quel sort terrible, en effet. (Je me tournai vers Nebe.) Dites-moi la vérité, Arthur. Weisthor court-il le moindre risque de se retrouver devant un tribunal ou sous la guillotine ?

– Ça ne me plaît pas plus qu'à vous, répliqua-t-il. Mais Weisthor est trop proche d'Himmler. Il en sait trop.

Heydrich fit la moue.

– En revanche, Otto Rahn n'est qu'un subalterne. Je ne pense pas que le Reichsführer trouverait à y redire s'il lui arrivait un accident.

Je secouai la tête avec amertume.

– En tout cas, leur sale complot est éventé. Ça empêchera un nouveau pogrom, au moins pendant quelque temps.

Heydrich parut soudain mal à l'aise. Nebe se leva et alla regarder par la fenêtre.

– Bon Dieu de bon Dieu ! explosai-je. Vous n'allez pas me dire que ça va quand même avoir lieu ? (Je vis Heydrich tressaillir.) Vous savez bien que les juifs n'ont rien à voir avec ces meurtres.

– Bien sûr que nous le savons, fit-il avec gaieté. Et personne ne les leur collera sur le dos, vous avez ma parole. Je peux vous assurer que...

– Dites-lui, l'interrompit Nebe. Il a bien le droit de savoir.

Heydrich réfléchit quelques instants, puis se leva. Il prit un livre sur un rayon et le feuilleta d'un air distrait.

– Vous avez raison, Nebe. Il a le droit de savoir.

– Savoir quoi ?

– Nous avons reçu un télex juste avant le début de la réunion, ce matin, expliqua Heydrich. Par une étrange coïncidence, il se trouve qu'un jeune juif a tenté d'assassiner un diplomate allemand à Paris. Ce fanatique voulait apparemment protester contre le traitement dont les juifs polonais font l'objet en Allemagne. Le Führer a envoyé son médecin personnel à Paris, mais notre diplomate n'a guère de chance de s'en tirer.

» Suite à cet attentat, Goebbels fait pression sur le Führer pour qu'au cas où ce diplomate viendrait à mourir, on tolère quelques explosions de colère spontanées de la population allemande envers les juifs sur le territoire du Reich.

– Et vous détournerez les yeux, c'est ça ?

– Je désapprouve les désordres, dit Heydrich.

– Weisthor aura son pogrom, en fin de compte. Bande de salauds.

– Pas un pogrom, rectifia Heydrich. Nous interdirons tout pillage. Les biens juifs devront être détruits. La police veillera à ce que rien ne soit pillé. Et nous ne tolérerons aucun excès qui puisse mettre en danger des biens allemands ou des vies allemandes.

– Comment comptez-vous contrôler une émeute ?

– Nous donnerons des directives très strictes. Les fauteurs de trouble seront arrêtés et sévèrement punis.

– Des directives ? fis-je en faisant claquer mon paquet de cigarettes contre une étagère. À une foule déchaînée ? Elle est bien bonne, tiens.

– Chaque responsable de la police en Allemagne recevra un télex définissant sa ligne de conduite.

Je me sentis soudain épuisé. J'aurais voulu rentrer chez moi, être loin de tout ça. Le simple fait de parler de ce qui allait probablement se passer me donnait l'impression d'être malhonnête, sali. J'avais échoué. Mais ce qui était bien pire et que je commençais juste à comprendre, c'est qu'on n'avait sans doute jamais voulu que je réussisse.

Heydrich avait parlé d'une simple coïncidence. Était-ce une coïncidence significative, au sens où Jung l'entendait ? Non. C'était impossible. Plus rien n'avait de sens.

24

Jeudi 10 novembre

La radio décrivit les événements comme des « explosions de colère spontanées de la population allemande ».

Ma colère à moi n'avait rien de spontané. Elle avait eu toute la nuit pour bouillonner. Une nuit rythmée par le fracas des vitres brisées et l'écho des obscénités hurlées dans les rues, une nuit qui sentait la fumée des maisons incendiées. Submergé de honte, j'étais resté terré chez moi. Mais au matin, lorsqu'un grand soleil perça mes rideaux, je résolus de sortir pour voir ce qui s'était passé.

Je crois que je ne l'oublierai jamais.

Depuis 1933, se faire casser sa vitrine était devenu un risque du métier pour tout commerçant juif, un trait aussi caractéristique du nazisme que les bottes noires ou le swastika. Cette fois, pourtant, c'était différent, car les destructions avaient été beaucoup plus systématiques que les habituels dégâts causés par une bande de brutes SA avinées. Cette nuit-là avait été une véritable *Walpurgisnacht* de destruction.

Le verre brisé couvrait le sol comme les pièces d'un immense puzzle de givre répandu sur terre par quelque irascible prince du cristal pris d'une crise de fureur.

À quelques mètres à peine de l'entrée de mon immeuble se trouvaient deux magasins de vêtements où je vis la trace visqueuse d'un escargot zigzaguant sur un mannequin, tandis qu'une toile d'araignée géante menaçait d'en envelopper un autre de sa gaze tranchante comme un rasoir.

Plus loin, à l'angle du Kurfürstendamm, un immense miroir brisé en mille morceaux sur le sol me renvoya mon image fragmentée et crissa sous mes chaussures lorsque je l'enjambai.

Pour ceux qui, comme Weisthor et Rahn, croyaient au rapport symbolique entre le cristal et quelque ancien Christ germanique d'où il aurait tiré son nom, ce spectacle devait paraître excitant au plus haut point. Les vitriers en revanche avaient de quoi se frotter les mains, et j'entendis plusieurs badauds faire cette réflexion.

À l'extrémité nord de Fasanenstrasse, la synagogue proche de la ligne du S-Bahn n'était plus qu'un tas de poutres calcinées et de murs noircis qui fumaient encore. Je ne suis pas clairvoyant, mais je crois que tout homme honnête devait penser la même chose que moi. Combien de maisons allaient encore brûler avant qu'Hitler en ait fini avec nous ?

Des soldats, déversés par deux camions dans une rue adjacente, fracassaient les quelques vitrines encore en place à coups de bottes. La prudence me conseillant de prendre un autre chemin, j'allais faire demi-tour lorsque j'entendis une voix que je crus reconnaître.

– Dehors, salauds de juifs ! criait le jeune homme.

C'était le fils de 14 ans de Bruno Stahlecker, Heinrich, en uniforme des Jeunesses hitlériennes motorisées. Je le vis lancer une grosse pierre dans la vitrine d'un magasin. Sa prouesse le fit éclater de rire.

– Enculés de juifs ! brailla-t-il.

Quêtant des yeux l'approbation de ses camarades, il m'aperçut soudain.

Tout en m'approchant de lui, je songeai à toutes les choses que je lui aurais dites si j'avais été son père, mais lorsque je le rejoignis, je me contentai de sourire. J'avais juste envie de lui flanquer une gifle.

– Salut, Heinrich.

Ses beaux yeux bleus me considérèrent avec méfiance.

– Je suppose que vous allez m'engueuler, fit-il, sous prétexte que vous étiez un ami de mon père.

– Qui, moi ? Je me fous bien de ce que tu peux faire.

– Alors quoi ? Qu'est-ce que vous voulez ?

Je haussai les épaules et lui offris une cigarette. Il la prit. Je lui donnai du feu puis lui tendis la boîte d'allumettes.

– Tiens, fis-je. Tu en auras peut-être besoin ce soir, si vous décidez de vous en prendre à l'hôpital juif.

– Vous voyez bien, vous essayez de me faire la morale.

– Pas du tout. Je voulais seulement te dire que j'ai retrouvé les types qui ont assassiné ton père.

– Vraiment ? (Des camarades d'Heinrich, occupés à piller la boutique de vêtements, lui crièrent de venir les aider.) J'en ai pour une minute ! les prévint-il avant de me demander : Où sont-ils ? Les types qui ont descendu mon père.

– L'un est mort. C'est moi qui l'ai tué.

– Bien. Bien.

– Je ne sais pas ce qui arrivera aux deux autres. Ça dépend, à vrai dire.

– Ça dépend de quoi ?

– De leurs amis SS. À eux de décider s'ils les font passer en cour martiale ou pas. (Je vis l'étonnement envahir son jeune visage.) Oh, je ne t'ai pas dit ? Oui, ces lâches qui ont assassiné ton père, ce sont des officiers SS. Ils l'ont tué parce qu'il les aurait empêché de commettre des crimes. Ce sont de très sales types, tu sais, Heinrich, et ton père a toujours fait son possible pour mettre les sales types hors d'état de nuire. C'était un sacré bon policier. (Je désignai d'un geste vague le verre brisé qui gisait alentour.) Je me demande ce qu'il aurait pensé de tout ça.

Heinrich hésita tandis qu'une boule enflait dans sa gorge à mesure qu'il saisissait les implications de ce que je venais de dire.

– C'était pas... c'est pas les juifs qui l'ont tué, alors ?

– Les juifs ? Penses-tu ! fis-je en éclatant de rire. Qui t'a mis une telle idée en tête ? Les juifs n'ont rien à y voir. Il ne faut pas croire tout ce que dit le *Stürmer*, tu sais.

Lorsque nous eûmes fini de parler, ce fut avec un singulier manque d'enthousiasme qu'Heinrich rejoignit ses amis. Sa réticence me fit sourire et je me dis que la propagande marchait dans les deux sens.

Près d'une semaine s'était écoulée depuis que j'étais parti de chez Hildegard. À mon retour de Wewelsburg, j'avais essayé plusieurs fois de l'appeler, mais elle n'était jamais chez elle, ou du moins, elle ne répondait pas au téléphone. Je finis par me décider à passer la voir.

En roulant vers le sud par Kaiserallee, puis en traversant Wilmersdorf et Friedenau, je découvris d'autres destructions, d'autres effets de ces « explosions de colère spontanées » : les enseignes portant des noms juifs avaient été arrachées, des slogans antisémites peints partout sur les murs ; et la police, omniprésente, assistait à tout, se gardant bien d'intervenir quand un magasin était pillé ou son propriétaire roué de coups. Près de Waghäuselerstrasse, je passai devant une autre synagogue incendiée, les pompiers se contentant de veiller à ce que les flammes ne gagnent pas les bâtiments voisins.

Ça n'était pas le jour idéal pour penser à ma petite personne.

Je me garai tout près de l'immeuble d'Hildegard dans Lepsius Strasse, ouvris la porte de la rue avec la clé qu'elle m'avait donnée, et montai jusqu'au deuxième étage. Je frappai avec le heurtoir. J'aurais pu entrer avec ma clé, mais, vu les circonstances de notre dernière rencontre, je pensais qu'elle n'apprécierait pas.

Au bout d'un moment, j'entendis un bruit de pas, et la porte fut ouverte par un jeune commandant SS. Il était l'incarnation même des théories raciales d'Irma Hanke : cheveux blonds pâles, yeux bleus, mâchoire coulée dans le béton. Sa tunique était déboutonnée et sa cravate desserrée, et je n'avais pas l'impression qu'il était venu proposer un abonnement au magazine des SS.

– Qui est-ce, chéri ? fit la voix d'Hildegard.

La tête baissée vers son sac à main dans lequel elle cherchait quelque chose, elle s'approcha de la porte et ne releva la tête qu'à quelques pas de moi.

Elle portait un ensemble de tweed noir, un chemisier de crêpe argenté et un chapeau dont les plumes noires flottaient au-dessus de son front comme les volutes de fumée au-dessus d'une maison en flammes. Depuis, cette image ne cesse de me hanter. En me voyant, elle s'immobilisa tandis que sa bouche soigneusement passée au rouge s'affaissait en cherchant quelque chose à dire.

Il n'y avait pas grand-chose à dire. C'est un des avantages de la profession de détective : on pige vite. Je n'avais pas besoin d'explications. Étant dans la SS, il savait sans doute mieux la fesser que moi. En tout cas, ils formaient un joli couple, et c'est ainsi qu'ils m'apparurent lorsqu'elle passa de manière éloquente son bras sous le sien.

Je hochai lentement la tête, me demandant si je devais lui faire part de l'arrestation des assassins de sa fille adoptive, mais comme elle ne demandait rien, je souris avec philosophie, sans cesser de hocher la tête, et lui rendis ses clés.

J'avais descendu la moitié des escaliers lorsqu'elle réagit.

– Je suis désolée, Bernie, fit-elle. Vraiment désolée.

Je marchai vers le sud en direction du Jardin botanique. Le pâle ciel d'automne était empli de l'exode de millions de feuilles que le vent déportait aux quatre coins de la ville, loin des branches qui leur avaient donné vie. Ici et là, des hommes au visage de pierre travaillait avec lenteur et concentration pour contrôler cette diaspora végétale, brûlant les branches de frêne, de chêne, d'orme, de hêtre, de sycomore, d'érable, de marronnier, de tilleul et de saule pleureur, tandis que l'âcre et grise fumée flottait dans l'air comme le dernier souffle d'âmes perdues. Pourtant, d'autres feuilles continuaient à tomber, à tomber sans cesse, de sorte que les tas se consumaient sans diminuer, et tandis que je regardais rougeoyer la braise des feux en humant les gaz chauds de cette mort végétale, il me sembla sentir l'odeur de la fin de toute chose.

Note de l'auteur

Otto Rahn et Karl Maria Weisthor démissionnèrent de la SS en février 1939. Rahn, randonneur chevronné, mourut de froid moins d'un mois plus tard lors d'une course en montagne près de Kufstein. Les circonstances de sa mort n'ont jamais été tout à fait éclaircies. Weisthor fut assigné à résidence dans la ville de Goslar où la SS continua à l'entretenir jusqu'à la fin de la guerre. Il mourut en 1946.

Un tribunal constitué de six Gauleiter se réunit le 13 février 1940 pour enquêter sur les agissements de Julius Streicher. Le tribunal du Parti conclut dans ses arrêtés que Streicher « n'avait pas les capacités requises pour être un meneur d'hommes », à la suite de quoi le Gauleiter de Franconie démissionna de ses responsabilités publiques.

Le pogrom de la Kristallnacht du 9 et 10 novembre 1938 causa la mort d'une centaine de juifs, l'incendie de 177 synagogues et la destruction de 7000 magasins juifs. On a estimé que la quantité de verre brisé cette nuit-là équivalait à la moitié de la production annuelle de verre de la Belgique, pays d'où la majorité de ce verre avait été importée. Les dégâts causés ont été estimés à plusieurs centaines de millions de dollars. Dans les cas où les assurances remboursèrent les dommages causés aux juifs, l'État confisqua cet argent en compensation du meurtre du secrétaire d'ambassade von Rath à Paris. Cette amende atteignit la somme de 250 millions de dollars.

Composition réalisée par COMPOFAC - PARIS

Impression réalisée sur CAMERON par
BRODARD ET TAUPIN
La Flèche
en mai 1994

Imprimé en France
Dépôt édit. 1424 – mai 1994
Collection 02 – Édition 01
N° d'impression : 6067 J-5
ISBN : 2-7024-2426-0

52/0594/3